*HISTÓRIA
DE NOSSA SENHORA
DA CONCEIÇÃO APARECIDA*

JÚLIO J. BRUSTOLONI
missionário redentorista

HISTÓRIA
DE NOSSA SENHORA
DA CONCEIÇÃO APARECIDA

A Imagem, o Santuário e as Romarias

EDITORA
SANTUÁRIO

Direção Geral:	Pe. Luís Rodrigues Batista, C.Ss.R.
Direção Editorial:	Pe. Flávio Cavalca de Castro, C.Ss.R.
	Pe. Carlos Eduardo Catalfo, C.Ss.R.
Coordenação editorial:	Elizabeth dos Santos Reis
Coordenação de revisão:	Maria Isabel de Araújo
Revisão:	Luciana Novaes Russi
Coordenação de Diagramação:	Marcelo Antonio Sanna
Diagramação:	Paulo Roberto de Castro Nogueira
Capa:	Mauricio Pereira

Dados Internacionais de Catalogação na Publicação (CIP)
(Câmara Brasileira do Livro, SP, Brasil)

Brustoloni, Júlio, 1926-
    História de Nossa Senhora da Conceição Aparecida: a imagem, o santuário e as romarias / Júlio J. Brustoloni. — 10ª ed. rev. e ampl. — Aparecida, SP: Editora Santuário, 1998.

    Bibliografia.
    ISBN 85-7200-570-6

    1. Maria, Virgem, Santa - Aparições e milagres 2. Maria, Virgem, Santa - Culto 3. Nossa Senhora Aparecida - História 4. Santuário de Nossa Senhora Aparecida - História I. Título.

98-3810   CDD-232.91

Índices para catálogo sistemático:
1. Nossa Senhora Aparecida: Culto: História: Religião 232.91
2. Virgem Maria: Culto: Teologia dogmática cristã 232.91

1ª edição: 1979

20ª impressão

Todos os direitos reservados à **EDITORA SANTUÁRIO** – 2024

Rua Pe. Claro Monteiro, 342 – 12570-045 – Aparecida-SP
Tel.: 12 3104-2000 – Televendas: 0800 0 16 00 04
www.editorasantuario.com.br
vendas@editorasantuario.com.br

POR QUE O POVO AMA NOSSA SENHORA APARECIDA?

Nosso povo gosta de Maria de Nazaré, e aqui no Brasil, desde 1717, lhe dá o nome carinhoso de "Nossa Senhora da Aparecida", porque ela é Mãe de Deus e nossa mãe. Entre tantos títulos de Nossa Senhora, o de Aparecida é o mais querido e invocado pelo nosso povo. Certamente isso não aconteceu por acaso, mas porque a Mãe de Deus quis ser representada numa pequena, machucada e enegrecida imagem da Imaculada Conceição de Maria.

Pescada no rio Paraíba, em 1717, por humildes pescadores — gente do povo que amava o trabalho e a religião — começaram a venerá-la, invocando-a em suas necessidades. Foi um amor à primeira vista, pois Filipe Pedroso, ao contemplar a pequenina imagem que segurava nas mãos, sentiu grande confiança diante de seu olhar compassivo e exclamou: "minha nossa senhora aparecida"! Daí por diante, o povo a invoca porque acredita que Ela é a Mãe de Deus, como ensinam os Evangelhos, e que Ela pode e quer nos ajudar pedindo e suplicando por nós a seu divino Filho Jesus Cristo.

Foi com Maria, e imitando seu exemplo, que nosso povo aprendeu a ter fé e a amar a Jesus Cristo, nosso Salvador; foi com Jesus que ele aprendeu a venerar, invocar e suplicar a Maria, sua Mãe, que é Nossa Mãe. Tendo em vista essa realidade, querida e abençoada por Deus, é que me propus reescrever a História do Santuário de Aparecida, que a Editora Santuário publicou, em 1979, sob o título "A Senhora da Conceição Aparecida". E tenho três boas razões para isso: faz 350 anos (1646-1996) que o Brasil, juntamente com Portugal, recebeu a Imaculada Conceição como sua Padroeira por resolução de

Dom João IV; 250 anos (1745-1995) que nosso povo venera no Santuário de Aparecida a Imaculada Conceição sob o novo título de Aparecida, e 100 anos (1894-1994) da presença apostólica dos missionários redentoristas no Santuário. E temos uma quarta razão: a celebração do tricentenário do nascimento de Santo Afonso Maria de Ligório (1696-1996), o grande missionário popular e divulgador das 'Glórias de Maria Santíssima'. Ele divulgou, em linguagem popular, a doutrina da Igreja sobre o lugar e a função de Maria no plano de salvação da humanidade.

Meu objetivo é fazer com que os peregrinos acreditem e confiem sempre mais em Jesus Cristo, nosso único Salvador, e na sua Mãe Santíssima, nossa intercessora e padroeira. Crendo e amando a Jesus Cristo, nosso povo aprende a praticar a justiça e o amor fraterno, que são as condições indispensáveis para que a gente participe do Reino de Deus. E com Maria de Nazaré ao nosso lado, fica bem mais fácil chegar até Jesus Cristo. E essa confiança na Mãe agrada demais a Jesus porque Ele sabe que Maria quer que todos os seus devotos o amem e sigam os ensinamentos de seu Evangelho.

Nossa Senhora Aparecida, como Mãe de Deus, tem um compromisso histórico com o povo brasileiro. Quer transmitir para todos os seus filhos esta Mensagem: "**Busquem, confiem e esperem com jubilosa alegria a salvação em meu filho Jesus Cristo. Peçam, que sua Mãe atende**". Você vai perceber e sentir essa mensagem de jubilosa esperança em cada capítulo desta história de Nossa Senhora Aparecida. Leia com interesse e amor.

Agradecendo a todos os leitores a acolhida generosa que deram às edições anteriores, desde 1979, espero que também esta tenha a mesma receptividade. Obrigado.

Aparecida, festa da Padroeira de 1997.

INTRODUÇÃO

A devoção a Nossa Senhora da Conceição Aparecida faz parte integrante da religiosidade popular brasileira, sendo seu principal sustentáculo. É a força de suas grandes expressões e manifestações de fé. O Papa Paulo VI afirmava num encontro de reitores dos santuários da Itália, em 1976, que "existe uma profunda relação de correspondência e quase compenetração que tradicionalmente une a Virgem bendita e a piedade popular. Maria ocupa um lugar privilegiado no mistério de Cristo e da Igreja; está sempre presente na alma de nossos fiéis e impregna as profundezas de seu ser, assim como neles desperta externamente todas as expressões e manifestações religiosas"[1].

A Imagem e o Santuário pertencem à sua história e devem ser estudados e avaliados nessa linha para se compreenderem melhor sua importância e seu significado para o Catolicismo brasileiro. O objetivo desta edição ampliada e melhorada é apresentar os elementos históricos e religiosos que formaram e sustentaram a devoção do povo a Nossa Senhora Aparecida, de norte a sul, de leste a oeste de nossa pátria.

Descobrir a razão do crescimento da devoção a partir de uma pequena imagem da Imaculada Conceição de Maria, quebrada e machucada, pobre e enegrecida é muito importante para o estudo da religiosidade popular. É importante também estudar a situação socioeconômica e sociorreligiosa do tempo da descoberta da imagem e do consequente crescimento da devoção para se conhecer melhor sua influência na formação da alma religiosa de nosso povo. A situação demográfica

---

[1]Veja verbete 'Piedade Popular' in Dicionário de Mariologia, Ed. Paulus, 1ª ed. 1995, p. 1069.

será abordada nos primeiros capítulos e não ficará alheia ao grande surto de progresso econômico-social do tripé político: São Paulo-Rio-Belo Horizonte, na época da transformação da Capela em Santuário Nacional.

Mas como fazemos história da devoção e do Santuário temos de estudar, necessariamente e de modo especial, a razão teológica do surto desse fenômeno cultural-religioso de Aparecida. Sua razão lógica e objetiva, que logo salta à vista, é o papel de Maria no mistério da salvação.

Já em 1748, três anos apenas do início do Santuário e da devoção a Maria sob o novo título de 'Senhora da Conceição Aparecida', dois missionários jesuítas constatavam publicamente, durante a Santa Missão, pregada por eles no povoado, a vocação mariana especial do Santuário. Eles notificaram que diante daquela pequenina e pobre Imagem da Senhora da Conceição, símbolo sagrado da presença materna de Maria de Nazaré, a graça de conversão para Cristo foi mais abundante e rica. Era uma força que atraía, que conduzia o povo para os compromissos do Evangelho.

Mais tarde, em 1833, Pe. Claro Francisco de Vasconcellos e, em 1883, Mons. Miguel Martins reportam-se a essa mesma vocação mariana, ressaltando a abundante graça de conversão como o dom mais precioso que a Mãe de Deus concede àqueles que a invocam.

A partir de 1894, quando os Missionários Redentoristas assumiram a direção pastoral do Santuário, sua vocação mariana fica ainda mais explícita. Retomando o tema da intercessão e do patrocínio de Maria de Nazaré, da missão de 1748, eles passaram a inculcar nos peregrinos grande amor e confiança em Nossa Senhora Aparecida e perceberam que dessa maneira eles os atraía mais facilmente para Cristo e sua Igreja.

Depois que o fenômeno da devoção atingiu o país inteiro, aonde quer que se vá com a Imagem da Senhora da Conceição Aparecida, o povo manifesta extraordinário interesse e devoção. Não se trata de um entusiasmo ou pietismo momentâneo, antes um sentimento profundo de amor a Jesus e a Maria com benéficos efeitos de conversão. Muitos bispos e padres ficam surpreendidos com a força de Maria de Nazaré, que por meio de sua imagem pequenina atrai o povo e é capaz de ajuntar multidões. Isto aconteceu durante a Peregrinação Nacional da Imagem (1965-1969), realizada em todas as capitais e em quase todas as sedes de bispados ou arcebispados, mesmo em regiões onde existem outros fenômenos de religiosidade popular como: Nossa Senhora de Belém, da Abadia, ou os títulos de Trindade, de São Francisco e outros. É sempre o mesmo fato, a mesma realidade: o povo em massa buscando a Deus pela intercessão de Maria de Nazaré, sua Mãe.

Depois de algum tempo de repulsa, provocada pelos ventos da renovação da Igreja, após o Concílio Vaticano II, os santuários voltaram a ser valorizados com mais intensidade, como foi valorizado, a partir do pontificado do Papa Paulo VI, o próprio fenômeno da religiosidade popular. Esta foi proposta como um elemento básico sobre o qual seria mais fácil construir a nova evangelização procurada pela Igreja. Com isso o Santuário de Aparecida passou a ser um templo de acolhimento também para os cristãos marginalizados da comunidade, tanto pelo seu afastamento pessoal dela, como pelas condições de sua vida irregular. Sobre esse assunto o Papa João Paulo II foi explícito na homilia proferida a 30 de janeiro de 1979, no Santuário de Zapopan, no México.

Não há dúvida que com a boa acolhida os peregrinos encontram uma resposta para seus anseios espirituais, paz para seu interior e quase sempre a conversão interior. Cada página desta História é mais um passo na compreensão do mistério do homem que procura o sobrenatural, do cristão que encontra o caminho de sua identificação com Cristo e sua Igreja. E isso porque Maria de Nazaré é o caminho mais fácil para se chegar até Jesus Cristo.

PLANO DA OBRA

PRIMEIRA PARTE
A IMAGEM, O CULTO E AS ROMARIAS

SEGUNDA PARTE
O POVOADO, AS IGREJAS E A ADMINISTRAÇÃO DO SANTUÁRIO

TERCEIRA PARTE
PASTORAL DO SANTUÁRIO

QUARTA PARTE
SANTUÁRIO NACIONAL

QUINTA PARTE
MENSAGEM DO SANTUÁRIO

PRIMEIRA PARTE

A IMAGEM, O CULTO E AS ROMARIAS

É por todos os modos admirável como uma pequena imagem quebrada da Imaculada Conceição tenha atraído o povo e suscitado em seu coração grande devoção a Maria. Este fato histórico não é explicável por razões humanas, deve ter suas razões divinas, isto é, da Providência de Deus que desejava preservar seu povo no caminho da fé em Jesus Cristo e sua adesão à Igreja, mediante a devoção a Maria. É o que vamos ver nesta primeira parte da História de Nossa Senhora da Conceição Aparecida.

Estado da Imagem como foi encontrada em 1717, conservada até 1946/1952

Restauração de 1946/1950, com acréscimo da cabeleira lateral e fixação da cabeça ao tronco

Restauração 1946/1950; os cabelos até a cintura indicam que o acréscimo lateral foi correto

Estado da Imagem depois que a Srta. Chartuni juntou os pedaços maiores após o atentado de 1978

A Imagem após a restauração realizada pela Srta. Maria H. Chartuni

1
A PEQUENA IMAGEM DA SENHORA DA CONCEIÇÃO

Os colonizadores portugueses legaram aos brasileiros especial devoção a Nossa Senhora da Conceição. Desde o descobrimento, levantaram-se numerosos oratórios e ermidas, capelas e igrejas, nas quais se venerava a Imaculada Virgem Maria, a Senhora da Conceição. Sua festa, a 8 de dezembro, era celebrada com toda a solenidade às expensas do governo. Este e outros privilégios especiais, referentes à festa e à feitura de imagens da Imaculada Conceição, foram determinados, em 1646, quando Dom João IV, Rei de Portugal, proclamou Nossa Senhora da Conceição padroeira de Portugal e de seus domínios de além-mar.

Desde então, o culto à Imaculada Conceição de Maria penetrou por todo o Brasil, criando profundas raízes e imprimindo características próprias à religiosidade de nosso povo. A Imaculada Conceição de Maria foi tema de inspiração para as artes e letras. Imagens artísticas foram executadas pelos melhores artistas portugueses e brasileiros em madeira e terracota; pintores célebres puseram nome e fama às telas da Imaculada Conceição que executaram. O acervo dessas obras é incalculável. Entre elas está a pequenina Imagem de Nossa Senhora da Imaculada Conceição Aparecida, a mais conhecida e venerada pelo nosso povo, embora não seja a mais rica nem a mais artística e valiosa.

Pequena e singela, a Imagem de Nossa Senhora da Conceição Aparecida mede apenas 36 cm de altura, sem o pedestal, e 2,550 quilos de peso. É de terracota. Como foi comprovado por peritos, era originalmente policromada: tez branca do rosto e das mãos, com manto azul escuro e forro vermelho granada. Estas eram as cores oficiais, conforme determinação de Dom João IV, do ano de 1646, com as quais se deviam ornar as imagens do título da Imaculada Conceição. O Dr. Pedro de Oliveira Ribeiro Neto e os peritos do Museu de Arte Moderna de São Paulo (MASP), Dr. Pietro Maria Bardi, Dr. João Marino e a restauradora, Maria Helena Chartuni, concluem, por vestígios encontrados na própria Imagem, que ela era originariamente policromada nas cores oficiais azul e vermelho grená. Concluem ainda que, pelo fato de ficar por muitos anos submersa no lodo das águas, e posteriormente exposta ao lume e à fumaça dos candeeiros, velas e tochas, quando ainda se encontrava em oratório particular dos pescadores e na capelinha do Itaguaçu, a Imagem de Nossa Senhora Aparecida adquiriu a cor que hoje conserva: castanho brilhante. A esse respeito afirma o Dr. Pedro de Oliveira: "Sob a pátina morena da imagem, como verniz criado pelo uso e pelo tempo, fica escondido o barro paulista"[1].

O manto e a coroa foram colocados quando o culto à imagem se tornou público, não só para disfarçar a quebra do pescoço, mas também como um gesto de carinho e amor dos devotos. O pedestal de prata foi mandado colocar pelo pároco de Guaratinguetá, Cônego Benedito Teixeira da Silva Pinto, em 1875[2]. Manto e coroa da Imagem já constam de um inventário

---

[1] Ribeiro Neto, Pedro de Oliveira — Conferência "*A Imagem de Nossa Senhora Aparecida*" in Jubileu de Ouro & Rosa de Ouro, Aparecida, 1970, Ed. Santuário, p. 173.

da Capela do ano de 1750, conservado no Arquivo da Cúria Metropolitana de Aparecida.

Despida das cores originais, enegrecida e quebrada, a Imagem de Aparecida se tornou objeto da devoção carinhosa de nosso povo, que, em grande escala, sobretudo a partir daquela época, se fundia no amálgama das culturas e das raças branca, negra e indígena, formando sua própria identidade étnica e religiosa.

A Imagem de Aparecida faz parte do rico acervo da escultura cerâmica religiosa do Brasil. Entre os diversos períodos de arte religiosa brasileira, o seiscentista ficou célebre pela diversidade e riqueza de seu acervo. Diversos estudiosos das imagens desse período, e que estudaram a Imagem de Nossa Senhora Aparecida, concluíram que ela pertence a esse período seiscentista. Entre eles, citamos o Dr. Pedro de Oliveira Ribeiro Neto, os monges beneditinos Dom Clemente Maria da Silva Nigra e Dom Paulo Lachenmayer e, finalmente, os peritos de imagens e telas Dr. Pietro Maria Bardi, Maria Helena Chartuni e o Dr. João Marino. Conhecendo, pois, o período ar-tístico a que pertenceu a Imagem, será mais fácil identificá-la.

1.1. Esculpida por um piedoso monge beneditino

A primeira informação escrita sobre a matéria de que foi feita a Imagem se encontra no Inventário da Capela, realizado a 5 de janeiro de 1750. Na relação das imagens existentes na Capela (Santuário) daquele ano, encontramos esta referência a respeito da Imagem: "Uma imagem de Nossa Senhora da Conceição Aparecida que tem de comprimento perto de dois

---

[2] A parte em que se apoia a Imagem traz a seguinte inscrição: Thesoureiro: FMM — Vigº: BTSP — 6 de março de 1875. Era tesoureiro na época o Sr. Francisco Marcondes de Moura, e o Cônego Benedito Teixeira da Silva Pinto exercia o cargo de pároco de Guaratinguetá.

palmos, a mesma dos milagres que apareceu no rio Paraíba, que é de barro"[3].

Igualmente as Ânuas dos Padres Jesuítas, enviadas a Roma a 15 de janeiro de 1750, que relatam o achado da Imagem, também nos dão conta desse pormenor. Elas dizem expressamente: "Aquela imagem foi moldada em barro, de cor azul escuro; é afamada por causa dos muitos milagres realizados"[4].

Além dessas informações, não tínhamos outras, pois a Imagem nunca tinha sido objeto de estudo. Diversamente aconteceu com outras imagens do mesmo material e da mesma época. Essas, tanto as de procedência europeia como as nacionais, estudadas por colecionadores peritos, foram identificadas. A maioria delas tem seu estilo, material, procedência e autoria bem definidos.

O primeiro a estudar a Imagem de Nossa Senhora Aparecida sob este aspecto foi o Dr. Pedro de Oliveira Neto. Conhecedor da imaginária brasileira do período seiscentista, ele teve a oportunidade de estudá-la e apresentar o resultado em sua conferência, proferida a 13 de abril do Ano Jubilar de 1967, em Aparecida. Ele afirmava:

"A imagem encontrada pelos pescadores junto ao Porto do Itaguaçu, e que hoje se venera na Basílica Nacional, é de barro cinza claro, como constatei, barro que se vê claramente em recente esfoladura no cabelo"[5]. O barro paulista depois de

---

[3] Arquivo da Cúria Metropolitana de Aparecida (ACMA) — *Livro da Instituição da Capela de Nossa Senhora da Conceição Aparecida, 1750.* p. 19; Cópia feita em 1895, fl. 25.

[4] Archivum Romanum Societatis Jesu (ARSJ) — Bras. 10/II, 429-430 — *Annuae Litterae Provinciae Brasilicae anni 1748 et 1749* (Ânuas dos Padres Jesuítas da Província Brasileira, anos de 1748 e 1749, Arquivo Geral da Companhia de Jesus) e Fotocópia autenticada in APR. As Ânuas vertem para a língua latina a crônica da Missão pregada no povoado de Aparecida, em 1748, por dois missionários jesuítas. É interessante o trocadilho que o cronista fez na língua latina: Ex argilla *caerulei coloris* (cor escura) confecta est imago illa, multis patratis miraculis *clara* (clara= célebre), que podemos traduzir: A imagem foi moldada em argila, é de cor *escura* (azul escuro), mas *célebre* pelos muitos milagres operados.

cozido se torna cinza claro, às vezes rosado. É diferente do barro utilizado na Bahia e outras regiões; o da imagem é da região de São Paulo.

À mesma conclusão chegaram os acima citados artistas do MASP, e com mais possibilidade de acerto, pois puderam estudar o material por ocasião da restauração da Imagem, em 1978. Eles afirmam no relatório do trabalho de restauro, apresentado ao Sr. Arcebispo de Aparecida naquele ano: "Constatamos pelos fragmentos da Imagem em terracota, que ela é da primeira metade do século XVII de artista seguramente paulista, tanto pela cor como pela qualidade do barro empregado e, também, pela própria feitura da escultura"[6].

Assim, pelo estudo sério destes, e dos supracitados peritos, se chegou a algumas conclusões, que são também pistas que nos podem levar a identificar o autor da nossa imagem, tais como: qualidade e procedência do barro, período seiscentista de sua feitura, estilo do autor e região onde foi moldada. A respeito da feitura da imagem, o Dr. Pedro afirma ser obra de um discípulo do célebre santeiro baiano Frei Agostinho da Piedade: "A Imagem de Nossa Senhora Aparecida é paulista, de arte erudita, feita provavelmente na primeira metade de 1600, por discípulo, mas não pelo próprio mestre, do beneditino Frei Agostinho da Piedade".

Como a imagem não traz o nome do escultor nem a data, o jeito foi apelar para o estilo da mesma. Os estudiosos são unânimes em afirmar que, pelas suas características de estilo, a imagem é obra de Frei Agostinho de Jesus, discípulo do mestre santeiro e monge beneditino, Frei Agostinho da Piedade. Provavelmente foi esculpida pelo ano de 1650, no mosteiro beneditino de Santana de Parnaíba, SP.

---

[5] Ribeiro Neto, Pedro de Oliveira — op. cit.
[6] ACMA — *Relatório do Trabalho de Restauração da Imagem de Nossa Senhora Aparecida no Museu de Arte Moderna de São Paulo, em 1978.*

Frei Agostinho da Piedade nasceu em Portugal, professou e viveu na Bahia. Não consta que tenha saído da Bahia. Suas imagens de terracota acham-se atualmente conservadas nos Estados da Bahia, Pernambuco, Rio de Janeiro e São Paulo. Fez escola e discípulos, entre os quais sobressaiu seu irmão de hábito Frei Agostinho de Jesus. Este nasceu na cidade do Rio de Janeiro, provavelmente por volta de 1600. Professou na Bahia, onde conviveu com seu mestre no mosteiro de São Salvador por algum tempo. Ordenou-se de sacerdote na Europa; voltando para Salvador em 1634, residiu depois em outros mosteiros, como no de Santana de Parnaíba, SP, e veio a falecer no Rio de Janeiro, a 11 de agosto de 1661. A seu respeito, escreveu seu conterrâneo Frei Paulo da Conceição Ferreira, em o necrológio do Mosteiro beneditino do Rio de Janeiro: "Para se ordenar de sacerdote foi ao Reino, e voltando a este mosteiro se ocupava na pintura, e em fazer imagens de barro para o que tinha especial graça e direção"[7].

Ao contrário de Frei Agostinho da Piedade, que gravava nome e data em suas imagens, Frei Agostinho de Jesus não identificava as suas. Costumava, porém, imprimir nelas traços característicos que as distinguiam das de seu mestre. Estes traços característicos, conforme análise do Dr. Pedro, que estudou suas esculturas, em terras de São Paulo, são: a forma sorridente dos lábios, descobrindo os dentes da frente; a forma do rosto, com o queixo encastoado, no meio do qual há uma covinha; o penteado longo e solto, pendente nos lados e nas costas; as flores em relevo nos cabelos da testa; o diadema na testa, com um broche com três pérolas pendentes e o porte empinado da imagem[8]. Diz ainda o Dr. Pedro: "Notamos na imagem da

---

[7] Nigra, Dom Clemente da Silva — *Os dois escultores Frei Agostinho da Piedade e Frei Agostinho de Jesus e o arquiteto Frei Macário de São João*, Universidade Federal da Bahia, 1971. "Frei Agostinho de Jesus trabalhou na Bahia com Frei Agostinho da Piedade; esteve depois no Rio de Janeiro e, finalmente, em São Paulo, onde se encontra o maior número de suas obras."

Senhora Aparecida a perfeição das mãos postas, pequeninas e afiladas como as de uma menina, e as mangas simples e justas, de muito requinte, terminando no punho esquerdo dobrado à maneira dos mestres seiscentistas do barro paulista". E conclui que o autor da Imagem é, com toda a probabilidade, o mencionado monge beneditino Frei Agostinho de Jesus. Este, como sabemos, residiu no antigo mosteiro beneditino de Santana de Parnaíba, cidade situada hoje na Grande São Paulo, onde foram encontradas diversas obras suas[9].

Conforme costume da época, não havia família que não possuísse em seu oratório doméstico uma imagem da Senhora da Conceição. As que migravam da região de São Paulo e de Santana de Parnaíba, em fins do século dezesseis e início do dezessete, para o Vale do Paraíba, disputavam as imagens moldadas por Frei Agostinho de Jesus, levando-as consigo. É o caso do Sr. José Corrêa Leite[10], fundador da Capela de Nossa Senhora do Rosário, em 1712, no Tetequera, e dos capitães Fernando Bicudo de Brito e Gaspar Corrêa Leite, que vieram residir na região do Itaguaçu.

"Todas estas imagens, diz ainda o Dr. Pedro, encontradas em lugares tão diferentes, puderam ter sido transportadas, e naturalmente o foram, por seus devotos de outros lugares onde foram feitas, e esse é o caso da Imagem de Nossa Senhora Aparecida, encontrada há duzentos e cinquenta anos."

Mais recentemente, chegou à mesma conclusão o irmão leigo beneditino, do mosteiro de São Salvador da Bahia, Dom Paulo Lachenmayer. Sua opinião foi posteriormente endossada pelo seu confrade Dom Clemente da Silva Nigra, que nas suas pesquisas havia identificado as obras de Frei Agostinho da Pie-

---

[9] Ver acervo das imagens de Frei Agostinho de Jesus no Museu de Arte Sacra, na Av. Tiradentes, São Paulo.
[10] Foi do porto da fazenda de José Corrêa Leite que os pescadores saíram a pescar, em 1717.

dade e de Frei Agostinho de Jesus[11]. Dom Paulo comunicava a Dom Antônio F. de Macedo, Arcebispo Coadjutor emérito de Aparecida, em 1979, escrevendo: "Ao ver uma cópia da Imagem de Nossa Senhora Aparecida, fiquei como que hipnotizado; senti que estava diante de uma obra de Frei Agostinho de Jesus, tal a evidência de seus traços e estilo. Há dezenove anos — desde 1960 — guardei para mim esta descoberta, que agora achei oportuno revelar"[12].

A nossa imagem moldada por um monge patrício no interior do Estado de São Paulo, na cidade de Santana de Parnaíba, com feições próprias, parece-me de expressão legítima da raça branca, não indígena nem negra. É original; não parece cópia de nenhuma outra[13]. Enegrecida pelo tempo, tornou-se símbolo de nosso povo.

---

[11] Ver na obra de Dom Clemente, acima citada, as fotos das diversas imagens dos dois monges beneditinos, Frei Agostinho da Piedade e Frei Agostinho de Jesus.

[12] ACMA — *Carta de Dom Paulo Lachenmayer a Dom Antônio F. de Macedo*. Fotocópia da mesma in Coletânea de Documentos e Crônicas da Capela de N. Senhora Aparecida, 1782 -1981, II vol., Aparecida, 1981, p. 74.

[13] A Imagem de N. Sra. da Conceição Aparecida não tem nenhuma semelhança com a de Guadalupe como afirmou o Sr. Paulo Seabra no opúsculo "*O auto-retrato de Nossa Senhora*", Editora Santuário, 1955, no Arquivo da Cúria Metropolitana de São Paulo (ACMA).

2
GUARATINGUETÁ, A VILA ENTRE AS MINAS E O MAR

O Vale do Paraíba era habitado primitivamente pelos índios Tapuias, Tupis, Guaranis, Maromomis, Puris e outras tribos. Ao pé da colina de Aparecida, os índios tinham um centro de sua cultura, onde prestavam culto aos deuses e aos mortos[1]. No alto da colina e nas águas do rio Paraíba eles encontravam o sentido da vida pelo contato com as divindades. Suas trilhas para o litoral e para o interior foram seguidas pelos primeiros desbravadores que, vindos de São Paulo, penetravam o sertão em busca das riquezas da Sabarabuçu[2], em Minas Gerais.

Nas últimas décadas do século dezesseis, deram-se na região as primeiras entradas para o reconhecimento da terra; no Vale do Paraíba, as trilhas dos índios e o rio foram bons caminhos para os sertanistas pioneiros. Seguiram-se, depois, as primeiras concessões de sesmarias, concedidas pela Casa

---

[1] Igaçabas e vasos foram encontrados pela historiadora profª Conceição Borges Ribeiro de Camargo.

[2] Para os índios a montanha de Sabarabuçu indicava a direção do local onde se encontrava o ouro, na região de Ouro Preto.

de Vimeiro da Capitania de Nossa Senhora da Imaculada Conceição de Itanhaém. Consta que a primeira foi concedida, em 1628, a Jaques Félix, na região do rio Una, para onde se transferiu com toda a sua família. Jaques fundou, em 1636, o povoado de São Francisco das Chagas de Taubaté. Seguiram-se os povoados de Guaratinguetá, Pindamonhangaba e Jacareí. Povoa-se, então, a região; a terra é ocupada e lavrada.

No Vale do Paraíba, durante a corrida do ouro — 1685 a 1710 — as riquezas circulam, formam-se as elites, títulos nobiliárquicos são distribuídos. Há reflexos na vida social e religiosa nas vilas nascentes. O fausto e esplendor atingem o culto; formam-se as irmandades que promovem as festas populares da Senhora da Conceição, do Bom Sucesso, da Piedade, do Carmo, do Rosário, de São Francisco das Chagas, de São Gonçalo e de São Benedito. Os ricos filiam-se às irmandades do Santíssimo Sacramento, os remediados nas Ordens Terceiras de São Francisco e do Carmo, os pobres e escravos nas irmandades de Nossa Senhora do Rosário e de São Benedito. Há grande procura de imagens para os oratórios domésticos, capelas e igrejas de sítios, fazendas e bairros. Muitas procediam de Santana de Parnaíba, do santeiro beneditino Frei Agostinho de Jesus.

A Vila de Taubaté desempenhou papel importante no povoamento e desenvolvimento do Vale; foi seu principal ponto de irradiação, tornando-se importante politicamente, superando em riqueza e número de habitantes a própria Vila de São Paulo. Gente de Taubaté e de Pindamonhangaba descobriu o ouro em Minas Gerais, fundou povoados e conquistou suas terras[3].

A Vila de Guaratinguetá, como todas as vilas do Vale do Paraíba, foi fruto do trabalho de penetração e conquista do solo. Situada no caminho entre as Minas e o Mar, foi muito benefi-

---

[3] Pe. Sebastião Faria, de Pindamonhangaba, SP, foi um dos descobridores do ouro e da fundação de Ouro Preto.

ciada pela descoberta do ouro, a partir de 1685. Guaratinguetá era a passagem obrigatória das caravanas de migrantes e das tropas que transportavam ouro e mercadorias da região de Ouro Preto, em Minas Gerais, para o porto de Parati, RJ. Conforme alguns historiadores, a região foi ocupada a partir de 1640.

Não se conhece a Provisão que criou a paróquia. É certo que foi instituída numa região recém-povoada que ainda não pertencia a nenhuma outra paróquia, conforme notícia escrita no segundo semestre de 1757, pelo então vigário da Vila de Guaratinguetá, Pe. Dr. João de Morais e Aguiar. Escrevendo cem anos depois, ele coloca o ano de 1630 como o ano aproximado da fundação da Vila: "Teve seu princípio esta freguesia pouco mais ou menos em 1630, sem ser desmembrada de outra freguesia, sendo a primeira igreja de palha e parede de mão no lugar que hoje é o adro"[4].

O primitivo povoado nasceu ao redor de uma capelinha coberta de palha, dedicada a Santo Antônio com o nome de 'Povoação Nova do Paraíba', sendo seus fundadores Domingos Luís Leme, João do Prado Martins e Antônio Bicudo[5].

O povoado foi elevado à categoria de vila, a 13 de junho de 1651, com todas as instituições da vida civil e religiosa, sob o título de Vila de Santo Antônio de Guaratinguetá. A 4 de março de 1652, a vila já era mencionada em documentos públicos. Naquela data tinha sido concedida uma sesmaria a Antônio Afonso, o velho, e a seus filhos pelo governador da Capitania, Capitão-mor Dionísio da Costa, em nome do donatário Dom Diogo de Faro. O mais antigo documento que menciona a igreja matriz é o testamento de Francisca Cardoso, mulher do Capitão Manoel da Costa Cabral, fundador do povoado do Bom Jesus de Tremembé. Em seu testamento feito naquela cidade,

---

[4] ACMA — I Livro do Tombo da paróquia de Guaratinguetá — op. cit., fl. 91.

[5] Dados fornecidos pelo historiador Dr. Helvécio Vasconcelos Castro Coelho.

a 21 de outubro de 1654, Francisca Cardoso pedia que seu corpo fosse sepultado na matriz da Vila de Santo Antônio de Guaratinguetá, onde já estava sepultada sua filha Ana Cabral, mulher do capitão Domingos Luís Leme[6].

Provavelmente, o primeiro pároco foi o Pe. Pedro Gonçalves Ribeiro do Valle, que, depois de 6 anos da criação da paróquia, a 21 de maio de 1657, declarava no inventário de Luiz Alvares Corrêa ter recebido a espórtula para a celebração de duas missas por sua alma. O mesmo documento menciona outro sacerdote de nome Anacleto Lobo de Oliveira e o adro da igreja[7]. Trinta anos mais tarde, em 1687, um livro de Registo de Provisões da Diocese do Rio de Janeiro nos fornece dados importantes sobre a igreja paroquial da Vila e de sua vida religiosa. "Esta igreja, diz o documento, tem uma igreja paroquial de Santo Antônio, com duas irmandades, a saber: das Almas, e outra de Santo Antônio. Ao presente, serve de pároco o Pe. João da Costa. Tem em seu distrito 61 fogos com 250 pessoas de comunhão[8]."

Nas últimas décadas do século dezessete e primeira do século dezoito, a Vila de Guaratinguetá obteve maior desenvolvimento e riqueza graças à corrida do ouro, que fez dela um entreposto de mercadorias e de escravos. O referido Livro do Tombo registra para o ano de 1757 uma população de cerca de 3 mil habitantes.

---

[6] Idem

[7] Inventário de Luiz Álvares Corrêa — Departamento do Arquivo do Estado de São Paulo — Inventários e Testamentos, vol. 43, ano de 1657.

[8] Arquivo da Cúria Metropolitana do Rio de Janeiro, Livro de Registro de Provisões da Cúria do Bispado do Rio de Janeiro, ano 1628 a 1732, fl. 9.

2.1. "E passando por esta Vila o Conde de Assumar..."

O sonho do ouro foi breve; e acabado este, a Vila passou por um longo período de recessão, até meados do século dezoito, quando se implantou na região do Vale o ciclo da cana com seus engenhos e escravos. Entrementes, desenvolveu-se a policultura de natureza alimentar: milho, mandioca, arroz, feijão e criação de animais domésticos. Parte das grandes sesmarias desaparece, dando lugar a pequenas e médias propriedades. Os habitantes provêm sua subsistência com o trabalho da lavoura e utilizam as sobras para o comércio de beira de estrada, movimentado pelas caravanas e tropas que demandavam a região de Minas Gerais e do Litoral Norte, e os portos de Ubatuba e Parati, do mesmo litoral.

A maior procura do solo para as lavouras trouxe novo conceito de divisão da terra: médias e pequenas propriedades começaram a ser mencionadas nos documentos fundiários. Somavam-se mais proprietários, aumentando a população ribeirinha nas paragens denominadas Itaguaçu, Teteqüera, Ponte Alta, Ribeirão do Sá, Pitas e Aroeiras. Às margens do rio, muitas famílias pobres viviam da pesca.

Pelo ano de 1717, a situação política em São Paulo era de relativa calma; o que não se pode afirmar da região mineradora de Minas Gerais, que, desde 1710, estava unida à Capitania de São Paulo e governada pelo mesmo governador. Em Minas, na região do Rio das Mortes, três levantes já tinham acontecido, e a situação era tensa. Por essa razão, o governador da Capitania de São Paulo residia em Ribeirão do Carmo (hoje Mariana) e governava de Vila Rica (hoje Ouro Preto), região dos conflitos por causa do ouro. Antes de findar o quatriênio de Dom Braz Baltazar da Silveira, foi nomeado em seu lugar, a 22 de dezembro de 1716, Dom Pedro de Almeida e Portugal, que ficou conhecido como Conde de Assumar e governou as Capitanias de São Paulo e de Minas Gerais até 4 de setembro de 1721.

Conforme consta do "Diário da Jornada"[9], o Conde de Assumar chegou ao Rio de Janeiro em junho de 1717, e, no dia 24 do mesmo mês, partiu pelo mar, via Santos, até São Paulo, onde chegou a 31 de agosto. Tomou posse do governo das duas Capitanias, a 4 de setembro daquele ano, na igreja do Carmo. Na posse, a patente de nomeação foi lida por Domingos da Silva, secretário do governador demissionário, Dom Braz Baltazar. O povo de Vila Rica havia pedido a Dom Baltazar que não se retirasse de Minas antes da chegada do Conde de Assumar, seu sucessor.

O Conde de Assumar iniciou sua viagem histórica de São Paulo até Minas, a 27 de setembro de 1717, e, depois de percorrer os caminhos do Vale, chegou a Pindamonhangaba no dia 13 de outubro. Prosseguiu viagem no dia 16, fazendo demora no sítio de Antônio Cabral, a meio caminho de Guaratinguetá, onde pernoitou. E, finalmente, a 17 de outubro, um domingo, depois de assistir à missa pela manhã no mesmo sítio, seguiu viagem chegando à Vila de Guaratinguetá pelo meio-dia. À sua chegada houve recepção festiva. No dia seguinte, proveu ofícios e alguns postos de governança, confirmando a patente de outros. Na ocasião, governava a Vila o Capitão-mor Domingos Antunes Fialho.

Nas Vilas por onde passou durante seu trajeto, organizou os quadros da vida administrativa com muito rigor, sendo severo com funcionários faltosos. Em Guaratinguetá, mandou prender e castigar rebeldes e criminosos. O ambiente de instabilidade social refletia as lutas e rivalidades da região mineradora, tornara-se reduto de criminosos e marginais. O cronista da Jornada retrata a realidade com palavras nada lisonjeiras ao povo da Vila de Guaratinguetá: "Os naturais são tão violentos

---

[9] *Diário da Jornada, que fez o Exmo. Senhor Dom Pedro desde o Rio de Janeiro até a cidade de São Paulo, e desta até as Minas, no ano de 1717* in Arquivo Histórico Colonial de Lisboa, publicado na Revista do Serviço do Patrimônio Histórico e Artístico Nacional, ano de 1939, nº 3, p. 295 a 316. Cópia in ACMA.

e assassinos, que raro é o que não tenha feito morte, alguns sete e oito, e no ano de 1716, se mataram 17 pessoas".

O Conde permaneceu na Vila até o dia 30 de outubro, enquanto aguardava a chegada de sua bagagem, que seu ajudante, Pais Veloso, fora buscar no porto de Parati. A crônica da Jornada não cita nomes das autoridades civis e religiosas de Guaratinguetá. Estranhamos que o padre jesuíta que o acompanhava, como capelão e cronista, tão minucioso em relatar outros fatos e ocorrências desde o Rio de Janeiro, nada tenha escrito sobre o pároco e a paróquia. Não fez também menção da pesca da Imagem, que a tradição e o documento escrito de 1757 afirmam ter acontecido na ocasião. Sua visita, porém, ficou na história. Para alimentação do Conde e de sua comitiva, composta de brancos, índios e negros, chefiados estes por Pais Veloso e aqueles por João Ferreira, o Senado da Câmara havia convocado os pescadores para que apanhassem boa quantidade de peixes. Numa dessas pescarias a imagenzinha da Senhora da Conceição foi pescada prodigiosamente no rio Paraíba.

2.2. Eram três os pescadores

A pesca não está cercada de mistério; misterioso, sim, foi o plano de Deus a respeito daquela pequenina imagem pescada por aqueles pescadores. Eram três os pescadores que "saíram a pescar para o Conde de Assumar" e sua comitiva. Eram homens simples e dedicados ao trabalho e, como tudo indica, religiosos. Os personagens: Domingos Martins Garcia, João Alves e Filipe Pedroso são reais, e não imaginários, como acontece nas lendas. Tinham sido convocados para apanhar boa quantidade de peixes para serem servidos nas refeições do Governador e sua comitiva.

Seus nomes, e os de outras pessoas envolvidas nos primeiros acontecimentos, aparecem nos livros de batizados e casamentos da paróquia. O Pe. Félix Sanches batizou, a 30 de julho de 1720, o menino João, filho de Atanásio Pedroso e de sua mulher Rosa Maria[10]. E o Pe. José Alves Vilella anotou, a 2 de maio de 1745, o termo de batismo de outro neto de Filipe Pedroso: "Aos dois dias do mês de maio de mil setecentos e quarenta e cinco batizei e pus os santos óleos a José, filho de Atanásio Pedroso e de sua mulher Maria Siqueira, neto paterno de Filipe Pedroso e de sua mulher Verônica da Silva, já falecidos etc."[11]. João Alves aparece como testemunha de casamento. Entre os recenseados do Bairro do Itaguaçu nas Companhias de Ordenanças, em 1765, encontramos o nome de Domingos Martins Garcia. Outros nomes intimamente ligados aos primeiros fatos relacionados com a devoção da Imagem, como Silvana da Rocha, Atanásio Pedroso e Lourenço de Sá são mencionados em outros documentos da época. Todos eles viviam na região do encontro da Imagem, e com suas famílias, foram os primeiros a lhe prestar culto.

Quanto à data exata do achado da Imagem, não há possibilidade de determiná-la, nem mesmo recorrendo à lei de abstinência de carne válida naquele tempo, pois no período aconteceram cinco dias de abstinência. Fica como certo apenas o período de 17 a 30 de outubro de 1717, período esse no qual o Conde de Assumar permaneceu em Guaratinguetá.

---

[10] ACMA — I Livro de Batizados da Paróquia de Santo Antônio de Guaratinguetá, fl. 3v.

[11] ACMA — II Livro de Batizados da mesma paróquia, fl. 52v.

3
SOB AS ÁGUAS DO RIO PARAÍBA

O rio Paraíba do Sul serpeia pelo Vale e lhe dá o nome. Os índios chamavam-no *"Para'iwa"* que, na língua tupi, significa rio imprestável[1]. Formado pelo rio Paraitinga, que tem sua nascente na Serra da Bocaina, e pelo rio Paraibuna, que se origina nos altos da Serra do Mar, encaminha-se na direção da cidade de São Paulo com o nome de Paraíba. É irmão gêmeo do lendário rio Tietê, que também nasce na Serra do Mar, não muito distante do rio Paraibuna. Separaram-se, entretanto, em direção oposta, depois que suas águas se tornam mais volumosas, um retornando para o litoral fluminense, formando o Vale do Paraíba, e o outro, passando pela capital de São Paulo, atravessa todo o Estado e vai desaguar no rio Paraná, formando o fértil e rico Vale do Tietê.

Ambos foram caminho para os bandeirantes e desbravadores paulistas que, a partir de 1600, começaram penetrar no interior do país para conquistar o solo e caçar escravos indígenas, buscar ouro e pedras preciosas. Entretanto, ambos estão

---

[1] Verbete *Paraíba* in Aurélio Buarque de Holanda, Dicionário da Língua Portuguesa.

unidos à história de duas imagens que despertaram grande interesse na religiosidade do povo; o rio Tietê carregando em suas ondas uma imagem do Senhor Bom Jesus, que, dizem, foi lançada no rio por paulistas desumanos que destruíram um aldeamento indígena, na região da atual cidade de Barueri, e que, levada pelas águas, encostou nas margens do rio Tietê, na paragem de Pirapora[2]; e o rio Paraíba que escondeu sob suas águas a imagem da Senhora da Conceição Aparecida. Lá em Pirapora, os devotos recolheram aquela imagem e lhe construíram um Santuário; aqui, em 1717, pescadores tiraram peixes para alimentar autoridades que passavam por Guaratinguetá e uma imagem que iria alimentar e sustentar a fé e a confiança de um povo. Ambos são decantados em prosa e verso; ambos estão na alma religiosa do nosso povo.

O rio Paraíba favoreceu o povoamento do Vale e da região dos portos de Itaguaçu e de José Corrêa Leite, que foram palco do encontro da imagem e do início do culto. O povoamento da região aconteceu com as sesmarias concedidas com datas anteriores e posteriores a 1650. Temos conhecimento das paragens ou topônimos principais da região entre Guaratinguetá e Pinda: Itaguaçu, Teteqüera, onde se localizava a fazenda de José Corrêa Leite, Rio Abaixo, Boa Vista, Potim, Ponte Alta, Rio Acima, Itaguaçutiba, Ubaituba, Coroputuba, Água Preta, Pitas, Aroeiras e Barranco Alto. Nessas regiões viviam famílias importantes, e de nomes consagrados, procedentes ou que tinham ligação de parentesco com famílias de São Paulo, Santana de Parnaíba, Santo Amaro e até de Meia Ponte, em Goiás. O Capitão Antônio Amaro Lobo de Oliveira possuía grande sorte de terras perto do Itaguaçu, desde 1707[3].

---

[2] José de Almeida Naves possuia um sítio na paragem de Pirapora, onde erigiu, em 1725, uma capela em louvor do Senhor Bom Jesus que foi benzida em 1730, quando se fez, a 6 de agosto, a primeira festa em seu louvor. Cf. opúsculo 'Senhor Bom Jesus de Pirapora', p. 8-12, ed. Santuário.

O Capitão José Corrêa Leite adquiriu no Teteqüera, por escritura pública de 25 de julho de 1712, do Capitão Faustino Pereira da Silva e de sua mulher Maria da Silva, uma grande fazenda. Nessas terras, o casal Corrêa Leite construiu a Capela de Nossa Senhora do Rosário, que tinha capelão próprio[4]. O Inventário Geral, realizado, em 1805, pelo Ministro Provedor Joaquim Procópio Picão Salgado, traz a descrição da propriedade, das alfaias e dos bens da Capela de Nossa Senhora do Rosário. Possuía cemitério, onde eram sepultados os escravos que, na data daquele inventário, somavam 110[5].

O documento da narrativa do encontro da Imagem fala de dois ancoradouros ou portos que existiam nas margens do rio Paraíba: Itaguaçu e José Corrêa Leite. O documento da pesca milagrosa, referindo-se à existência dos dois, diz: "E principiando a lançar suas redes no porto de José Corrêa Leite, continuaram até o porto do Itaguaçu..."[6].

Porto de Itaguaçu — Estava situado, como hoje, à margem direita do rio, a pouca distância da estrada que ligava São Paulo à região mineradora de Ouro Preto. Desde o início, este porto esteve ligado à devoção da Imagem, porque ali, numa

---

[3] Dados fornecidos pelo pesquisador e genealogista Dr. Helvécio Vasconcelos Castro Coelho, de Guaratinguetá, e publicados no jornal 'Santuário de Aparecida' pela profª Conceição Borges Ribeiro de Camargo, em 1962.

[4] Departamento do Arquivo do Estado de São Paulo, Inventário do Capitão José Corrêa Leite, Cx. 16, doc. 12807. No seu testamento de 20 de novembro de 1743, o Capitão José, viúvo e sem filhos, deixou a fazenda vinculada à Capela e assim se expressou: "A Capela de Nossa Senhora do Rosário deve existir enquanto o mundo for mundo".

D. Isabel Leite de Barros, sobrinha de José Corrêa Leite, nascida no bairro, foi nela batizada a 11 de julho de 1717, casando-se, a 8 de fevereiro de 1733, na mesma capela com o Capitão Antônio Galvão de França, de cujo consórcio nasceu Frei Antônio de Sant'Ana Galvão.

[5] ACMA — Livro da Instituição da Capela de Nossa Senhora da Conceição Aparecida, Auto do inventário de 1805, fls. 22 a 39. Cópia, fls. 27 a 40.

[6] ACMA — I Livro do Tombo da Paróquia de Santo Antônio de Guaratinguetá, p. 99.

primitiva capelinha, nasceu o culto popular dedicado à Senhora da Conceição Aparecida.

Sempre se conservou a memória do local do porto de Itaguaçu, sendo sempre visitado pelos peregrinos. Existia no Itaguaçu uma capelinha do tipo "Santa Cruz", que, com certeza, indicava o lugar onde fora construído o primeiro oratório em louvor de Nossa Senhora Aparecida. Em 1912, a capelinha foi dedicada a São Geraldo, passando a dar nome ao bairro, que antes se chamava Bairro das Pedras ou do Itaguaçu.

A atual Capela de São Geraldo e um marco colocado à beira do rio foram construídos pelo Pe. José Francisco Wand, Reitor do Santuário e Vigário da paróquia, e inaugurados a 6 de abril de 1926. Junto do marco, que consta de uma cruz de pedra, foi colocada, em 1967, a cena que representa a pesca prodigiosa, obra moldada em cimento pelo artista aparecidense Francisco Ferreira, mais conhecido por "Chico Santeiro". Neste ano foi construído no local um parque muito bem arranjado[7].

— Mas como a pequenina imagem da Senhora da Conceição veio parar no porto de Itaguaçu?

No local, a barranca do rio Paraíba estava bem próxima da estrada ou caminho dos migrantes que viajavam para o Vale e para as Minas Gerais. O mais provável, e quase certo pelos estudos do Dr. Pedro de Oliveira Neto, é que uma das famílias de migrantes, quebrando-se a imagem de seu oratório doméstico, a tenha lançado no rio[8]. Ele rejeita a hipótese de que a imagem tenha rodado nas águas de grandes distâncias, como afirma uma lenda de Jacareí[9]. Para ele, a imagem de

---

[7] No dia 11 de outubro do ano de 1997, foi inaugurada a nova remodelação do Porto com nova capela, o monumento, e outras benfeitorias no terreno junto do rio.

[8] Todos sabem do antigo costume do nosso povo de jogar no rio, no poço ou enterrar uma imagem quebrada para não ser profanada. O Dr. Pedro acha que esta é a suposição mais razoável.

barro, por ser pesada e não flutuar, não teria sido transportada pelas águas por tão longas distâncias, ainda mais juntamente com a cabeça decepada.

Porto de José Corrêa Leite — Estava situado à margem esquerda, 6 quilômetros acima do Itaguaçu. Sua localização, porém, não pode ser indicada hoje, pois o rio foi retificado. Existia ali uma capela dedicada a Nossa Senhora do Rosário[10], fundada pelo piedoso casal José Corrêa Leite e sua esposa Isabel Cardoso. No texto da escritura, lavrada no ano de 1712, encontramos este detalhe descritivo da propriedade que confirma a existência de um porto, chamado, pela narrativa do achado da Imagem, porto de José Corrêa Leite: "E por este modo ficou a venda do dito sítio, no termo da Vila de Guaratinguetá, paragem chamada Teteqüera, a saber, um sítio com umas casas de taipa de mão, cobertas de palha com mil braças de terras de testada e três canoas: uma grande de peroba e outra meã do mesmo e uma pequena de pescar de cedro"[11].

O local é conhecido hoje como Bairro dos Correias, cuja padroeira é N. Senhora do Rosário. A atual capela — Capela dos Correias — foi construída em 1933 e ainda possui uma rica imagem de Nossa Senhora do Rosário daquele tempo, esculpida em madeira.

---

[9] Cf. Capítulo 13.
[10] Nesta capela casaram-se os pais e nela foi batizado seu filho Frei Antonio de Sant'Ana Galvão, beatificado em 1998 e canonizado em 2007.
[11] Autos de demarcação das terras do vínculo da Capela de Nossa Senhora do Rosário do Teteqüera, 1822, fl. 14, no Fórum de Guaratinguetá, 1º Ofício da Comarca. Cópia xerox desses Autos in ACMA e APR.

4
OS DOIS DOCUMENTOS DO ACHADO DA IMAGEM

Fatos reais acontecidos sempre geram histórias populares, que nem sempre são fiéis à realidade histórica dos mesmos. A fertilidade da imaginação popular costuma criar a seu redor um halo de mistério, sobretudo se eles têm relação com o sagrado. São as lendas ou os mitos do povo tão comuns para explicar fatos sobrenaturais, a vida extraordinária dos santos e ainda o surgimento de imagens sagradas ou santuários. Existe um lugar-comum, uma maneira uniforme de narrar a história do nascimento de um santuário.

Entretanto, a história do encontro da Imagem e do Santuário de Aparecida parece não seguir o lugar-comum, pois está bem documentada e não tem sabor de lenda. Os documentos foram escritos em época bem próxima dos fatos acontecidos, 1750 e 1757, e por pessoas competentes, como o Pe. Francisco da Silveira, do Colégio dos Padres Jesuítas de Salvador da Bahia, e o Pároco de Guaratinguetá, Pe. Dr. João de Morais e Aguiar. De fato, o espaço de trinta e três anos da primeira narrativa do achado da Imagem — 1717 a 1750 — e quarenta anos da segunda — 1717 a 1757 — pode proporcionar um conhecimento direto por testemunhas e não por tradição oralmente transmitida.

Pelo valor desses dois documentos, e pela competência e idoneidade moral de seus autores, podemos concluir que a narrativa do achado da Imagem de Nossa Senhora da Conceição Aparecida foi baseada em fatos reais, o que nos dá a certeza de que estamos diante de um fato histórico e não de uma lenda ou mito.

4.1. O documento do I Livro do Tombo da Paróquia de Santo Antônio de Guaratinguetá[1]

O Livro do Tombo, apesar do nome antiquado, é um livro de muito valor e ainda em uso nas paróquias. Tem por finalidade narrar fatos e notícias importantes da paróquia, assentar documentos e disposições das autoridades eclesiásticas, noticiar realizações pastorais, visitas pastorais, históricos de capelas e entidades etc.

O primeiro Livro do Tombo da paróquia de Santo Antônio de Guaratinguetá que possuímos, foi aberto e rubricado pelo Visitador Diocesano, Pe. Antônio de Madeiros Pereira, durante a visita que fez àquela paróquia no primeiro semestre de 1757[2]. Consta no termo de abertura que o pároco devia fazer um histórico da matriz e das capelas filiais da paróquia.

---

[1] ACMA — I° Livro do Tombo da Paróquia de Santo Antônio de Guaratinguetá, 1757 a 1873.

[2] Dom Frei Antônio da Madre de Deus Galvão, Bispo de São Paulo entre 1750 e 1764, determinou que todos os párocos abrissem o Livro do Tombo, se a paróquia ainda não o possuísse, e nele registrassem o histórico das matrizes e capelas. Não consta que a paróquia de Guaratinguetá possuísse outro livro anterior a este. A paróquia de Pindamonhangaba, por exemplo, tem um que foi aberto anteriormente e que registra a visita do bispo em 1727. Se Guaratinguetá o tivesse, talvez àquela visita teria dado qualquer notícia acerca da Imagem.

Por isso, na seção própria do referido livro, o Pároco, Dr. João de Morais e Aguiar, escreveu os dados históricos da matriz e das capelas filiais, constando entre estas últimas o histórico da Capela (Santuário) de Aparecida com a narração do achado da Imagem, às fls. 98v. e 99.

Padre José Alves Vilella, que assumira a Paróquia de Santo Antônio de Guaratinguetá, em novembro de 1725, portanto oito anos após o achado da Imagem, foi o primeiro a elaborar um relatório sobre os acontecimentos do porto de Itaguaçu, que infelizmente se perdeu. Ele conhecia as famílias dos pescadores e foi sob seu governo paroquial que a devoção popular começou a se expandir rapidamente pelas vizinhanças. Foi ele que, no exercício de suas funções de Vigário da Vara, pediu, a 5 de maio de 1743, ao Bispo do Rio de Janeiro, Dom João da Cruz, a aprovação do culto e a licença para construir a primeira igreja onde a imagem pudesse ser pública e oficialmente venerada. Para esse fim ele devia, conforme as 'Constituições Primeiras do Arcebispado da Bahia', que já estavam em vigor desde 1707, fazer um relatório dos fatos, especialmente dos que eram considerados extraordinários. A narrativa do Livro do Tombo se refere a esse relatório do Padre Vilella.

Entretanto, a narrativa que temos é de autoria do Pároco Dr. João de Morais e Aguiar. Sua letra é inconfundível e nada semelhante à do Padre Vilella. Padre João era mestre de Teologia Moral, e, certamente, não se deixaria levar por lendas piedosas do povo. Durante os primeiros anos de seu paroquiato, Padre Vilella ainda vivia, exercendo o cargo de Vigário da Vara, e lhe terá dado informações precisas.

4.2. As Ânuas da Província Brasileira dos Padres Jesuítas[3], de 1748 e 1749

Ânua — carta-relatório de um ano — era um relatório que as províncias de uma Ordem ou Congregação Religiosa enviavam aos superiores maiores em Roma, relatando a vida e as atividades da unidade religiosa, como o necrológio dos padres e irmãos falecidos, as atividades científicas e sociais, a vida interna das comunidades, e, especialmente, suas atividades apostólicas. Nesse último item as Ânuas dos Padres Jesuítas descrevem também as Santas Missões pregadas por dois missionários jesuítas, Pe. Paulo Teixeira e um companheiro, em 12 localidades da Diocese de São Paulo, nos anos de 1748 e 1749. Nessa crônica da Santa Missão pregada no recém fundado povoado de Aparecida, chamado naquele tempo: "Capela de Nossa Senhora da Conceição Aparecida", encontra-se a descrição do achado da Imagem.

A crônica dos missionários é fidedigna. Foi vertida para o latim e incluída nas Ânuas de 1748 e 1749, que o Pe. Francisco da Silveira transcreveu e enviou do Colégio de São Salvador da Bahia para a Casa Generalícia de Roma, com data de 15 de janeiro de 1750. Antes de relatar os frutos maravilhosos daquela missão, o autor descreve em poucas palavras como foi achada a Imagem e qual era o movimento dos peregrinos no Santuário. A notícia sobre a Imagem é muito concisa e breve, mas relata o essencial.

---

[3] Archivum Generalis Societatis Iesu (ARSI), Bras. 10/II, 429-430. Fotocópia in APR.

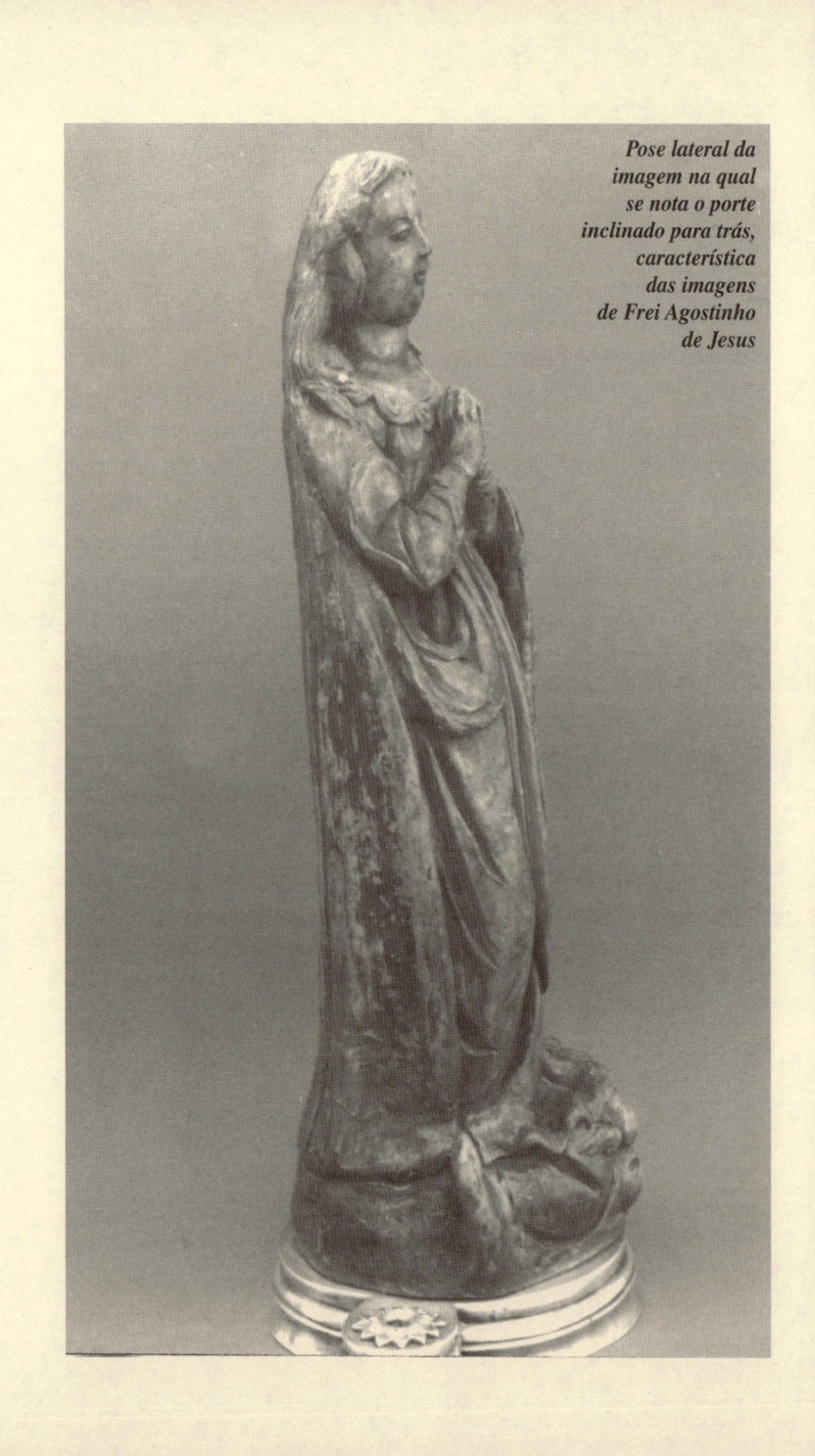

Pose lateral da imagem na qual se nota o porte inclinado para trás, característica das imagens de Frei Agostinho de Jesus

5
AS NARRATIVAS DO ENCONTRO DA IMAGEM

Duas são as narrativas sobre o achado da Imagem que atualmente possuímos, e cujos originais se encontram respectivamente no Arquivo da Cúria Metropolitana de Aparecida (I Livro do Tombo da Paróquia de Santo Antônio de Guaratinguetá) e no Arquivo Romano da Companhia de Jesus, em Roma (Annuae Litterae Provinciae Brasilianae, anni 1748 et 1749).

5.1. A descrição do Livro do Tombo

Esta narrativa é singela e curta, escrita em estilo saboroso e fluente. Tem uma introdução e três partes distintas. Na introdução, Pe. Dr. João de Morais e Aguiar menciona o ano[1], a passagem do Conde de Assumar, o edital da Câmara e o nome de três dos pescadores convocados.

---

[1] Como o ponto de referência principal para determinar o ano é a passagem do Conde de Assumar por Guaratinguetá, e como esta se deu, conforme o "Diário da Jornada do Conde de Assumar", em outubro de 1717, o ano certo é este e não 1719.

A primeira parte narra a pesca milagrosa com o achado da Imagem; a segunda, o culto inicial na casa de Filipe Pedroso e a construção da primeira capelinha ou oratório no Itaguaçu, o culto e os prodígios acontecidos nele (especialmente o milagre das velas); na terceira, menciona o movimento de peregrinos, existente em 1757, e a bela igreja levantada pelo Padre Vilella com ajuda dos donativos dos peregrinos.

Este é o texto que passamos em grafia atual, conservando, porém, sua linguagem típica:

"Notícia da Aparição da Imagem da Senhora

No ano de 1719, pouco mais ou menos, passando por esta Vila para as Minas, o Governador delas e de São Paulo, o Conde de Assumar, Dom Pedro de Almeida e Portugal, foram notificados pela Câmara os pescadores para apresentarem todo o peixe que pudessem haver para o dito Governador.

Entre muitos foram a pescar Domingos Martins Garcia, João Alves e Filipe Pedroso com suas canoas. E principiando a lançar suas redes no Porto de José Corrêa Leite, continuaram até o Porto de Itaguassu, distância bastante, sem tirar peixe algum. E lançando neste porto, João Alves a sua rede de rasto, tirou o corpo da Senhora, sem cabeça; lançando mais abaixo outra vez a rede tirou a cabeça da mesma Senhora, não se sabendo nunca quem ali a lançasse. Guardou o inventor esta imagem em um tal ou qual pano, e continuando a pescaria, não tendo até então tomado peixe algum, dali por diante foi tão copiosa a pescaria em poucos lanços, que receoso, e os companheiros de naufragarem pelo muito peixe que tinham nas canoas, se retiraram a suas vivendas, admirados deste sucesso.

Filipe Pedroso conservou esta Imagem seis anos pouco mais ou menos em sua casa junto a Lourenço de Sá; e passando para a Ponte Alta, ali a conservou em sua casa nove anos pouco mais ou menos. Daqui se passou a morar em Itaguassu, onde deu a Imagem a seu filho Atanásio Pedroso, o qual lhe fez um oratório tal e qual, e, em um altar de paus, colocou a Senhora, onde todos os sábados se ajuntava a vizinhança a cantar o terço e mais devoções. Em uma dessas ocasiões se apagaram duas luzes de cera da terra repentinamente, que alumiavam a Senhora, estando a noite serena, e querendo logo Silvana da Rocha acender as luzes apagadas também se viram logo de repente acesas sem intervir diligência alguma: foi este o primeiro prodígio, e depois, em outra semelhante ocasião, viram muitos tremores no nicho e no altar da Senhora, que parecia cair a Senhora, e as luzes trêmulas, estando a noite serena.

Em outra semelhante ocasião, em uma sexta-feira para o sábado (o que sucedeu várias vezes), juntando-se algumas pessoas para cantarem o terço, estando a Senhora em poder da Mãe Silvana da Rocha, guardada em uma caixa ou baú velho, ouviram dentro da caixa muito estrondo, muitas pessoas, das quais se foi dilatando a fama até que, patenteando-se muitos prodígios que a Senhora fazia, foi crescendo a fé e dilatando-se a notícia, e, chegando ao R. Vigário José Alves Vilella, este e outros devotos lhe edificaram uma capelinha e depois, demolida esta, edificaram no lugar em que hoje está com grandeza e fervor dos devotos, com cujas esmolas tem chegado ao estado em que de presente está. Os prodígios desta Imagem foram autenticados por testemunhas que se acham no Sumário sem Sentença, e ainda continua a Senhora com seus prodígios, acudindo à sua Santa Casa romeiros de partes muitos distantes a gratificar os benefícios recebidos desta Senhora".

A narrativa do achado da Imagem e da pesca milagrosa está despida do fantástico, não está cercada de misticismo, circunstâncias que geralmente adornam e contornam os fatos miraculosos transmitidos pela tradição popular. A pesca foi infrutífera nos seis quilômetros entre os portos de José Corrêa Leite e de Itaguaçu, apesar da sinuosidade do rio naquele trecho com pontos alagadiços que favoreciam a proliferação de peixes. O início do culto é muito modesto, é familiar. Descreve, em seguida, o culto público e seu crescimento relatando os primeiros milagres e a fama que se espalhou por toda a parte, atraindo cada vez mais romeiros ao Santuário.

Em seguida, a Igreja se faz presente na pessoa do pároco José A. Vilella, que assume o culto e, com um grupo de leigos, resolve construir uma capela e finalmente uma igreja. Houve seriedade na interpretação das graças e favores divinos e por isso foi instituído um processo canônico (*Sumário*) onde pessoas do povo foram chamadas a testemunhar sobre as graças recebidas.

Em 1757, quando a narrativa foi escrita, já era grande o movimento de peregrinos, e consolidada estava a devoção popular a Nossa Senhora sob o novo título de Aparecida.

5.2. A narrativa das Ânuas dos Padres Jesuítas[2]

Esta crônica, breve e concisa, escrita em latim, narra no início a pesca milagrosa na qual se apanhou, primeiro, o corpo e depois a cabeça, descrevendo, em seguida, o material de que fora feita a imagem e o estado em que se encontrava no nicho

---

[2] Transcrevemos a seguir o texto original latino: "E Collegio Paulopolitano progressi sunt sacerdotes duo ad Parochias usque quinquaginta leucarum semotas. Initium tamen instituendae Missionis sumpsere ab Urbe Paulopoli ut Episcopi votis annuerent id afflictim postulantis. (—)

Duodecim adiere Parochias illi e nostris duo sacerdotes praeter alia privata oppidanorum sacella, quibus per aliquot dies moram faciebant ut intevenientium saluti quantocius attenderent. Pertigere tandem in Guaratinguetensi oppido aediculam Viginis a Conceptione quam oppidani ab Apparitione vocant quod in fluvio iactis retibus eius repererunt piscantes modo corpus, modo in distanti loco caput.

do Santuário. Verifica o movimento de peregrinos que vinham de longe a implorar graças para suas necessidades. Ressalta o fruto da missão e a graça especial do Santuário, a intercessão de Nossa Senhora; assunto que, por sua importância teológica, será tema de um capítulo à parte.

O texto original latino, vertido para o vernáculo, é este:

"Da residência de São Paulo, saíram dois sacerdotes dos nossos para pregar as Santas Missões em paróquias na distância de até 50 léguas. Para atender os pedidos insistentes do Sr. Bispo, as Missões foram iniciadas na cidade de São Paulo.
(...)
Aqueles dois missionários dos nossos, percorreram doze paróquias, além de outras capelas particulares dos povoados, nos quais permaneceram por alguns dias, a fim de atender o mais possível o bem espiritual do povo. Chegaram finalmente à Capela da Virgem da Conceição Aparecida, situada na Vila de Guaratinguetá, que os moradores chamam 'Aparecida' porque, tendo os pescadores lançado suas redes no rio, recolheram, primeiro, o corpo, depois, em lugar distante, a cabeça.

Aquela imagem foi moldada em argila; sua cor é escura, mas famosa pelos muitos milagres realizados. Muitos afluem de lugares afastados, pedindo ajuda para suas próprias necessidades.

A Capela recebe muitas esmolas pecuniárias, doadas

Ex argilla caerulei coloris confecta est imago illa, multis patratis miraculis clara. Ex semotis locis confluunt plures propriis necessitatibus remedium implorantes. Pluribus abundat aedicula pencuniariis ecleemosynis devotionis et gratitudinis causa elargitis, ut plus singulis mensibus quam centum millia regalia lucretur. Ibi abundantius fuit animarum lucrum ob speciale Deiparae patrocinium. Ardebat hoc oppidum acerrimis inimicitiis, quas tamen, habita de proximorum concordia concione, deposuere omnes per initam publicae amicitiam". Cf. ARSI, Bras. 10/II, 429-430 ou fotocópia no APR.

por devoção e gratidão, lucrando todos os meses mais de cem mil réis. Aí, por especial patrocínio da Mãe de Deus, foi mais frutuosa a missão. Esse povoado se consumia em acirradas inimizades, que todos, porém, desfizeram reatando publicamente a amizade, após o sermão que fizemos sobre a concórdia com o próximo".

Foi, creio, uma graça especial da Mãe de Deus, ter o historiador jesuíta, Pe. Serafim Leite, encontrado recentemente esse documento tão alvissareiro e importante para o nosso Santuário, e isto no meio da grande multidão de papéis do Arquivo Romano da Campanhia de Jesus. Seu gesto de enviar uma cópia do trecho em epígrafe, em 1945, ao nosso benemérito arquivista provincial, Pe. José Pereira Neto, merece a gratidão do Santuário e nossa. Sua grande importância está mais no seu conteúdo teológico do que no histórico.

6
INÍCIO E EXPANSÃO DO CULTO À SENHORA DA CONCEIÇÃO APARECIDA

O culto teve começo, conforme o documento do Livro do Tombo, na casa de Filipe Pedroso, que residia no sítio chamado Ribeirão do Sá pelo espaço de cerca de seis anos (1717 a 1723) e depois por mais ou menos nove anos (1723 a 1732), na Ponte Alta[1]. Sua família, e as dos vizinhos, começaram a prestar culto à Mãe de Deus diante daquela imagem de Nossa Senhora da Conceição.

A devoção a Nossa Senhora Aparecida, cremos, surgiu da fé profunda daquelas famílias que se reuniam semanalmente junto da Imagem para o culto de louvor à Mãe de Deus. A narrativa insiste mais vezes em afirmar que os moradores se reuniam aos sábados para cantar o terço e as ladainhas junto da Imagem. Rezar e cantar louvores a Deus, rezar e cantar louvores a Cristo, rezar e cantar louvores a Maria era a forma

---

[1] Narrativa do Livro do Tombo, já citado.

mais lídima e popular de manifestação do catolicismo luso-
-brasileiro. Na comunidade, reunida para o louvor de Deus e
da Virgem Maria, nascia o compromisso de fé das humildes
famílias dos pescadores, permanecendo unidas a Cristo e à
sua Igreja.

6.1. De mãos postas e rosto compassivo

Os três pescadores ficaram surpresos diante do achado e
guardaram carinhosamente as duas partes daquela imagem
enrolada num pano e continuaram a pesca. Quebrada como
estava, eles poderiam tê-la atirado novamente na água, sem
nenhum desrespeito.
— E por que não o fizeram?
Certamente porque viram na pesca milagrosa, que se
seguiu, um sinal da proteção da Mãe de Deus; mas, creio,
antes de tudo, porque descobriram que o semblante daquela
imagem quebrada inspirava confiança e devoção. "Retiraram-se
a suas vivendas, admirados deste sucesso, diz a notícia do
achado."

Filipe Pedroso, o mais velho dos pescadores, ficou com
a imagem, levando-a para sua casa junto do Ribeirão do Sá.
Seu primeiro gesto foi limpá-la do lodo e consertá-la. Juntan-
do com suas rudes mãos a cabeça ao tronco, firmou-a com
'cera da terra'[2]. E, coisa admirável! Sentiu grande emoção e
confiança... Sem tentar explicar o que se passava, sem nem
mesmo compreender o porquê daquele sentimento de confiança, ajoelhou-se diante dela e rezou. Foi então que, fixando
atentamente o rosto enegrecido e machucado da imagem de
mãos postas, percebeu o sorriso compassivo e misericordioso

---

[2] A cera preta do arapuá, por ser pegajosa é muito própria para tal serviço;
talvez dela se tenha utilizado Filipe Pedroso para o primeiro conserto da imagem
em sua casa.

da Mãe de Deus estampado naquele rosto. Percebeu e compreendeu a mensagem de confiança que Maria desejava transmitir a todos os brasileiros mediante aquela imagem encontrada em circunstâncias tão especiais. E brotaram de seus lábios, como prece sincera e confiante, estas palavras:

*"Ó minha Nossa Senhora da Conceição Aparecida,
valei-me na vida e na hora da morte.
Salve, Rainha, Mãe de misericórdia!"*

Conhecendo as circunstâncias da pesca da Imagem, os devotos começaram a invocá-la sob o título de 'Senhora Aparecida', como Aquela Senhora e Mãe de Deus que 'aparecera', isto é, fora apanhada na rede no rio Paraíba[3]. E confiando no patrocínio de Maria, ele e sua família sentiram grande paz e alegria. A partir desse fato, nascia a devoção a Nossa Senhora da Conceição Aparecida como Mãe de Deus e intercessora do povo brasileiro.

Se olharmos atentamente para a Imagem, iremos perceber no seu rosto machucado e nos lábios entreabertos um sorriso compassivo e cheio de misericórdia para com todos os que a invocam. Suas mãos postas em prece para interceder pelos pecadores despertaram no povo grande confiança. Foi sem dúvida, tocados por esse olhar compassivo, que entende e compartilha a dor e os sofrimentos da humanidade, que os pescadores guardaram aquela imagem e iniciaram o culto familiar invocando-a com o novo título de 'Senhora da Conceição Aparecida'.

E mais: compreenderam a misteriosa participação de Maria de Nazaré no mistério da salvação do gênero humano. Ela é

---

[3] Não se trata de uma aparição, como a de Fátima ou de Lourdes; aqueles devotos simplesmente queriam indicar o 'aparecimento da imagem' na rede do pescador.

a Mãe que sorri compassiva para seus filhos que sofrem e necessitam de ajuda e consolo. É a mãe que lhes concede graças, ajudando-os a se aproximarem de seu filho Jesus Cristo, em quem encontram libertação e salvação. É o povo acreditando nas passagens evangélicas do Anúncio de Maria em Nazaré, de sua intercessão nas Bodas de Caná e, sobretudo, naquelas palavras de Cristo pendente da Cruz: "Mulher eis aí teu filho".

E com estas palavras podemos louvar e bendizer a inspiração de Frei Agostinho de Jesus ao moldar a imagem e o gesto dos pescadores em venerá-la:

Mãos benditas,
as do monge artista,
que modelaram na argila
a Imagem da Mãe compassiva,
de Nossa Senhora Aparecida.

Felizes pescadores, que sentiram
o olhar da Mãe compadecida,
e sua devoção nos transmitiram
à Senhora da Conceição Aparecida.

6.2. A rápida expansão do culto

Apoiados nos primitivos documentos, podemos afirmar que a rápida expansão do culto a Nossa Senhora Aparecida foi o fato mais extraordinário acontecido junto da Imagem. A meu ver, foi o maior milagre, uma vez que a comunicação se deu de pessoa para pessoa sem outros meios senão a graça de Deus e a fé do povo. Cerca de 20 anos depois do achado da Imagem, a devoção já se espalhara pelas Províncias (*Estados*) de São Paulo, Minas Gerais, Paraná, chegando logo depois para o Centro-Oeste e para o Sul do país. Em 1750, os missionários jesuítas afirmavam que os peregrinos vinham até o Santuário, recém-fundado, de lugares muito distantes, sem determinar a região de onde vinham[4]. Em 1754, entretanto, aparece pela primeira vez num processo de casamento da cidade de Curitiba, que de lá vinham pessoas em peregrinação até o Santuário. É portanto a notícia escrita mais antiga que temos[5].

Por toda a parte se espalhou a notícia das graças alcançadas por intercessão de Nossa Senhora Aparecida, crescendo sempre mais a devoção popular, desde a casa de Filipe Pedroso, no Ribeirão do Sá e na Ponte Alta, até o oratório de Itaguaçu. Ali, Filipe, já com idade avançada, entregou a Imagem a seu filho Atanásio Pedroso, que lhe construiu um oratório ou capelinha junto da estrada. Daquele local estratégico, pois passavam por ali as caravanas que demandavam as Minas Gerais[6], São Paulo, Centro-Oeste e Sul, a fama da Imagem espalhou-se rapidamente. Especialmente depois do milagre das velas e outros, acontecidos no oratório ou capelinha do Itaguaçu, Nossa Senhora da Conceição Aparecida ficou conhecida em toda a parte. "Foi se espalhando a fama até que patenteando-se muitos prodígios, que a Senhora fazia, foi crescendo a fé e dilatando-se a notícia...", diz a narrativa de 1757.

A posição da Capela favoreceu a divulgação das graças, da devoção. A migração das famílias e o intercâmbio comercial também ajudaram. Os tropeiros da célebre Feira de Muares de Sorocaba levaram a devoção para a região sul: Curitiba, Viamão e Laguna; os mineradores levaram-na até as minas de Cuiabá e, pelos sertanistas, a fama e a devoção chegaram até o longínquo Estado de Goiás[7].

Por toda a parte, Nossa Senhora Aparecida começou a ser invocada como Mãe e Padroeira. A 4 de junho de 1782, Dom Frei Manuel da Ressurreição, Bispo de São Paulo, assinava provisão em favor do Sr. Antônio José da Silva concedendo-lhe

---

[4] Ânuas dos Padres Jesuítas, op. cit., relatório da missão pregada no povoado de Aparecida em 1748.

[5] ACMSP— Processos de casamento de Curitiba...

[6] Junto daquela capelinha passava então a única estrada que conduzia a Minas Gerais e ao porto de Parati.

[7] Moradores dessa região do Vale tinham parentesco com moradores de Pirenópolis, em Goiás.

licença para construir uma capela em seu louvor nas imediações da cidade de Sorocaba[8]. Esta foi a primeira igreja construída em louvor de Nossa Senhora, fora de Aparecida, localizada no conhecido bairro operário de Aparecidinha de hoje. Desde fins do século dezoito, existia em Viamão, no Rio Grande do Sul, uma capela dedicada a Nossa Senhora Aparecida e, em 1827, bandeirantes paulistas se estabeleceram em Passo Fundo, também no Sul, construindo uma capela em seu louvor, que deu origem àquela cidade, que hoje é sede episcopal com sua catedral dedicada a Nossa Senhora Aparecida.

A cidade de Alegrete, RS, teve sua origem a partir da edificação de uma capela em louvor de Nossa Senhora da Conceição Aparecida no ano de 1814. Incendiada e destruída em setembro de 1816, foi reedificada em 1817, tornando-se capela curada[9]. Seu fundador foi o Gal. Bento Manoel de Abreu, como consta no Museu de Júlio de Castilho de Porto Alegre, em cuja entrada encontra-se seu retrato com esta inscrição: "Em cumprimento de uma promessa erigiu uma capela em homenagem a N. S. Aparecida, ao redor da qual surgiu a cidade de Alegrete".

Em todos os quadrantes da pátria, contam-se atualmente às centenas e milhares, as igrejas, capelas e comunidades

---

[8] A Capela foi construída na paragem de Pirajibu e possui uma pequena (quase miniatura) imagem. Hoje aquela Capela é Santuário Arquidiocesano e possui a tradição de duas grandes procissões: uma no primeiro domingo de julho, quando a imagem é levada por grande multidão para a catedral, onde fica para veneração dos fiéis até o primeiro domingo de janeiro, quando, acompanhada de grande séquito é devolvida ao Santuário.

[9] Cf. Jornal 'O Município de Alegrete', fls. 14,15,16 — Alegrete, 1907. Ver ainda cópia de documento sobre a Capela de dezembro de 1830 in APR — idem Santuário de Aparecida.

dedicadas a Ela[10]; somente no território de jurisdição da Arquidiocese de Campinas existem 54 comunidades criadas com esse título de Nossa Senhora Aparecida.

Entretanto, o fato que mais influenciou na rápida e ampla difusão da devoção foi, a meu ver, a mensagem espiritual da alegre e jubilosa esperança de salvação, que, a partir de sua Imagem, irradiava-se por intercessão de Maria, de Nossa Senhora Aparecida. Esta mensagem de salvação em Cristo penetrou nas almas e nos corações dos devotos, formando-se então a religiosidade de um povo, que, invocando-a em suas necessidades materiais e espirituais, sentiu reacender-se sempre, e de novo, sua fé com as graças alcançadas, à semelhança da chama das velas do milagre do primitivo oratório.

---

[10] Basta conferir o Anuário Católico e fica-se abismado com tantas paróquias criadas com seu título.

*Nesta face serena e sorridente, Frei Agostinho expressou
o olhar compassivo e misericordioso da Mãe de Deus*

7
OS PRIMEIROS MILAGRES

Milagre é fruto do poder de Deus sobre as leis da natureza, concedido em favor da fé de seu povo. Ele existe também em Aparecida, onde acontecem fatos que não têm outra explicação senão a amorosa e providencial intervenção de Deus, alcançada pela intercessão de Maria em favor de seus devotos.

Para o povo, o termo 'milagre' tem um significado muito mais amplo do que aquele da Teologia católica. Para a gente simples, o conceito 'milagre' abrange os dons naturais provenientes da natureza ou da habilidade humana. A chuva que cai a seu tempo, a saúde dos animais, o clima favorável às plantações e colheitas, uma cirurgia bem-sucedida ou uma doença debelada, um problema pessoal ou profissional bem solucionado, tudo isso conseguido após um pedido a Nossa Senhora Aparecida é considerado milagre pelo povo. É comum as pessoas mais esclarecidas, e que têm posses, recorrer à medicina, mas pedindo que Nossa Senhora ilumine o médico e que os remédios façam efeito. E, de fato, não deixa de ser uma graça do Senhor, que tudo dirige para o bem dos que o amam.

A crônica da missão de Aparecida, pregada em 1748, qualificou a Imagem como "famosa pelos muitos milagres realizados". Esta observação foi escrita em janeiro de 1750, trinta e três anos após o achado da Imagem (1717 — 1750), e 5 anos apenas do início do culto público, isto é, da inauguração da primeira igreja (1745-1750). Igual testemunho por escrito dá o Pe. Dr. João de Morais e Aguiar no segundo semestre de 1757, quando, relatando as origens do Santuário, acrescenta: "Os prodígios da Senhora foram autenticados por testemunhas que se acham no Sumário sem sentença, e ainda a Senhora continua com seus prodígios, acudindo à sua Santa Casa romeiros de partes muito distantes a gratificar os benefícios recebidos"[1].

Infelizmente, o Santuário não possui um departamento para analisar e arquivar os fatos referidos pelos agraciados. Entretanto, é certo que ainda hoje, como no passado, os milagres existem. Os favores mais notáveis são de ordem espiritual, como se pode constatar diariamente no contato direto com os peregrinos, sobretudo no foro íntimo das consciências. Por isso, quero narrar os primeiros fatos mais sugestivos que foram registrados em documentos ou que constam da tradição.

7.1. Pesca milagrosa

O fato consta da própria narrativa do achado da Imagem, escrita por um mestre em Teologia como o Pe. Dr. João de Morais e Aguiar, em 1757. Tão simples é, e tão despida de circunstâncias fantasiosas ou lendárias, que ela nos revela, com certeza, um fato real e extraordinário. Padre João escreveu: "E continuando a pescaria, não tendo apanhado peixe algum, dali por diante foi tão copiosa e abundante a pescaria, que receoso *(Filipe Pedroso)* e os companheiros de naufragarem pelo muito

---

[1] Veja os relatos do achado da Imagem nas Ânuas dos Padres Jesuítas e no Livro do Tombo, ambos documentos já citados.

peixe que tinham nas canoas, se retiraram às suas vivendas (às suas casas), admirados deste sucesso".

É certo, portanto, que houve o milagre dos peixes, e este foi o primeiro fato que maravilhou aqueles pobres e piedosos pescadores. Sentiram-se recompensados pelo seu trabalho e tomaram o acontecimento como um sinal visível da bondade de Deus que os amparava pela intercessão de Maria.

7.2. O milagre das velas

O mais simbólico e rico de significado, sem dúvida, é o milagre das velas pela sua íntima relação com a fé. O fato aconteceu na primitiva capela do Itaguaçu. O povo costumava reunir-se todos os sábados para rezar o terço e cumprir as demais devoções à Mãe de Deus. Numa dessas ocasiões, as velas se apagaram sem motivo algum, pois a noite estava calma, havendo grande espanto e alvoroço. E quando Silvana da Rocha se aproximava para acendê-las de novo, elas se reacenderam sozinhas. Espantados, todos gritaram: milagre! milagre! milagre! Este é o acontecimento narrado: "Em uma destas ocasiões apagaram-se duas luzes (*velas*) de cera da terra repentinamente que alumiavam a Senhora, estando a noite serena, e querendo Silvana da Rocha acender as luzes apagadas também se viram logo de repente acesas sem intervir diligência alguma, sendo este o primeiro prodígio".

O acontecimento impressionou a todos e despertou grande admiração e devoção no meio do povo. O exímio historiador e genealogista de Guaratinguetá, Dr. Helvécio de Castro Coelho, afirma que deve ter acontecido algum fato extraordinário no meio do povo. Certo é que tocou profundamente a população, pois a partir daí a Capela passou a ser muito visitada pelos devotos. O autor da narrativa também dá grande valor ao fato, pois chega a dizer que foi o primeiro milagre, embora já tivesse mencionado o da pesca.

7.3. O milagre do escravo

Significativo é também o milagre das correntes que se soltaram das mãos e do pescoço do escravo Zacarias, quando este implorava a proteção de Maria junto de sua Imagem. Existem muitas versões do milagre; algumas delas fantasiosas nos seus pormenores, outras colocando-a em data bem recente[2], como a que consta do processo da Cúria Metropolitana de São Paulo para comprovar milagres havidos para se dar à igreja o privilégio de Basílica. O primeiro a mencioná-lo por escrito foi o escrivão da Mesa Administrativa da Capela, Pe. Claro Francisco de Vasconcellos, pelo ano de 1830[3]. O fato, porém, é de época bem anterior, possivelmente por volta de 1790, quando toda a região do Vale do Paraíba estava em pleno ciclo da cana-de-açúcar, cujos engenhos carreavam grandes riquezas à classe branca dominante, à custa do braço escravo dos negros importados da África. Seu relato é o seguinte:

> *"Um escravo fugitivo, que estava sendo conduzido de volta à fazenda pelo seu patrão, ao passar pela Capela pediu para fazer oração diante da Imagem. Enquanto o escravo estava em oração, caiu repentinamente a corrente deixando intacto o colar que pendia de seu pescoço.*

---

[2] No processo para comprovação de milagres para se obter o título de Basílica, realizado pela Cúria Metropolitana de São Paulo em 1905, três testemunhas afirmaram que presenciaram o milagre do escravo pelo ano de 1856, quando eram crianças e frequentavam a escola. Cremos que houve um piedoso engano, já pela pouca idade das testemunhas, pois o fato é muito mais antigo, superando a idade das testemunhas. Zaluar refere-se às algemas no seu Diário, em 1861 (Peregrinação pela Província de São Paulo, Ed. Livr. Martins, p. 88), como muito antigas, e o Pe. Claro Francisco de Vasconcellos o transcreve em 1830.

[3] Padre Claro foi escrivão da Mesa entre 1824 e 1833, transferindo-se depois para São Paulo. O que eles poderiam ter presenciando foi a libertação de um recruta, em 1868, que estava sendo conduzido preso para São Paulo e a Princesa Isabel, que visitava o Santuário na ocasião, o mandou libertar. Cf. jornal de Guaratinguetá, "O Paraíba", edição de dezembro de 1868.

A corrente se encontra até hoje, pendente da parede do mesmo Santuário, como testemunho e lembrança de que Maria Santíssima tem suprema autoridade para desatar as prisões dos criminosos pecadores arrependidos. Aquele senhor, tocado pelo milagre, ofereceu a Nossa Senhora o preço dele e o levou para casa como uma pessoa livre, a fim de amar e estimar aquele seu escravo como pessoa protegida pela soberana Mãe de Deus"[4].

Padre Claro era bom teólogo, e diz expressamente que o milagre foi alcançado pela mediação de Maria Santíssima, o que está conforme a sã doutrina ensinada pela Igreja. A reflexão, que faz em seguida, é muito pertinente quando compara os grilhões rompidos pelo milagre com a libertação do pecado que todos os devotos de Maria podem alcançar de Jesus Cristo.

Existem outros milagres, como os fixados em telas pelo pintor alemão Thomas Driendl, residente no Rio, e colocados na cornija da Basílica Velha em 1888: o milagre da menina cega, que recuperou a vista ao invocar Nossa Senhora; o caçador que escapou dos dentes de feroz onça; o menino Marcelino que foi salvo quando se afogava no rio Paraíba.

Em 1895, Pe. José Wendl fez uma relação enorme dos milagres, cujos ex-votos se encontravam na Sala dos Milagres. E hoje, a Sala é um dos lugares mais visitados. Como é impressionante ver e sentir a emoção dos visitantes diante, no dizer do jornalista Emílio A. Zaluar, "das realidades das misérias humanas que a medicina moderna mal sabe minorar e resolver".

---

[4] ACMA — Autos de Ereção e Bênção da Capela de Nossa Senhora da Conceição Aparecida, fls. 3v. e 4.

8
APROVAÇÃO DO CULTO SOB O NOVO TÍTULO DE APARECIDA

Decorridos apenas 25 anos desde o encontro da Imagem, a devoção já tinha conquistado o coração do povo brasileiro. Curto foi o tempo de propagação, mas extraordinário o crescimento da devoção popular. Assim Deus dispôs para que nosso povo conservasse a fé católica, não obstante a ausência da Igreja na sua vida, especialmente durante o regime do segundo Império pela carência de clero, dioceses e paróquias.

Logo depois da transferência da Imagem para o oratório do Itaguaçu, a partir de 1732, já se pensava em construir uma igreja, tal a afluência de devotos. Mas para isso era necessário que antes o culto sob o novo título de "Aparecida" fosse aprovado pela autoridade eclesiástica, uma vez que já estavam em vigor as "Constituições Primeiras do Arcebispado da Bahia", que disciplinavam a matéria[1].

---

[1] Desde 1707 estavam em vigor as Constituições Primeiras que exigiam uma relação das graças alcançadas e os dados principais do fato; condições necessárias para se poder construir uma nova igreja e nela ser celebrada a eucaristia.

Padre José Alves Vilella[2] era o sacerdote mais bem informado sobre o desenvolvimento da devoção. Embora o achado da Imagem acontecesse oito anos antes de sua posse no cargo de pároco, que se deu em novembro de 1725, o culto e a devoção popular se desenvolveram durante seu paroquiato.

Já vimos como o culto de louvor começou no seio das famílias dos pescadores, portanto, um culto familiar particular que não necessitava da aprovação explícita da Igreja, uma vez que constava de preces e louvores já aprovados. Em seguida, uma pequena comunidade passou a lhe prestar as homenagens de Mãe de Deus, especialmente quando se reuniam no oratório do Itaguaçu, comunidade composta das mesmas famílias dos pescadores e das de seus vizinhos e outros devotos. Portanto um culto mais amplo, mas ainda dentro da legitimidade por se tratar de preces, cânticos e louvores em voga no tempo e aprovados pela Igreja.

Bem diferente seria no Morro dos Coqueiros, onde o Padre Vilella iria construir a primeira igreja para celebrar também a eucaristia. Nesse caso, as Constituições Primeiras do Arcebispado da Bahia, em vigor desde 1707, exigiam que a igreja fosse construída, aprovada e benzida conforme o ritual romano. E como o Padre Vilella era o Vigário da Vara, uma espécie de Vigário Episcopal de hoje, ele não poderia desconhecer nem muito menos menosprezar essas normas das Constituições Primeiras. Daí a necessidade de se pedir a aprovação tanto para o culto sob o novo título como para construir a primeira igreja onde fosse celebrada a eucaristia.

Certamente ele havia aprovado, em caráter particular, o culto familiar, e, depois, o culto público da pequena comunidade do Itaguaçu. Com o desenvolvimento da devoção, a partir do oratório do Itaguaçu, que atraía sempre maior número de peregrinos,

---

[2] Pe. Vilella foi pároco em dois períodos a saber: de novembro de 1725 a dezembro de 1740, e de agosto de 1741 a 1745. Foi nesse segundo período — 1741 a 1745 — que ele pediu e obteve a licença para construir a primeira igreja.

foi preciso providenciar a aprovação do Bispo Diocesano. O tempo decorrido desde o início da devoção foi suficiente para que o Padre Vilella sentisse sua legitimidade e tomasse as providências necessárias para o pedido de aprovação.

No início de 1743, estavam prontos os documentos necessários para se obter a aprovação do culto e da construção da igreja. Entre eles devia constar necessariamente um relatório sobre os fatos extraordinários (*milagres*) ocorridos em torno da Imagem, considerada '*milagrosa*'[3]. Esses documentos foram encaminhados, em 1743, para o Bispo do Rio de Janeiro, Dom Frei João da Cruz, em cuja jurisdição se encontrava o Vale do Paraíba, e que, na ocasião, se achava em Visita Pastoral na Vila de Ribeirão do Carmo, hoje cidade de Mariana, MG. Felizmente os originais desses documentos foram preservados, e se encontram no Arquivo da Cúria Metropolitana de Aparecida sob o título 'Autos de Ereção e Benção da Capela de Nossa Senhora da Conceição Aparecida'; título este que se costumava dar aos diversos documentos que compunham o processo de aprovação para se construir uma nova igreja ou capela. Nos referidos Autos, encontramos o resumo da petição enviada pelo Padre Vilella e anotado pelo escrivão da Cúria Diocesana nestes termos:

"Diz o Pe. José Alves Vilella, vigário da igreja de Santo Antônio de Guaratinguetá, com os mais devotos de Nossa Senhora da Conceição Aparecida, que, pelos muitos milagres que tem feito a dita Senhora a todos aqueles moradores, desejam erigir uma capela com o título da mesma Senhora da Conceição Aparecida que se acha

---

[3] Cf. Narrativa do Livro do Tombo, quando se diz que os prodígios foram confirmados por testemunhas e deles se fez um Sumário, fl. 99. O termo 'milagrosa' não é atribuído à imagem, mas sim a Nossa Senhora, porque não é a imagem que faz milagre, mas sim Deus por intercessão de Maria. Encontramos essa maneira de se expressar também nos escritos dos primeiros redentoristas alemães.

até agora em lugar pouco decente, e como os suplicantes não podem erigir a dita capela sem especial licença de V. Excia., pedem a V. Excia. lhes faça mercê passar provisão de ereção da dita capela na forma de estilo".

A mesma provisão que concedia licença para construir a igreja aprovava também o culto sob o novo título de 'Aparecida', sendo passada, a 5 de maio de 1743, na Vila de Ribeirão do Carmo, e assinada por Dom Frei João da Cruz no teor seguinte:

"Havemos por bem de lhes conceder licença, como pela presente nossa Provisão lhes concedemos, para que possam edificar uma Capela com o título da mesma Senhora na dita freguesia, em lugar decente e assinalado pelo Rvdo. Pároco"[4].

Com esta provisão, o culto foi assumido e aprovado pela Igreja.

---

[4] O requerimento e a provisão se encontram nos "Autos de Ereção e Bênção" in ACMA. Fotocópia autenticada dos mesmos in APR.

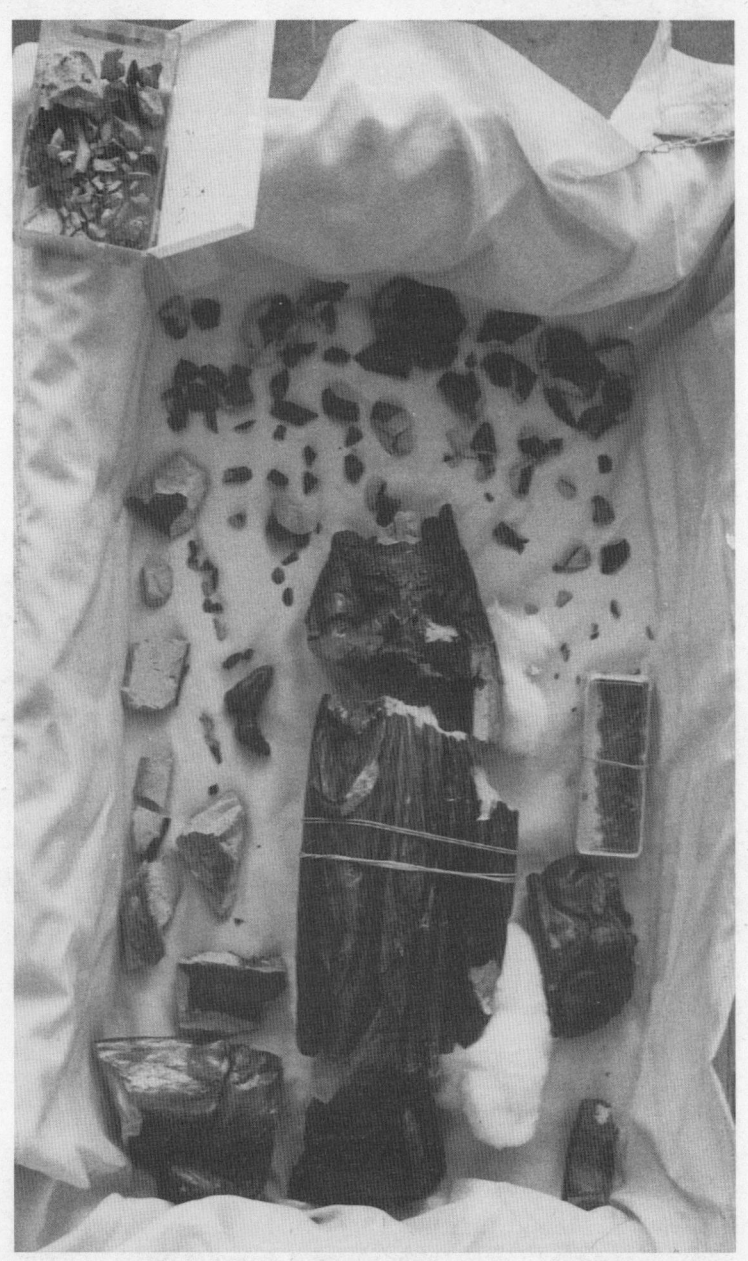

Pedaços da Imagem juntados após o acidente de 1978

9
SANTA MISSÃO REVELA GRAÇA ESPECIAL DO SANTUÁRIO

A 26 de julho de 1745, inaugurava-se não só mais uma igreja no Brasil, mas sim um novo templo que seria um lugar privilegiado de reconciliação com Deus. Um lugar de refúgio dos pecadores sob o poder e o amparo da Mãe de Deus, um templo de reconciliação em termos bíblicos, lugar sagrado de peregrinação em termos cristãos. Nenhum santuário é de necessidade de salvação, como nenhuma igreja paroquial o é igualmente. A igreja ou a comunidade paroquial é o lugar natural do ingresso do homem na comunidade cristã, lugar próprio para seu desenvolvimento espiritual e humano. Esse lugar não é necessariamente o geográfico. Ninguém precisa visitar ou peregrinar para um santuário para ser bom cristão e buscar a salvação, mas não seria bom cristão aquele que condenasse as pessoas que o buscam com sinceridade e fé para um momento especial de ação de graças ou de súplica. Os caminhos de Deus são diversos dos nossos pensamentos, e insondáveis...

A Santa Missão, realizada no povoado, em 1748, por dois missionários jesuítas, revelou a graça especial do Santuário de Aparecida, uma mensagem rica de jubilosa esperança de salvação para o povo. O objetivo deste capítulo não é provar a riqueza das graças do Santuário, isto farei mais adiante. Intenciono apenas ressaltar com base em documentos escritos fidedignos que, desde o início do Santuário, *a graça da conversão para Cristo é mais abundante neste Santuário pela intercessão de Maria, a Mãe de Deus.* E esse é o fundamento sobrenatural da jubilosa mensagem deste Santuário. Para esse fim, vamos estudar a crônica da primeira Santa Missão pregada no povoado de Aparecida em 1748. Já apresentamos o texto no capítulo 5.2, à página 46.

Como sabemos pelo próprio relatório, a missão foi pedida pelo primeiro Bispo de São Paulo, Dom Bernardo Rodrigues Nogueira, e foi iniciada na cidade de São Paulo pelo padre jesuíta Paulo Teixeira e um companheiro, cujo nome não consta. A missão foi muito importante para o recém-fundado Santuário, não só porque nos deixou o primeiro documento escrito — 15 de janeiro de 1750 — narrando o encontro da Imagem, mas especialmente porque pôs em evidência a graça especial que Nossa Senhora Aparecida oferece, em seu Santuário, a todos os peregrinos que o buscam com simplicidade e fé.

É interessante notar que, entre as 12 localidades missionadas, o cronista deu especial destaque somente para duas: a Missão de São Paulo e a de Aparecida; as outras são relacionadas em conjunto com seus bons resultados de conversão e as maravilhas de Deus operadas na ocasião.

A Missão de São Paulo mereceu destaque por dois motivos: pela grande concorrência de povo e pela participação do santo Bispo Dom Bernardo, tanto nas pregações como na grande procissão de penitência de encerramento. Ele ia com os pés descalços à frente do povo levando alçada a cruz penitencial.

Não há dúvida que a Missão no povoado de Aparecida recebeu maior destaque por causa do extraordinário resultado obtido pelos missionários mediante a intercessão da Mãe de Deus. O cronista reconhece que existia no Santuário uma força divina especial que atraía os peregrinos para a mudança de vida; em outras palavras constatava o milagre de conversão para Cristo alcançado pela intercessão de Maria. Ele afirma e ressalta, portanto, o papel especial de Maria de Nazaré, que aqui chamamos Senhora da Conceição Aparecida, no mistério da salvação. Trata-se da verdade principal da Teologia Mariana que encontramos anotada e revelada em diversas épocas de mais de 250 anos de existência deste Santuário.

Já naquele tempo notava-se, conforme a crônica da Missão, a parte negativa de todo santuário: a competição comercial e as desavenças causadas por ela[1]. Os donativos depositados no cofre, pela devoção e gratidão dos peregrinos, eram abundantes[2]. Esse fato e a competição comercial local criaram grande concorrência entre os habitantes do povoado seguida de desavenças pessoais, quando não, de ódios mortais. O cronista foi duro nas expressões: "Entre os habitantes existiam inimizades e ódios de morte (*acerrimis inimicitiis*), que, porém, foram desfeitos publicamente após o sermão que pregamos sobre a caridade fraterna"[3].

---

[1] Hoje, muitos criticam o comércio desorganizado e exagerado que circunda o Santuário. O pior, a meu ver, é a competição, a falta de ética de muitos e, sobretudo, a suposição injusta de que o Santuário leva a melhor parte, isto é, fica com a maior parte do que o romeiro gasta em Aparecida. Por uma pesquisa feita em 1965, somente 5% do montante dos gastos dos peregrinos é depositado no cofre do Santuário. Outra pesquisa de 1997 constatou que a oferta para o cofre é de apenas R$ 0,90 per capita, portanto menos de um dólar.

[2] "A Capela tem abundância de recursos financeiros que provêm de donativos feitos por devoção e gratidão dos romeiros, e chegam mensalmente a 100 mil réis" in ACMA, Annuae... op. cit.

[3] Ardebat hoc oppidum acerrimis inimicitiis, quae tamen, habita de proximorum concordia concione, deposuere omnes per initam publicam amicitiam, in ACMA, Ânuas, op. cit.

— E a razão deste sucesso qual foi? A constatação é simplesmente maravilhosa porque revela a graça especial deste Santuário, como anotaram e verificaram os missionários já em 1748: "O resultado da Missão neste povoado foi muito mais abundante pela especial intercessão da Mãe de Deus"[4].

Outra constatação escrita sobre o especial patrocínio de Maria no Santuário será feita 153 anos depois, em 1901, quan-do foi pregada no povoado de Aparecida a segunda missão popular de que se tem notícia por dois missionários reden-toristas holandeses, Padres Matias Tulkens e Francisco Xavier Lohmejer. O cronista dessa missão, Pe. Lourenço Gahr, redentorista de Aparecida, refere que a missão foi muito frutuosa e concorrida e a população começou a participar melhor da missa e dos sacramentos, tornando-se, acrescenta ainda, mais chegada aos padres. Está subentendido que foi superada a oposição por motivo do cofre, que aparece em outras notas da crônica[5].

Em 1830, Pe. Claro Francisco de Vasconcellos e, em 1883, Mons. Miguel Martins referem-se a essa mesma vocação do Santuário: a graça da reconciliação e da conversão para Cristo como o dom mais precioso que a Mãe de Deus concede àqueles que a invocavam.

A partir de 28 de outubro de 1894, quando os missionários redentoristas assumiram a direção pastoral do Santuário, eles retomaram novamente o tema da intercessão ou patrocínio de Maria para inculcar nos peregrinos amor e confiança em Nossa Senhora Aparecida. Mas, apesar de os romeiros estarem no longo período anterior sem o anúncio explícito da salvação por falta de sacerdotes zelosos e preparados, mesmo assim,

---

[4] Texto original latino: Ibi abundantius fuit animarum lucrum *ob specialem Deiparae patrocinium* in ACMA, Annuae... op. cit.

[5] Cf. Missão de Aparecida in Doc. n° 01, p. 147. Desde 1898, e especialmente desde 1900, os redentoristas alemães foram vítimas de ataques caluniosos de parte da população e da imprensa local, tudo em função das benesses do cofre, que tinham perdido e que supunham estar nas mãos dos capelães.

Maria continuou atraindo e salvando seu povo, pois, no dizer de alguns bispos do século passado[6], foi a devoção a Nossa Senhora Aparecida que o ajudou a conservar a fé católica.

Igreja de Monte Carmelo; inaugurada a 24/06/1888

---

[6] Entre eles Dom Joaquim Arcoverde. "Um bispo disse-nos 'que é a Nossa Senhora Aparecida que o Brasil deve agradecer por ter-se conservado na fé católica'", Carta do Pe. Gahr in COPRESP-A, carta nº 65, Vol. I, p. 130.

10
PROJEÇÃO E INFLUÊNCIA DO SANTUÁRIO NO SÉCULO DEZENOVE

Desde o século dezoito formava-se mais intensamente a identidade de nosso povo, da nação brasileira. Costumes e culturas, ritos e devoções delineavam seu ser religioso. Sua formação cultural e religiosa ter-se-ia processado harmoniosamente se o Marques de Pombal não a tivesse truncado com suas leis injustas. Expulsando os jesuítas, em 1759, fecharam-se os colégios e os seminários, que eram responsáveis pela formação tanto do povo como do clero. Sem escola e sem um clero bem preparado e suficiente, sua evolução cultural e religiosa não pôde continuar. Iniciou-se na mesma época a crise do ensino, gerando o analfabetismo crônico de nossa pátria. A evangelização se estanca por falta de sacerdotes preparados e zelosos e, sobretudo, cerceada pelo regime do padroado.

Costumes culturais e religiosos continuam, porém, a manter a vida cultural-religiosa de nosso povo. Este continua expressando sua fé mediante as festas do Senhor Bom Jesus, do Divino, de Nossa Senhora sob diversos títulos, de São

Francisco das Chagas e de São Benedito entre outras. Essas festas e as ricas celebrações da Semana Santa, as de Corpus Christi e do santo padroeiro local continuaram alimentando a tradição religiosa popular e tiveram força para manter no povo a alegria e a esperança cristãs. Deitaram raízes profundas no ser religioso do povo.

Entre as devoções que marcaram essa religiosidade popular, sobressai a devoção a Nossa Senhora da Conceição Aparecida, ligada a uma pequena imagem enegrecida e machucada pelo tempo e a uma capela despida do fausto da riqueza do ouro como na Bahia e em Minas Gerais. O povo identificou-se profundamente com elas. O culto a Nossa Senhora Aparecida não ficou restrito a datas e festas: tornou-se expressão contínua de religiosidade. Daí as romarias procurarem o Santuário durante o ano todo. Especialmente antes dos modernos meios de transporte, é verdade, mais no tempo seco, por favorecer as longas viagens. Assim podemos afirmar que Aparecida não se tornou um lugar de 'festa', mas de peregrinação penitencial, ação de graças e de fé. Foi uma vantagem moral para o Santuário de Aparecida porque não favoreceu grande concentração de povo, de comerciantes e desocupados num tempo limitado como o da festa ou da novena. Em outros grandes santuários, como: Trindade, Congonhas do Campo, Canindé, Nossa Senhora de Nazaré, em Belém, a grande movimentação da festa anual deu ocasião para muitos abusos morais incompatíveis com um lugar de peregrinação, tais como: jogatina, assassinatos e meretrício.

A devoção a N. Senhora sob outros títulos: como, especialmente, do Rosário e do Carmo, continuou nas diversas regiões com suas igrejas e capelas, mantendo as festas, usos e costumes para as diversas classes de pessoas. Com o surgimento do Santuário de Aparecida, a 26 de julho de 1745, a devoção a Nossa Senhora Aparecida não anulou aquelas, mas se sobrepôs a todas atraindo todos os fiéis, ricos e pobres, negros e brancos, escravos e livres, criando características próprias. Por toda a parte penetrou na alma do povo, exercendo profunda influência na sua religiosidade.

10.1. Os fatores da expansão do culto e de sua influência

Analisando os fatores da influência da devoção e do Santuário de Aparecida desde meados do século dezoito, descobrimos o de ordem geográfica e social como: sua posição estratégica entre São Paulo e Rio, e o espiritual como: um sinal de esperança para um povo pobre. Os fatores mais profundos e importantes, porém, nascem do papel de Maria no mistério da salvação realizado por Cristo. É necessário, portanto, sair um pouco da história dos homens e entrar, ainda que rapidamente, na história do plano de Deus, a fim de podermos entender o fenômeno da influência da devoção a N. Senhora Aparecida.

Não há dúvida que a projeção religiosa do Santuário esteve, desde o início, ligada ao desenvolvimento social e econômico da região sul do Brasil, primeiramente com a implantação do ciclo da cana-de-açúcar, e depois, com o do café[1]. A fama da Imagem e da Capela ultrapassou os limites da Província de São Paulo; fato registrado por documentos de pessoas ilustres que passaram pelo Santuário durante o século dezenove.

Naquele século essa realidade foi constatada por cientistas e jornalistas. No meu entender Zaluar foi o mais importante deles, pela propriedade de sua avaliação.

Augusto Emílio Zaluar, jornalista português residente no Rio de Janeiro, esteve em Aparecida em 1860. Era o mês de junho, quando grande número de romeiros chegavam de todas as partes para cumprir suas devoções junto da Imagem da Senhora Aparecida. Grandes e contínuas eram as caravanas de muares que chegavam. Ele também entra na Capela e ora diante da Imagem. Contemplando-a de perto, percebe que sua face expressa um olhar compassivo que o impressiona profundamente. Observando as preces e os sacrifícios que

---

[1] O ciclo da cana-de-açúcar começou mais intensamente no Vale a partir da metade do século dezoito, e o do café, na mesma época do século dezenove. Os dois trouxeram riqueza e bem-estar para a região.

os peregrinos faziam para cumprir seus votos, e, sobretudo, sentindo a alegria e a esperança estampadas em seus rostos, machucados pela pobreza, sofrimentos e longas viagens, ele descobre a razão daquele contentamento, daquela esperança e felicidade, traduzindo-as com estas palavras:

> "*A protetora Imagem da Senhora Aparecida, coberta com seu manto azul, parece sorrir compassiva a todos os infelizes que a invocam, a quem jamais negou consolação e esperança*".

Esta afirmação do jornalista é, em termos humanos e concretos, a mesma doutrina da Igreja sobre o papel de Maria no mistério da salvação como os missionários jesuítas expressaram-na em conceitos mais precisos da teologia mariana na crônica da missão de 1748:

> "*Por causa do patrocínio da mãe de Deus, a conversão se manifestou mais abundante e rica neste Santuário*".

Zaluar percebeu que o patrocínio da Mãe de Deus estava como que estampado na expressão plástica do rosto da Imagem. Antes de ser jornalista, ele havia estudado medicina em Portugal, e, como médico do corpo, havia percebido mais o lado humano da alegria e da esperança dos peregrinos aliviados em seus sofrimentos e doenças, ao passo que os missionários jesuítas, como médicos da alma, analisaram a razão profunda da esperança e da alegria da conversão e salvação interiores, fruto da graça de Deus.

Temos ainda os depoimentos dos cientistas austríacos: Johann Baptist von Spix, Karl Friederich Philipp von Martius, Thomas Ender e do botânico francês Auguste de Saint-Hilaire, que visitaram o Santuário nas primeiras décadas do século dezenove. Na época, a Capela era inexpressiva como povoado e poucos moradores viviam em sua volta. Nada, portanto, poderia influenciar no ânimo desses cientistas estrangeiros senão a igreja, que era respeitável para o tempo, a Imagem, que atraía peregrinos de toda parte e a bonita paisagem que se desdobrava do alto da colina para o Vale do Paraíba, tendo como moldura natural a Serra da Mantiqueira. Algo de extraordinário existia no Santuário e eles o perceberam. Por isso Karl F. Ph. von Martius escreveu em seu Diário, em 1817: "A milagrosa Imagem de Nossa Senhora atrai peregrinos de toda a Província e de Minas Gerais"[2].

Anos depois, em 1822, o botânico francês, Saint-Hilaire, passando pelo povoado, também notou a grande atração que o Santuário exercia sobre o povo: "A Imagem que ali se venera, passa por milagrosa e goza de grande reputação, não só na região como nas partes mais longínquas do Brasil. Aqui vem ter gente, dizem, de Minas Gerais e Bahia, a cumprir promessas feitas a Nossa Senhora Aparecida"[3].

Até a autoridade civil da cidade de Guaratinguetá se refere à projeção do Santuário ao aprovar, em 1852, as melhorias no povoado, requeridas pela Mesa. O Juiz Municipal, Dr. Antônio Pinto da Silva Valle, louvou o zelo e a atividade desenvolvida pelos mesários "para a rápida prosperidade deste Pio Instituto (Santuário), tão reverenciado pelos povos"[4].

Lucila Hermann, estudando o desenvolvimento e a riqueza de Guaratinguetá no ciclo do café, que teve início pelo ano de 1845, descreve a vida religiosa da população que se manifestava nas festas do Divino e de São Benedito daquela cidade. Ela acentua também a projeção da Capela, afirmando:

---

[2] Spix e Martius — Viagem pelo Brasil, 1817-1820, I Volume, São Paulo, 2ª Ed. Melhoramentos, p. 130. Johann Baptist von Spix e Karl Friedrich Philipp von Martius eram dois cientistas alemães (Baviera) que vieram ao Brasil em 1817; pesquisando no terreno zoológico e botânico respectivamente.

[3] Saint-Hilaire, Auguste — Segunda Viagem do Rio de Janeiro a Minas Gerais e a São Paulo, 1822, Cia. Ed. Nacional, 1932, p. 148 e 149.

"A vida religiosa continua intensa. A 'Casa dos Milagres', em Aparecida, é o grande foco de sua manifestação"[5].

Nas seis páginas de seu Diário, dedicadas à Capela, Zaluar dá também a razão da projeção do Santuário e o reflexo do culto encontrado por ele nos ex-votos que se espalhavam pelas paredes da igreja. "A fama da milagrosa Virgem espalhou-se por tal forma, e chegou a tão longínquas paragens, que dos sertões de Minas, dos confins de Cuiabá e do extremo do Rio Grande vêm todos os anos piedosas romarias cumprir as religiosas promessas. Afortunados os sertanejos que têm mais fé na intervenção divina do que nos resultados tantas vezes mentirosos da ciência humana."[6]

Essas foram as causas da projeção geográfica do Santuário, que não independem, é verdade, da influência religiosa. Mesmo esses autores leigos, ao notificar a expansão geográfica da influência do Santuário, não omitiram a misteriosa atração que perceberam no Santuário: "Imagem atraia" (von Martius), "parece sorrir compassiva a todos os infelizes que a invocam e aos quais jamais negou consolação e esperança" (de Zaluar).

— E o que disseram os teólogos?

Estes, a começar com o Padre Francisco da Silveira, que escreveu a crônica da missão no povoado (1750), e o Pe. Dr. João de Morais e Aguiar, Pároco de Guaratinguetá, que nos deixou a narrativa do achado da Imagem e dos primeiros anos do Santuário (1757), atribuíam a influência do Santuário ao poder de intercessão da Mãe de Deus. Seguem-se, depois, o Pe. Claro Fr. de Vasconcellos, que analisou o milagre do escravo, em 1838, e o Missionário Apostólico, Mons. Miguel Martins, que descreveu a devoção do povo, em 1883, afirmando ambos que "os peregrinos procuravam no Santuário a misericordiosa Mãe de Deus para implorar seu poderoso e divino auxílio"[7].

---

[4] I L. de Atas da Mesa, 1809-1852, fl. 98v.

[5] Hermann, Lucila, op. cit. p. 135.

[6] Zaluar, A. Emílio, op. cit. p. 86 a 88.

Análise mais precisa vamos encontrar no último lustro de século passado, numa carta-relatório do missionário redentorista Pe. Valentim von Riedl, enviada, em 1897, para Munique, na Baviera, para ser publicada numa revista mariana.

Depois de apresentar os dados históricos do achado da imagem e do início da devoção e do culto, von Riedl, dotado de profunda psicologia, escrevia:

"Nossa Senhora domina verdadeiramente, como Senhora, toda a região. Sua influência, porém, não se limita à região, pois seus devotos vêm de toda a parte do Brasil: do Norte, Sul, Leste e Oeste, alguns viajando meses inteiros, não achando longa demais a caminhada para poderem homenagear a Senhora, agradecer-lhe e pedir graças. No amor à Mãe de Deus o povo brasileiro está ainda à procura de um outro que o iguale. — Não é sem razão que Nossa Senhora é tão amada e invocada; esse amor e essa devoção foram a proteção contra a infidelidade e se tornaram o filão de ouro da sua perseverança na fé católica. Sem essa devoção o povo teria caído em completa indiferença religiosa"[8].

Também os missionários redentoristas que pregaram a segunda missão em Aparecida, no ano de 1901, constataram, como na missão de 1748, que a conversão foi mais abundante no Santuário por causa da intercessão de Maria[9]. Na renovação da missão de Queluz, SP, em 1903, o cronista escreveu: "Deus nos acompanhou com sua bênção. A imagem de Nossa Senhora Aparecida, que levamos conosco, parece exercer uma atração especial, pois muito e piedosamente se rezava diante dela"[10].

Estão aí, pois, as razões humanas e divinas da projeção do Santuário e da devoção que influíram profundamente na religiosidade do povo brasileiro que ajudou a conservar sua fé católica.

---

[7] Cf. Reflexão de Mons. Miguel Martins in Coletânea da Capela, op. cit., p. 266; e do Pe. Claro Fr. de Vasconcellos, in Autos de Ereção e Bênção da Capela, op. cit. fl. 3.

[8] COPRESP-A, Vol. II, p. 7/8, carta nº 221.

10.2. Visitantes ilustres e a coroa da Princesa Isabel

Situada entre dois polos — político e administrativo — do Rio e de São Paulo, a Capela era visitada por pessoas ilustres, que junto dela passavam. Muitos subiam a ladeira não para rezar, mas apenas para conhecer a afamada Capela da 'Senhora da Aparecida'.

Citamos entre eles os cientistas austríacos Karl Friederich Philipp von Martius, Johann Baptist von Spix e o pintor austríaco Thomas Ender. Pelier, J. B. Debret, Saint-Hilaire e Zaluar foram outras figuras ilustres que visitaram o Santuário de Aparecida[11]. Conforme notícias deixadas pelos Dr. José Vicente de Azevedo e Dr. Wenceslau Braz, ex-presidente da república, Dom Pedro I, na sua viagem histórica de 1822 para São Paulo, se deteve em Aparecida no dia 20 de agosto. Naquela ocasião, dizem, o Príncipe Regente subiu a Ladeira e orou diante da Imagem, pedindo a Nossa Senhora Aparecida a graça de ser bem-sucedido em São Paulo. Seguiu viagem, e no dia 7 de setembro proclamou a independência[12].

Sobre a visita do Imperador Dom Pedro II e da Imperatriz, há notícias em 1845 e 1865, respectivamente das atas da Mesa e do jornal 'O Comercial de Taubaté'[13]. Não há dados que as confirmem. Notícia certa, porém, existe sobre a vinda da Princesa Isabel e do Conde d'Eu, por ocasião da festa do dia 8 de dezembro de 1868. A visita da Princesa a Guaratinguetá foi amplamente divulgada pelo jornal 'O Parayba', na sua edição de 13 de dezembro daquele ano. Os príncipes chegaram a Guaratinguetá, vindos da cidade de São Lourenço, Sul de Minas, no dia 7, às 15 horas, sendo festivamente recebidos. O

---

[9] Cf. resultado da missão in Doc. 01, p. 147.
[10] Doc. nº 1, Crônica da Comunidade de Aparecida, Vol. I, p. 209 e 223.
[11] As aquarelas de Thomas Ender retratando a igreja e cenas do povoado encontram-se no Museu de Arte de Viena, Áustria.

mesmo jornal publicou a visita dos príncipes à Capela onde participaram da festa tradicional do dia 8: "Terminou-se a festa da Senhora Aparecida no dia 8, celebrada em sua Capela com muita pompa e brilhantismo, e com a assistência de SS. AA. a Princesa Imperial e seu consorte. Os príncipes foram eleitos para festejar a mesma Senhora no ano de 1869, SS. AA."[14].

A 18 de outubro de 1874, o Conde d'Eu passou novamente pela Capela e orou diante da Imagem[15].

Durante a visita de 1868, a Princesa indultou um recruta da Guarda Nacional que estava sendo conduzido algemado para Taubaté. Foi nessa ocasião que a piedosa princesa doou a Nossa Senhora uma riquíssima coroa de ouro que até o dia de hoje é usada na Imagem. É de ouro 24 quilates, pesa 300 gramas e tem 24 diamantes maiores e 16 menores. Seu valor material é muito grande e bem maior o seu valor histórico, pois com esta coroa, doada pela libertadora dos escravos, a Imagem de Nossa Senhora Aparecida foi solenemente coroada em 1904. Pe. Gebardo Wiggermann se refere ao fato na sua carta de 8 de janeiro de 1905, dirigida ao Pe. Pedro Oomen, Procurador Geral da Congregação Redentorista em Roma. "A coroa, dizia, que serviu para a coroação, foi um presente com o qual, há muitos anos, a Princesa Isabel, filha do último Imperador, honrou Nossa Senhora[16]."

Nos primeiros anos da República não faltou a visita de altos funcionários do governo. Entre eles a crônica da Comunidade Redentorista de Aparecida menciona os Ministros da Guerra, das Finanças e da Justiça. O Ministro da Guerra veio com sua

---

[12] Cf. Discursos do Dr. Wenceslau Braz em Polianteia do Congresso Mariano de 1929 e do Dr. José Vicente de Azevedo no jornal "Correio Paulistano", ed. de 16/12/1928; aviso do Bispo de São Paulo Dom Mateus sobre os atos religiosos que se deveriam fazer na passagem do Príncipe Regente, desde Bananal até a Penha in I Livro do Tombo da Paróquia de Guaratinguetá, op. cit., fl. 51v.

[13] Jornal 'O Parayba', ed. de 03/12/1865.

[14] Ibidem, ed. de 19/11 e 13/12 / 1868.

[15] Ibidem, ed. de 18/10/1874.

esposa do Rio de Janeiro, a 23 de novembro de 1894. A 13 de outubro de 1895, o cronista anotava que "o Exmo. Sr. Ministro das Finanças do Rio de Janeiro visitou nosso Santuário para cumprir uma promessa que fizera por ocasião da doença grave de seu filho. O filho sarou e o Sr. Ministro cumpriu a promessa, mas não permaneceu por mais tempo aqui". A respeito da visita do Ministro da Justiça ficou anotado: "Veio em parte por devoção e em parte para ser padrinho de batismo de uma criança". Ele esteve no Santuário no dia 23 de maio de 1896[17]. Todos eles se puseram a caminho como peregrinos; sem pompa e sem ostensiva proteção, mas com fé e humildade vieram fazer suas preces junto daquela que é despenseira no Reino de Deus.

Depois da abolição do Padroado, que proibia aos bispos e párocos de sair de seu território sob pena de demissão, muitos bispos e sacerdotes vinham visitá-la. Como consta das crônicas da comunidade redentorista de Aparecida, alguns vieram até para cumprir promessas. Além do bispo diocesano, a primeira autoridade eclesiástica mencionada nas crônicas, que visitou o Santuário, foi o Internúncio Mons. João Batista Guidi. Este, como fiel amigo e protetor dos redentoristas alemães, interessou-se em orientá-los na sua Missão no Brasil.

Ao enumerar grande número de visitantes em 1895, o cronista acrescentou: "Além desses, veio grande número de sacerdotes de São Paulo, Mariana, Rio de Janeiro, Niterói e Diamantina"[18]. Livres da tutela do regime do Padroado e iniciada a ação renovadora nas dioceses, bispos e sacerdotes vinham ao Santuário implorar à Senhora Aparecida bênçãos e graças para seu trabalho pastoral.

---

[16] COPRESP-A, Vol. IV. carta nº 706, p. 9
[17] Doc. nº 01, p. 14, 26, 29 e 55.

Não há dúvida que desde o século dezoito, a Imagem e o Santuário tornaram-se um sinal de Deus, ocasião de graça que todos buscavam ansiosamente: para os pobres uma esperança de alívio em seus sofrimentos; para os mais esclarecidos, uma oportunidade de agradecer os dons recebidos; para todos, uma mensagem de esperança e de salvação em Cristo pela intercessão de sua Mãe.

---

[18] Ibidem, p. 26.

11
ROMARIAS AO SANTUÁRIO

As romarias são fruto da religiosidade popular, sendo uma de suas expressões mais fortes e muito frequentes. Nosso povo é muito apegado a esse tipo de manifestação religiosa; não foi nem é privilégio de pobres e analfabetos. Individualmente ou em grupo, o povo cristão sempre fez sua romagem aos santuários de sua devoção. Nisso ele é semelhante ao povo bíblico, que anualmente procurava o Templo de Jerusalém para adorar a Deus, prestar-lhe culto e cumprir seus votos. Em Aparecida, por mais de duzentos anos a ladeira da Colina Sagrada foi seu caminho íngreme e penoso, mas cheio de esperanças. Hoje são as rampas do novo Santuário, que, aos sábados e domingos, ficam repletas de devotos que caminham. Ontem, como hoje, os peregrinos trazem tantas preocupações que os afligem mais que as penosas viagens e as íngremes ladeiras: baixos salários, doenças, falta de moradia e pobreza generalizada, buscando uma resposta.

Os dois documentos históricos do Santuário — de 1750 e de 1757 — falam das peregrinações, dos romeiros que "acorrem a sua santa Casa de partes muito distantes para agradecer os benefícios recebidos desta Senhora"[1]. Documentos posteriores, como as Atas da Mesa Administrativa, fazem contínuas referências ao concurso de povo no Santuário. Um indicador indireto do maior ou menor fluxo de peregrinos é a ata da abertura do cofre, nas quais se anotavam as quantias quinzenais depositadas. O aumento do fluxo de peregrinos indica ainda o desenvolvimento maior acontecido no Vale do Paraíba com a implantação da cultura do café, a partir de 1840, e com a inauguração da Estrada de Ferro Central do Brasil, em 1877.

Em 1857, a Mesa preocupou-se em nomear logo um sacerdote para capelão, e que residisse no povoado, "para satisfazer a vontade dos fiéis que afluem em grande número em cumprimento de seus votos"[2]. Em 1858, são mencionadas as diversas casas pertencentes ao Santuário, "que são destinadas à aposentadoria dos fiéis, que em romaria, concorrem ao lugar a cumprir votos e oferecer suas oblações"[3].

Os Anais da Assembleia Provincial de São Paulo referem-se diversas vezes ao Santuário. A sessão de 28 de fevereiro de 1842, que tratava da elevação do povoado à freguesia, que na época correspondia à emancipação política como município, um dos deputados argumentava que as romarias lhe davam grande impulso de progresso, pois "a concorrência de povo que diariamente a ela (*Capela*) acode, o que bastante a tem aumentado e tornado florente".

Os cientistas austríacos von Martius e Spix também apresentam rica descrição das romarias: "A milagrosa imagem de Nossa Senhora atrai muitos peregrinos de toda a Província de São Paulo e de Minas Gerais, dessas romarias encontramos diversas, quando na véspera do Natal (*1817*) seguimos viagem. Aqui o modo de viajar, tanto para as mulheres como para os homens é sempre montados a cavalo, ou em mula; frequente-

---

[1] Cf. Narrativa do encontro da Imagem tanto no Livro do Tombo como nas Ânuas dos Padres Jesuítas, obras já citadas.

[2] I Livro de Atas da Mesa Administrativa, 1833 a 1883, fl. 31v.

[3] Ibidem, fl. 49.

mente também o homem leva a mulher atrás, montada na garupa do animal. O traje desses roceiros é inteiramente adequando às condições do local: chapéu de feltro, cor cinza, com abas muito largas, que serve igualmente para proteger contra o sol e contra a chuva; um poncho azul comprido, muito largo, tendo no meio uma abertura por onde passa a cabeça, calça e paletó de tecido escuro de algodão, botas altas, facão comprido com cabo prateado que, como arma ofensiva e defensiva, mete no cinturão ou no cano da bota. Tais são as características dos paulistas em viagem. As mulheres usam vestidos de pano largos e compridos e chapéus desabados. Todos os que passavam por nós, montando em bestas, se mostravam excelentes cavaleiros, sobretudo pela pressa com que procuravam fugir da trovoada, que ameaçava de todos os lados"[4].

Já o pintor francês, Jean B. Debret, de passagem por Aparecida, fixou numa tela, em 1827, a cena de uma rica senhora, de vela acesa nas mãos, subindo a ladeira à frente de seus escravos que conduziam sua filha doente numa rede. Benício Dutra, Augusto Emílio Zaluar foram outros homens ilustres que nos deixaram notícias sobre as romarias a Aparecida.

Em 1873, pela primeira vez na história das romarias, aparece a notícia de uma peregrinação organizada por uma paróquia. O jornal 'O Parayba', de 31 de agosto daquele ano, publicava sob o título 'Romaria à Capela de Nossa Senhora Aparecida', o convite do Pároco de Guaratinguetá, Pe. Benedito Teixeira da Silva Pinto, para uma romaria a Aparecida. Por causa da grande seca que assolava toda a região, o povo lhe pedira que buscasse, como era costume em semelhantes ocasiões, a Imagem e a trouxesse para a matriz, a fim de se fazerem orações e preces. O Pe. Benedito, porém, preferiu fazer um tríduo de preces e depois levar o povo em procissão de penitência para a Capela. O tríduo foi organizado para os dias 6, 7 e 8 de setembro daquele ano e

---

[4] Spix e von Martius, op. cit.

a romaria no dia 9. No convite para a romaria, o pároco dava a motivação da romaria e indicava a conversão pessoal como um dos frutos. Esta notícia é o primeiro documento que temos e no qual vemos a pastoral ordinária de uma paróquia interessando-se pelas romarias.

Mais tarde, a 4 de janeiro de 1884, o jornal 'Correio Paulistano' publicava um artigo sobre as romarias. Em estilo leve e fluente, o jornalista indica o grande número de peregrinos que encontrou no Santuário, descrevendo depois como eram realizadas as peregrinações.

O repórter lembra com saudades de seu tempo de criança, quando, junto com a família, participava das romarias. Com viva e poética descrição ele acompanha o trajeto das caravanas que buscavam o Santuário, nestes termos: "Antigamente, as Romarias à Capela da Aparecida tinham muito de pitoresco; eram as famílias que se moviam lentamente com os filhos pequenos, os pajens, os camaradas, as mucamas e o armazém ambulante às costas dos cargueiros. Havia os atoleiros que transpor, as pontes esburacadas, os ribeirões transbordantes com sem número de precipícios por toda a fita sinuosa das estradas reais".

E, depois de descrever as peripécias da viagem e dos pousos, encantado pelas reminiscências do passado, exclama: "Felizes tempos! Ou quem sabe se não eram os meus doze anos, o meu desprendido coração de criança que superabundava de contentamento e derramava alegria por todas essas cenas de então, cuja lembrança me aviva saudades da família ausente, já por longas terras, já por esse mundo donde não se volta mais".

Finalizando, anota a transformação dos costumes trazidos pela Estrada de Ferro que "plantou suas estações onde eram antigamente os pousos dos viajantes trazendo mais comodidade e acabando com o encanto daquelas pias viagens"[5].

---

[5] IBGE — Hemeroteca Júlio de Mesquita, Correio Paulistano, ed. de 04/01/1884, artigo "Fia-te na Virgem", assinado pelas iniciais E. F.

Na última década do século passado, Pe. Lourenço Gahr fez também interessante descrição das romarias. Eis o que ele escrevia em carta de 1º de junho de 1895, a seu amigo Mons. Franz Brachar, de Bremen na Alemanha:

"Os romeiros, conforme um jornal do lugar, chegam a 150.000 por ano. — A maior parte dos romeiros vêm de trem, mas no tempo seco, de abril a novembro, vêm muitas caravanas com 15 até 30 cavalos, burros e cargueiros. As mulheres com criança ao colo cavalgam à frente, seguem-nas os cargueiros sem tropeiro, carregando alimentos e apetrechos domésticos, e de cozinha, cobertos de couro de boi, e tudo em jacás nas costas do animal; enfim, vêm os homens montados e tendo, muitas vezes, na frente e atrás da sela, um filho"[6].

11.1. Evolução dos meios de transporte

Tropas e trens, caminhões e jardineiras, automóveis e ônibus foram os degraus da evolução. Muito diversificados são hoje os meios de transporte utilizados pelos romeiros. Qualquer pessoa que se der ao trabalho de conferir nas placas dos carros os nomes das cidades e as siglas dos Estados entre aproximadamente 5.000 carros e 3.500 ônibus, que estacionam em dias de grande movimento nos pátios do novo Santuário, ficaria simplesmente atordoada e abismada com tantos nomes que fogem do âmbito de seus conhecimentos geográficos. E quem imaginaria que, em determinados domingos do ano estaria em frente de 3.000 motos e seus motoqueiros, mil e tantas bicicletas e seus ciclistas, e cerca de 1.000 tratores dos homens da nossa lavoura?

---

[6] COPRESP-A, Vol. I, p. 231, carta nº 103 e Crônica da Comunidade Redentorista de Aparecida (Doc. nº 1), p. 25.

Em outras ocasiões, o panorama do pátio da Nova Basílica torna-se bucólico e anacrônico para a era dos transportes rápidos, quando centenas e centenas de cavalos e seus cavaleiros, garbosos ginetes e suas belas amazonas chegam para sua romaria. Não é necessário mencionar que ainda hoje continua o primeiro e o mais cheio de significado modo de visitar um santuário: a caminhada a pé, percorrendo longas distâncias como penitência em busca do sobrenatural. É interessante constatar que esses grupos nunca cessaram na história deste Santuário, e ultimamente aumentaram em número e distâncias percorridas. Depois da década de 40, as estradas asfaltadas encurtaram as distâncias e tornaram mais fáceis as viagens. O asfalto aproximou, no tempo e no conforto, o Santuário de Aparecida das regiões mais distantes de Mato Grosso, Goiás, Minas Gerais, Paraná, Santa Catarina, Espírito Santo, Bahia, de onde começaram a chegar grupos maiores e mais frequentes de peregrinos.

É interessante percorrer e conhecer o modo e os costumes das viagens dos peregrinos, na sua longa história de mais de 250 anos de existência, 1745-1997, deste Santuário. Vejamos alguns de seus aspectos.

Por mais de um século, os peregrinos utilizavam-se de cavalos para montar e viajar, burros e mulas para o transporte de lenha, roupa e trastes de cozinha. Alojavam-se nas 'casas da Santa' e os animais eram soltos no 'Pasto da Santa'. As tropas eram o único meio de transporte do povo até o advento da estrada de ferro, em 1877. Inaugurada a 3 de julho de 1877, a Estação de 'Aparecida do Norte' tornou-se o termo de chegada da maior parte dos peregrinos. Nosso cronista afirma que, no ano de 1900, a média de peregrinos que chegavam de trem era de 300 a 400 diariamente e até 1.000 em dias de maior movimento.

Entre 1887 e 1920, a estrada de ferro conservou o monopólio dos transportes dos romeiros, enfrentando depois a concorrência dos veículos movidos à gasolina e óleo diesel.

Com o início das grandes romarias programadas em 1900, a Central do Brasil começou a fornecer para as mesmas centenas de trens especiais por ano[7]. O último comboio especial que a Central forneceu foi para a cidade de Barra Mansa, RJ, que chegou até o Santuário no dia 25 de abril de 1954, com 18 vagões e cerca de 1.300 romeiros.

Mas como os vagões não eram suficientes, foi necessário fretar mais 3 ônibus. A Central do Brasil cedeu especiais não só para os peregrinos, mas também para conduzir a Imagem Milagrosa para a cidade do Rio de Janeiro, a 31 de maio de 1931, quando a Senhora da Conceição Aparecida foi proclamada Mãe e Padroeira do Brasil. Conduziu ainda, em 1954, a mesma Imagem, que ia presidir o Congresso Mariano da capital de São Paulo nos dias 5, 6 e 7 de setembro. E o último especial aconteceu no ano de 1955, quando a Imagem foi levada para o Congresso Eucarístico Internacional do Rio de Janeiro. A volta da Imagem, depois do Congresso, foi realizada por avião da Força Aérea Brasileira (FAB).

Na década de 20, chegavam os primeiros automóveis. A primeira romaria com 15 autos e 70 pessoas veio de Jundiaí, SP, no dia 20 de novembro de 1923. "Por causa do mau tempo, diz a crônica, gastaram dois dias de viagem. Eles pernoitaram aqui: muitos se confessaram e todos participaram da missa"[8]. Começava então a competição do petróleo contra o carvão: os veículos movidos à gasolina e a óleo diesel teriam a melhor parte.

---

[7] Nas crônicas da comunidade redentorista de Aparecida (Doc. nº 1 a 9) aparecem muitas notícias sobre os trens especiais da Central do Brasil e o empenho dos reitores do Santuário em conseguir de sua direção vantagens para as romarias. É interessante esta notícia publicada no jornal "O Estado de São Paulo", edição de 22/01/1996, na seção do jornal 'Há um Século', 22 de janeiro de 1896: "Estrada de Ferro — O custo de uma passagem nesta estrada da capital a Aparecida do Norte é, em carruagem de primeira classe, de 14:620 réis, como se vê da tabela de preços existente na Estação do Norte e como se deve pelo menos supor, visto que é esta mesma quantia que o bilheteiro cobrou a cada uma das pessoas que anteontem partiram daqui para aquela localidade".

[8] Doc. nº 03, p. 24.

Após a inauguração, em 1927, da Estrada de Rodagem Washington Luís, ligando São Paulo ao Rio de Janeiro, e as cidades do Vale entre si. É daquele ano, a formação da primeira companhia de auto-ônibus com linha regular entre Taubaté e Aparecida, chamada Empresa de Auto-ônibus de Nossa Senhora Aparecida. Registrando o fato, nosso cronista anotou: "É um bom melhoramento este, pois com as condições atuais da Central era impossível melhorar os meios de comunicação, e agora têm-se bondes (*ônibus*) de Taubaté aqui logo às 7:00 horas para as missas"[9].

Em 1934, nasceram outras empresas de ônibus, todas oferecendo transporte de romeiros. Concorriam três empresas que disputavam passageiros entre São Paulo e Aparecida, a saber: Pássaro Azul, criada em 1933; Empresa de Ônibus São Paulo a Lorena e Rápido Rodoviário São Paulo a Lorena. Outra empresa com o nome de Santa Luzia é mencionada, cujos carros subiam até a praça do Santuário[10]. Um ano depois, em novembro de 1935, nascia a Empresa de Ônibus Pássaro Marrom, que ainda hoje é a líder no transporte de peregrinos para Aparecida. Predominaram, entretanto, os caminhões, os tais 'Paus de Arara' até fins da década de 60. Outro transporte típico e folclórico eram as 'jardineiras', um misto de ônibus e caminhão, a metamorfose entre os caminhões e os confortáveis e modernos ônibus de hoje.

---

[9] Doc. nº 03, p. 256.
[10] Doc. nº 04, p. 257 e 264.

12
CELEBRAÇÕES E FESTAS, COSTUMES E TRADIÇÕES

O Santuário de Aparecida sempre foi rico de celebrações da devoção popular mariana; faltando somente as celebrações típicas e folclóricas da festa do padroeiro e da Semana Santa, pois esta última não era celebrada, e a festa da padroeira se restringia aos atos litúrgicos da novena e da festa e à procissão final.

12.1. Celebrações e festas

Desde 1745, a festa de Nossa Senhora da Conceição Aparecida era celebrada a 8 de dezembro de cada ano, dia tradicionalmente dedicado à Imaculada Conceição de Maria na liturgia católica. No Brasil, foi uma herança do Padroado, que, a 25 de março de 1646, havia consagrado Portugal e seus domínios à Imaculada Conceição de Maria, prescrevendo que as autoridades civis sustentassem a pompa e o brilho da festa com o erário público. Os estatutos da Irmandade de Nossa Senhora da Conceição Aparecida, aprovados em 1756, determinavam esse dia para a celebração da festa que devia constar de missa cantada, sermão, procissão e bênção do Santíssimo, precedida de novena solene, cantando-se, à noite, o Ofício das Matinas em latim (hoje em português: Ofício das Leituras).

Bem mais tarde, em 1878, foi introduzida a celebração do mês de Maria com procissão no seu encerramento[1].

A Imagem original não costumava sair nas procissões, devido à sua fragilidade e à quebra no pescoço; havia outra cópia para esse fim, conforme notícia do inventário de 1805: "Outra imagem da mesma invocação, de quatro palmos d'alto que serve nas procissões do aniversário da Senhora (*8 de dezembro*), com coroa de prata e manto"[2].

Devoção eucarística — O culto eucarístico foi sempre uma nota característica deste Santuário; a eucaristia, o fervor de sua vida. Desde sua fundação, a 26 de julho de 1745, a santa missa era celebrada regularmente aos domingos e festas, de início, para passar a ser celebrada diariamente depois. Como residissem no povoado mais padres, e os pedidos fossem muitos, a santa missa passou a ser celebrada em mais horários diariamente[3].

Costume imemorial era a celebração da missa votiva de Nossa Senhora, aos sábados, com o cântico do Magnificat, incensação da Imagem e do altar e o beijamento solene da Imagem, após a missa. Durante a Visita Pastoral de 1854, Dom Antônio Joaquim de Mello confirmou a Missa do Santíssimo, que até hoje é tradicional às quintas-feiras em todo o Vale do Paraíba. Antes dessa data, o Santíssimo não era conservado no Santuário, providência que Dom Antônio tomou também durante a Visita[4].

---

[1] O jornal 'Voz de Aparecida', edição de 01/06/1889, que descreve a celebração do mês de maio daquele ano, diz que tinha sido introduzida há 10 anos. Em Guaratinguetá a celebração foi introduzida em 1872. Ver jornal 'O Parayba'.

[2] ACMA — *Livro da Instituição da Capela de N. Senhora da Conceição Aparecida, 1750*, p. 19 e cópia, p. 25.

[3] Pe. José Wendl anotava em sua crônica de 1901 que era costume os peregrinos pedirem muitas intenções de missas a serem celebradas pelos missionários.

Em 1894, quando os missionários redentoristas chegaram ao Santuário, o Santíssimo Sacramento era conservado tão distante do povo, e em lugar tão inacessível, que a primeira coisa que fizeram foi adaptar o atual batistério da Basílica Velha para Capela do Santíssimo, retirando-o de um altar isolado na tribuna posterior do presbitério[5]. Em 1935, foi preparada a atual Capela do Santíssimo, com seu belíssimo e sugestivo altar de mármore e grades de metal amarelo.

Celebrações marianas — A primeira devoção mariana celebrada pelo povo junto da Imagem foram o terço e a ladainha que se lhe seguia. A devoção nasceu com a recitação do terço e o canto das ladainhas. Inaugurada a primeira igreja, o costume de se rezar o terço foi transferido para o Santuário. Era cantado diariamente antes do pôr do sol em melodioso ritmo ao sabor do gosto popular da época. Faziam parte da celebração as lições musicadas das verdades da fé e os preceitos do decálogo, costume herdado dos antigos missionários. A arte visual também foi empregada nestas celebrações, sendo usados painéis com estampas de Nossa Senhora[6].

Outra cerimônia realizada com solenidade era o beijamento da Imagem. Cremos que este costume foi introduzido pelos missionários jesuítas durante a Santa Missão de 1748. O ritual solene do beijamento e da bênção constava entre as faculdades concedidas por Dom Bernardo R. Nogueira, primeiro Bispo de São Paulo, aos missionários e eles costumavam em todas as suas missões dar a beijar em cerimônia solene uma imagem de Nossa Senhora. O costume do povo de rezar diante da Imagem e beijar as fitas que pendiam do nicho, entretanto,

---

[4] ACMA — *Termo da Visita Pastoral de Dom Antônio Joaquim de Mello na Capela da Aparecida, em 1854.*

[5] Doc. nº 01, Crônica da Comunidade de Aparecida, 1895, p. 32.

[6] Os referidos painéis constam dos primeiros inventários dos objetos da Capela.

vinha do início do culto. Com o tempo, introduziram-se alguns abusos. Foi o que verificou o Pe. Luís Teixeira Leitão, quando realizou a Visita Pastoral na Capela, em 1761. Peregrinos que pernoitavam nos cubículos das naves laterais da igreja, quando a sós, retiravam a Imagem de seu nicho e andavam com ela pela igreja cantando e dando-a a beijar a seus companheiros e familiares, muitas vezes com falta de cuidado e respeito. Para coibir tais abusos Padre Luís determinou ao ermitão que não permitisse mais esse procedimento e que a Imagem não fosse retirada de seu nicho. E deu normas para o beijamento que deveria ser presidido pelo capelão, com ritual solene, mas tudo com a permissão do pároco. Este é o texto do provimento da Visita: "E havendo-se de dar a oscular a mesma Soberana Imagem, será com a decência devida, tendo primeiro luzes ou velas acesas, estando o sacerdote que assim o fizer com sobrepeliz e estola, incensando primeiro a Imagem e fazendo as mais cerimônias em semelhantes atos"[7].

Era uma verdadeira celebração paralitúrgica na qual preces, velas, incenso, cânticos e a exortação do sacerdote davam maior valor ao gesto, tão popular ainda hoje, de se beijar a Imagem com carinho e veneração. O gesto de beijar a imagem não era exclusivo de pessoas humildes e rudes; ricos e pobres, grandes e pequenos, e também intelectuais e autoridades faziam-no com piedade, suplicando um olhar de clemência da Mãe de Deus em suas necessidades.

---

[7] Livro do Tombo de Guaratinguetá, *Provimento da Visita Pastoral na Capela de 1761*, fls. 5v. a 6.

O costume de se dar a Imagem a beijar está registrado numa das atas do Livro de Atas da Mesa Administrativa da Capela, em 1849, juntamente com a advertência de se dar ao povo a oportunidade de, conforme o costume, tirar medida da mesma Imagem em cumprimento de promessa: Os mesários recomendavam: "Dar oportunidade aos romeiros que a esta Capela concorrem para beijar a Imagem e para tirar medidas da mesma para maior aumento da fé que lhe consagram"[8].

Pe. Lourenço Gahr, missionário redentorista, descrevia com detalhes, em 1894, algumas devoções dos peregrinos: "Chegando, dirigem-se logo ao Santuário, rezam por algum tempo, muitas vezes com lágrimas nos olhos, beijam reverentes os altares, costume conservado pelo próprio Presidente do Estado. Ouvem devotos a missa, mandam benzer grande quantidade de imagens, santinhos, medalhas e terços para dá-los de presente aos parentes. O ir de joelhos até o altar é coisa de todos os dias"[9].

A Imagem na matriz — A Imagem era levada todos os anos para a matriz de Guaratinguetá, a fim de favorecer a devoção do povo da cidade e ainda para reforçar a receita da paróquia, uma vez que as esmolas depositadas junto da imagem lá ficavam sob a responsabilidade do pároco e não da Mesa Administrativa. Não consta quando o costume começou; cremos, porém, que já existia desde o século dezessete, quando a Capela, antes de possuir capelão residente, era atendida pelo vigário da paróquia. A respeito, o povo inventou a lenda que a imagem voltava sozinha para seu Santuário, como veremos no próximo capítulo 13[10].

A primeira menção escrita da ida da Imagem para a matriz consta de uma carta-relatório do Juiz de Fora, Bernardo Pereira

---

[8] I Livro de Atas da Mesa Administrativa da Capela, 1809-1852, fl. 78. Interessante que hoje, dia 9/12/1995, um sábado muito concorrido nas confissões, um penitente me pediu qual era a medida da Imagem, para poder cumprir seu voto comprando uma fita correspondente.

de Vasconcelos, de janeiro de 1822, e já constava como costume. A imagem geralmente era levada em procissão penitencial, permanecendo na igreja matriz para alguns dias de preces, que se faziam por ocasião de secas, enchentes e epidemias. Em 1855, a Imagem permaneceu na matriz por vários meses, sendo a 25 de novembro daquele ano celebrada com pompa e brilho a festa de Nossa Senhora Aparecida, ocasião em que o povo e pessoas gradas, como o Juiz de Direito substituto e o Juiz Municipal interino, pediram que a Imagem continuasse na matriz. Em vista disso, a Mesa resolveu adiar a festa principal no Santuário, que seria celebrada a 8 de dezembro[11].

Notícias mais detalhadas sobre a ida da Imagem para a matriz e sobre as celebrações, que lá se faziam em seu louvor, encontramos no jornal 'O Parayba'[12], que costumava publicar o início da novena, festejos e outros atos referentes à festa, como: missa festiva, pregador e o dia da ida e do retorno da Imagem. Dos números existentes do jornal (1866 a 1873) na Hemeroteca Júlio de Mesquita no IBGE de São Paulo, sabemos que a festa de Nossa Senhora era realizada anualmente na matriz de Santo Antônio nos meses de outubro ou novembro, com novena e procissão. Até peças religiosas de teatro eram representadas naquelas ocasiões. A Imagem era recebida com muita alegria pelo povo da cidade. Havia concorrida procissão tanto para buscá-la como para trazê-la de volta.

O jornal descreve, com estas palavras, a festa celebrada a 24 de novembro de 1867: "Começou anteontem a novena de

---

[9] COPRESP-A, Vol. I, carta nº 103, p. 235, do Pe. Lourenço Gahr a um monsenhor da Alemanha, de 01/06/1895.

[10] A Srª Conceição Borges Ribeiro de Camargo, referindo-se à lenda, dizia-me que sua avó contava, não sem acreditar, que a Imagem era levada pelos padres para Guaratinguetá, mas que voltava sozinha, deixando até o rastro no orvalho da manhã. Interessante essa versão: a imagem deixava o sinal de seus pés no sereno que se acumulava à beira da estrada...

[11] ACMA — Livro de Atas da Mesa, 1853 a 1883, fl. 18.

[12] Instituto Histórico e Geográfico de São Paulo — Hemeroteca Júlio de Mesquita, Coleção de 'O Parayba'.

Nossa Senhora Aparecida, que tem sido e continua a ser celebrada com música (*banda de música*) e exposição do Ssmo. Sacramento. No dia 23 haverá vésperas solenes, e, a 24, será celebrada a festa com missa cantada, sermão ao evangelho pelo Revdo. Guido e procissão à tarde. Na noite daquele mesmo dia haverá no teatrinho do Beco da Esperança, um espetáculo dramático com concurso de alguns artistas de Pindamonhangaba, e na noite seguinte, fogo de artifício no Largo Municipal. A 25, celebrar-se-á a festa da Senhora do Terço com missa cantada, sermão ao evangelho pelo Revdo. Padre Marcondes e o terço solene à tarde. A 26, às 6:00 horas da manhã, será trasladada para sua Capela a Sagrada Imagem da Senhora Aparecida com o cerimonial e solenidades de costume"[13].

Para a festa de 1869, o jornal noticiava que "a Companhia Dramática está ensaiando um belo drama sobre Nossa Senhora Aparecida para ser representado por ocasião dos festejos"[14].

Em 1873, na edição de 20 de abril, o mesmo jornal publicava uma novidade: a celebração do mês de maio com a presença da Imagem. "Na quarta-feira, 30 do corrente, a Sagrada Imagem de Nossa Senhora da Conceição Aparecida será conduzida de sua Capela para a matriz desta cidade, para a festa do mês de Maria."

Na edição do dia 27, foram publicados o programa e uma mensagem sobre o mês de Maria pelo Pároco Benedito Teixeira Pinto. Estes são os pensamentos principais de sua mensagem: fundamento da devoção a Maria, difusão da celebração do mês de maio a partir da Europa para todo o mundo; agradecer o progresso material da cidade. A celebração não era feita durante todo o mês de maio, mas nos 30 dias, a partir de maio, que precediam a festa do Divino, sendo a Imagem trazida de sua Capela para o início da celebração e devolvida

---

[13] Jornal 'O Parayba', ed. de 17/11/1867.
[14] Ibidem, edições de 31 de outubro e 21 de novembro de 1869.

na terça-feira imediata à festa do Divino. Havia uma festa com missa e procissão, e nos três primeiros dias da celebração do mês de Maria, faziam-se as 'chamadas do mês de maio', que consistiam em procissões para as diversas direções da paróquia. No terceiro dia fazia-se uma procissão maior chamada 'volta grande', com muito concurso de povo[15].

Naquele mesmo ano de 1873, por causa da grande seca que assolava o Vale do Paraíba, o Pároco, Padre Benedito, em lugar de trazer a imagem para a matriz preferiu levar o povo até o Santuário em caminhada penitencial ou romaria. Para isso fez um tríduo preparatório nos dias 6, 7 e 8 de setembro. A romaria aconteceu no dia 9[16].

As últimas saídas da Imagem para a matriz aconteceram nos meses de janeiro e outubro de 1889[17]. Nesta última, quando a Imagem voltou para sua Capela, houve festa nos dias 14, 15 e 16 de outubro, com enfeites e arcos de triunfo nas ruas, banda de música e fogos de artifício[18]. Depois disso, somente passados 42 anos, a Imagem sairá novamente de seu Santuário e será levada solenemente ao Rio de Janeiro para ser proclamada Rainha e Padroeira do Brasil, a 31 de maio de 1931.

Atos cívicos — As datas cívicas da pátria eram celebradas na Capela com pompa e as autoridades tinham tratamento especial, como aconteceu com o Imperador Dom Pedro I, na célebre jornada do Rio para São Paulo, quando proclamou a independência do Brasil, em 1822. Dom Mateus determinou atos especiais para a ocasião. A proclamação da independência foi festejada com delírio, e seu aniversário era solenemente celebrado no Santuário. Pelo jornal de Guaratinguetá, 'O Parayba', temos a

---

[15] Ibidem, edições de 20 e 27 de abril, 10 de maio de 1873.
[16] Ibidem, edição de 31 de agosto de 1873.
[17] Jornal 'O Arauto' de Guaratinguetá, edição de janeiro de 1889.
[18] ACMA — Livro de Recibos da Capela, 1885 a 1889, fl. 74, recibo nº 460.

notícia dos festejos celebrados no aniversário da independência em 1865. No Pátio da Capela, além da missa de ação de graças, houve discursos, queima de fogos de artifício e dobrados da banda de música do Sr. Isaac Júlio Barreto. A bandeira nacional foi colocada no altar da Capela pelo capelão Padre Godói e, à noite, as casas foram iluminadas. Com idênticos festejos foi comemorada, no dia 12 de janeiro de 1869, a vitória do Brasil no Paraguai[19].

12.2. Usos e costumes

Em toda a parte, desde a colonização, junto de igrejas e capelas nasceram usos e costumes que marcaram a vida devocional do povo. As festas do padroeiro ou da irmandade e outras, incluindo a própria Semana Santa, ganharam colorido e vida. Organizavam-se folguedos populares com alguma relação com a invocação que era celebrada. A festa da padroeira não favorecia outro tipo de celebração senão o litúrgico com: novena, Ofício das Matinas, missa cantada e procissão. Como não existiam outras que pudessem alimentar costumes típicos, pouca coisa vamos encontrar de folclórico e típico na Capela. Tudo girava em torno da devoção, preces e cumprimento de promessas. A devoção era de todos e em todo o tempo. Não havia distinção de pessoas; em todas, a devoção criou raízes e se manifestava com os mesmos atos e gestos: beijar a Imagem, ir de joelhos até o altar, varrer a igreja, subir de joelhos a rua da Calçada, vestir mortalha e deitar-se à porta da igreja para que as pessoas passassem por cima, guardar silêncio e jejum durante a viagem toda, tirar medida da imagem, dar esmolas aos pobres, depositar ex-votos na Sala dos Milagres, entregar joias e donativos, depositar dinheiro no cofre da Capela.

---

[19] Instituto Histórico e Geográfico do Estado de S. Paulo — *Hemeroteca Júlio de Mesquita,* Jornal 'O Parayba', edição de 17/09/1865 e 17/01/1869.

O costume de tirar medida da Imagem — hoje o costume das tais fitinhas — já foi mencionado em 1849[20].

Em 1894, eram muitos os costumes dos romeiros e muito diversificados seus gestos de devoção conforme carta-relatório do Pe. Lourenço Gahr, já mencionada. "Chegando, escreve, dirigem-se logo ao Santuário, rezam por algum tempo, muitas vezes com lágrimas nos olhos, beijam reverentes os altares, costume conservado pelo próprio Presidente. Ouvem devotos a missa, mandam benzer grande quantidade de imagens, santinhos, medalhas e terços para dá-los aos parentes. O ir de joelho até o altar é coisa de todos os dias. Há cenas comoventes; alguns fazem a promessa de subir de joelhos a rua principal, calçada de grandes pedras irregulares, morro acima, num trajeto de uns 8 a 10 minutos, e o fazem vestidos de penitentes rezando e cantando. É uma cena que comove até às lágrimas."

Esta outra análise dos gestos dos romeiros, feita pelo Pe. Valentim von Riedl, em 1897, também é interessante, pois revela alguns pormenores dos costumes da Capela e o sentimento de nossa gente: "São pretos, brancos, pardos; são senhores e damas ricamente trajadas e pobres maltrapilhos; Oficiais e Ministros de Estado, militares uniformizados ajoelham-se junto de um pobre e com vela acesa nas mãos fazem suas orações e cumprem suas promessas. É comovente verem-se senhores e senhoras assistir de joelhos até três missas em cumprimento de promessa; mais ainda quando se arrastam de joelhos até o altar da Virgem, ou varrem a igreja, ajuntando as ricas senhoras na ponta de seus longos vestidos de seda o lixo e levando-o para fora".

Padre Valentim reconhece muitas falhas na devoção do povo, mas como missionário popular e psicólogo não a condena, chegando a dizer que "A Rainha do céu, e Senhora, vê os corações que a amam e converte-se em Mãe de Misericórdia

---

[20] ACMA — I Livro de Atas da Mesa, 1809/1852, fl. 78. Hoje há o costume, forçado pelos vendedores, de se levarem fitas como lembrança do Santuário.

para os pobres abandonados espiritualmente, concedendo-lhes favores nas necessidades e chamando-os, de modo admirável, a virem à sua igreja para se confessarem, ingressando no caminho da salvação"[21].

Não podemos ver, portanto, como muitos, neste sentimento de amor e devoção a Nossa Senhora Aparecida, apenas um misticismo, fruto da falta de cultura do povo. É desconhecer a alma e o coração de nosso povo; é desconhecer a influência profunda da devoção a Nossa Senhora da Conceição que esteve presente nas nossas origens.

---

[21] APR — COPRESP-A, Vol. II, carta nº 221, p. 8.

13
LENDAS E MITOS

A maneira comum e engenhosa de o povo explicar os fenômenos religiosos são as lendas e os mitos. O povo é fértil nesse gênero. Muitos santuários têm lendas para explicar sua origem. Elas seguem geralmente um lugar-comum, isto é, um esquema padrão de narrativa popular com estas características: o encontro de uma imagem ou de um medalhão em circunstâncias misteriosas; o peso excessivo da imagem que não permite continuar a transportá-la a imagem para outro lugar; uma imagem devolvida pelas ondas do mar ou pela correnteza de um rio; um crucifixo ou uma imagem de Nossa Senhora ou de algum santo, diante dos quais, numa gruta ou no alto de um penhasco, um ermitão inicia sua vida profético-penitencial. As pessoas envolvidas interpretam esses fatos como um sinal de Deus, de Nossa Senhora ou do santo que desejam que se construa naquele lugar uma igreja.

Essa é, por exemplo, a lenda que explica a origem do Santuário de Nossa Senhora de Lujan, na Argentina: transportava-se num carro-de-bois uma pequena imagem de Nossa Senhora da Conceição[1], adquirida em São Paulo, para a sede de uma fazenda, mas, ao transpor o riacho de Lujan, os bois não conseguiram mais puxar o carro de tão pesado que ficou. Os que o conduziam concluíram: "é aqui que Nossa Senhora quer que lhe construamos uma igreja". E, de fato, a igreja foi construída e é hoje o Santuário Nacional de Nossa Senhora de Lujan, na Argentina.

O Santuário da Penha[2], na capital paulista, também tem uma lenda semelhante para explicar sua origem: um senhor francês, que levava consigo uma imagem para o Rio de Janeiro, pernoitando naquela colina, não pôde prosseguir viagem porque a imagem de Nossa Senhora da Penha se tornara tão pesada que ele não podia mais carregá-la. O piedoso senhor tomou o fato como sendo da vontade de Nossa Senhora que ele construísse uma igreja naquele lugar. Entretanto, a lenda ficou sem efeito desde que foi descoberto no Arquivo da Cúria Metropolitana de São Paulo o testamento do Pe. Joaquim Nunes de Siqueira[3], que, possuindo naquele lugar uma chácara, construiu uma capela e a dedicou a N. Senhora da Penha.

Lenda quase idêntica correu gerações para explicar a origem do Santuário de Nossa Senhora da Penha, de Vitória no Espírito Santo. Frei Pedro Palácios, chegando ao Brasil, em 1558, trouxe um painel com a estampa de Nossa Senhora das Alegrias, indo morar numa gruta. A mudança do nome está ligada ao desaparecimento por três vezes do painel da capela, mas encontrado sempre no mesmo lugar no alto do penhasco. No topo da rocha surgiu uma fonte de água abundante. Frei

---

[1] A imagem de Lujan é semelhante à de Aparecida, com toda a probabilidade esculpida pelo mesmo monge beneditino Frei Agostinho de Jesus, em Santana de Parnaíba, SP.

[2] Nossa Senhora da Penha de França é seu título todo. Por causa deste título 'Penha de França', a lenda tem como protagonista um senhor francês. Ver a respeito desse título obra do Pe. Alberto Colunga, O.P., *Santuario de la Peña de Francia, Historia, tercera edition reducida,* Salamanca, 1968.

[3] Testamento do Padre Nunes no Arquivo da Cúria Metropolitana de São Paulo.

Palácios reconheceu nesses sinais a vontade expressa de Maria para que ele construísse no alto do penhasco uma capela em sua devoção, invocando-a sob o nome de Nossa Senhora da Penha[4].

E assim poderíamos continuar a ilustrar a origem de outros santuários nossos e do exterior com idênticas lendas...

O Santuário de Aparecida, porém, não tem nenhuma lenda para explicar sua origem. Ele nasceu com o culto que as famílias dos pescadores prestavam diante de uma imagem da Senhora da Conceição, que fora apanhada na rede dos pescadores, em 1717. A narrativa do achado da Imagem foi escrita em tempo relativamente curto, 40 anos depois, 1757, o que inibiu o aparecimento de lendas. Apareceram, sim, lendas para explicar por que a imagem foi parar no Porto do Itaguaçu, e como a imagem voltava sozinha quando era levada todos os anos para a matriz de Guaratinguetá.

Uma delas diz o seguinte:

Periodicamente aparecia no rio Paraíba, em Jacareí, uma grande serpente que punha a população em pânico. Uma piedosa mulher atirou nela uma imagem da Imaculada Conceição a fim de afugentá-la. A serpente fugiu e nunca mais amedrontou aquele povo; a imagem, que se quebrara com o impacto, foi sendo levada pelas águas, rio abaixo, até ser pescada, em 1717, no Porto de Itaguaçu.

É bom observar a conotação bíblica da lenda: a mulher — Imaculada Conceição — vencendo a serpente, figura do demônio.

Outra versão é aquela que nos relata o Padre Vasconcelos, já citado. Certa mulher fizera de barro uma pequena imagem de Nossa Senhora, mas tão mal acabada e feia que o padre da Capela dos Corrêas, situada alguns quilômetros acima do Porto do Itaguaçu, a quem a mulher pedira para benzê-la, quebrou-a, jogando-a no rio.

---

[4] Cf. Livro do convento de Nossa Senhora da Penha, do Espírito Santo.

Entre todas, esta é muito pobre e irreal, e consta de um artigo de um estudante de Sociologia do Rio de Janeiro, publicado na Revista Pastoral dos Padres Paulinos. No alto do morro, diz ele, uma menina negra, desesperada, entrou dentro de um barril cheio de pontas que rolou morro abaixo. Lá, foi proclamada santa: a 'Santa de Aparecida'. Essa lenda mais parece produto de uma mente preconcebida de um sociólogo do que da imaginação inventiva do nosso povo. Por aqui não há vestígios dela...

Esta outra lenda procura explicar um fato real. Desde o início do Santuário, em 1745, a Imagem era levada periodicamente para a Matriz de Guaratinguetá, para ser exposta à veneração dos paroquianos. Geralmente era levada solenemente, e o retorno o era também. Mesmo assim criou-se a lenda que a Imagem era levada pelos padres, mas não querendo ficar lá voltava sozinha, à noite, para seu altar no Santuário. Alguns diziam até que ela deixava, à beira da estrada, o rastro de seus pezinhos no orvalho da manhã...

Quando se construía a Basílica nova, muita gente da praça também dizia: "A Imagem não vai ficar lá, ela voltará". Bem, isso não é uma lenda, apenas reflete a vontade e a intenção de alguns comerciantes que não queriam que se construísse a nova igreja e que a Imagem fosse levada para lá[5].

A lenda da sombrinha é interessante. Em 1909, quando a igreja da praça recebeu o título de 'Basílica', foram colocadas no presbitério as insígnias ou sinais dessa dignidade: o tintinábulo (*pequeno sino*), dois gonfalones, um maior, e outro menor, este pendurado no teto do presbitério. O menor, que se parecia muito com uma sombrinha colorida, por causa de sua armação e das faixas brancas e amarelas do tecido, deu azo ao povo de inventar a lenda seguinte: Uma moça, fantasiada e dançando, entrou zombeteiramente na igreja durante o carna-

---

[5] Até o tombamento da igreja velha foi feito com esse propósito.

val. Foi então castigada por Nossa Senhora e sua sombrinha foi parar no teto. Na década de 1970, aquele gonfalone menor foi retirado, porque estava com a armação de madeira toda carcomida pelos cupins. Alguns ainda hoje querem saber onde está a tal da sombrinha da dançarina.

Existe também a lenda do fazendeiro irreverente que quis entrar no Santuário com seu cavalo, para zombar de Nossa Senhora Aparecida. Forçado a entrar, o cavalo empinou, e, furioso, jogou o ímpio cavaleiro no chão, deixando a marca de sua pata na pedra. Não existem documentos que comprovem esse fato.

Agora você sabe que o nosso Santuário não tem lenda para explicar sua origem, porque ele nasceu da devoção do povo para com Maria de Nazaré, que se reunia para cantar o terço e as ladainhas diante de uma imagem de Nossa Senhora da Conceição. Não existem fatos extravagantes, mirabulescos.

São, entretanto, muito frequentes hoje, notícias de aparições de Nossa Senhora nas quais ela aparece chorando. Neste Santuário, Nossa Senhora não chora; quem chora é o povo. O povo que vive numa situação de injustiça, de aflições e de misérias, e vem até o Santuário para que a Mãe de Deus o socorra. Choram seus pecados, os peregrinos que vêm para se reconciliar com Deus. Estes descobrem, no 'olhar compassivo da Imagem', um sinal da misericórdia de Maria, que os quer reconciliar com seu divino Filho Jesus Cristo. E desde o início do Santuário — Santa Missão de 1748 — esta graça de conversão foi confirmada pelos missionários jesuítas. Maria não chora, mas leva os filhos que choram até Cristo Jesus.

14
A IMAGEM QUEBRADA E SUA RESTAURAÇÃO

A Imagem quebrada e enegrecida retratava muito bem a situação do povo do Vale do Paraíba e de outras regiões do país. No Vale, a partir das últimas décadas do século dezoito, a riqueza começou a escorrer abundante dos engenhos com o caldo da cana-de-açúcar pelo trabalho dos escravos negros, favorecendo a classe dominante dos senhores de engenho. Não afirmamos que todos os donos de escravos eram desumanos, mas grande parte sim, tratando-os com dureza e até com crueldade. Além de lhes tirar a liberdade, supremo bem para o homem no plano de Deus, machucavam sua imagem desonrando suas mulheres e filhas. Contra essa chaga se insurgiu o santo Bispo de Mariana, Dom Antônio Ferreira Viçoso, em 1854, afirmando que a escravidão era um atraso para o país e ocasião de imoralidades para os patrões. Machucados, e diminuídos em sua dignidade humana, os escravos foram vítimas da ganância do homem branco. Seus sofrimentos, sua humilhação estavam representados no estado lastimoso da pequenina imagem, enegrecida e quebrada, da Senhora da Conceição Aparecida.

14.1. Estado primitivo da Imagem

Até o ano de 1946, a Imagem permaneceu no estado em que fora encontrada no rio Paraíba, em 1717: com o pescoço quebrado e sem as partes laterais dos cabelos, que desciam até os ombros. Era a mesma que fora pescada no rio Paraíba, em outubro de 1717; não houve troca ou substituição[1]. O inventário dos bens e alfaias sagradas do Santuário, de 5 de janeiro de 1750, relacionando as imagens diz claramente que a Imagem venerada na Capela era a mesma encontrada no rio Paraíba: "Uma Imagem de Nossa Senhora da Conceição Aparecida que tem de comprimento perto de dois palmos, a mesma dos milagres que apareceu no rio Paraíba, que é de barro"[2].

O mesmo inventário enumera também os mantos e as coroas que se colocavam na imagem para disfarçar a quebra. Entre outros, cita este: "Um manto de carmesim com ramos de ouro aplicados no mesmo, doado por Francisco Soares Bernardes da cidade de Mariana, Minas Gerais".

Mais tarde, em 1770, o Visitador Diocesano, Pe. Policarpo de Abreu Nogueira, se refere aos cordões de ouro, que eram enrolados no pescoço da imagem para disfarçar a quebra. Como a Capela necessitasse de dinheiro para concluir a reforma que se fazia, ele determinou que fossem vendidos, deixando esta determinação: "O tesoureiro da Capela de Nossa Senhora Aparecida disporá dos cordões grossos de ouro dados à Senhora por não serem trastes por sua grossura, que hajam de servir para a consertura da Imagem da mesma Senhora"[3].

---

[1] É interessante constatar este fato: quando uma imagem de algum santuário desaparece ou perece, como no Santuário da Lapa, na Bahia, onde o Crucifixo ali colocado pelo eremita que fundou aquele Santuário foi destruído por um incêndio e substituído por uma cópia, a Lapa continuou sendo um lugar de peregrinação, como se nada tivesse acontecido. Assim aconteceu com outros santuários.

[2] ACMA — Livro da Instituição, op. cit., fl. 19.

[3] I Livro do Tombo, op. cit., 14v., 15.

O costume já tinha sido mencionado no inventário de 1750, quando anotava: "Uma meada de aljôfares que tem a Senhora no pescoço".

Em 1805, outro inventário confirma que a Imagem venerada na Capela era a mesma; desta vez o fato foi confirmado pela autoridade civil. Trata-se do inventário dos bens do Santuário, realizado naquele ano pelo Ministro Provedor Dr. Joaquim Procópio Picão Salgado, e que menciona a existência de duas imagens de Nossa Senhora Aparecida: uma, a original, e outra, que saía nas procissões. Estes são os termos: "Uma Imagem da Senhora da invocação do título desta Capela, a principal Imagem, que se acha colocada na capela-mor dentro de seu nicho, com coroa de prata dourada e mais adereços; outra Imagem da mesma invocação, de quatro palmos d'alto, que serve nas procissões no aniversário da festa da Senhora, com coroa de prata"[4].

Posteriormente todos os documentos se referem à mesma imagem, apanhada em 1717. Repetidas vezes renovava-se a colagem da cabeça ao tronco, mas não consta em parte alguma que a Imagem fosse restaurada. Em 1875, foi colocado o atual pedestal de prata lavrada. Este, na parte em que se apoia a Imagem, traz a seguinte inscrição: Thesoureiro: FMM — Vigº: BTSP — 6 de março de 1875. Era tesoureiro na época o Sr. Francisco Marcondes de Moura, e o Cônego Benedito Teixeira da Silva Pinto exercia o cargo de pároco de Guaratinguetá. Pelo contraste do prateiro F.L.C., encontrado no pedestal, e desvendado pelos artistas do MASP, em 1978, sabemos que é obra do ourives da cidade do Porto, Felipe Lopes Cardoso.

A Imagem original sempre foi conservada em seu nicho para a veneração dos fiéis, com exceção dos dias ou até meses, em que, no século passado, permanecia na igreja matriz de Guaratinguetá. Hoje ainda muitas pessoas de Aparecida

---

[4] ACMA — Livro da Instituição, fl. 23.

afirmam que a Imagem fica guardada pelos padres em lugar oculto. Não é verdade: a Imagem esteve sempre exposta no seu nicho da Basílica Velha até o dia 3 de outubro de 1982, quando foi transferida para o nicho da Basílica Nova[5], no qual se encontra.

Também as fotos da Imagem que possuímos provam seu estado anterior à restauração de 1946 e posterior. A de 1924, que mostra o estado primitivo, foi apanhada pelo fotógrafo amador Sr. André Bonotti. As primeiras foram apanhadas em fins de 1869 pelos fotógrafos franceses Luiz Robin e Valentim Favreau. Estes artistas exerciam sua profissão em Taubaté e Pindamonhangaba. Em 1869, já residiam em Guaratinguetá, e posteriormente em Aparecida, onde foram os primeiros fotógrafos da praça. Em dezembro de 1869, eles publicaram um anúncio no jornal 'O Parayba' comunicando aos seus fregueses, e também aos peregrinos, que dispunham do "verdadeiro retrato de Nossa Senhora Aparecida"[6]. Declaravam no referido anúncio que tinham obtido do Vigário, Pe. Manoel Benedito de Jesus, a permissão para fotografar a Imagem. Uma cópia, daquela época, que se encontra arquivada na Cúria de Aparecida, traz no verso o carimbo da firma Robin & Favreau com dizeres em francês.

As fotos do Sr. Bonotti são boas para se ter uma ideia do estado primitivo da Imagem, pois uma delas — a sem manto — comprova o estado em que permaneceu até sua primeira restauração, quando faltavam as madeixas laterais da cabeleira. Veem-se distintamente tanto no ombro direito quanto no esquerdo restos de cabelos, sinal de que as madeixas laterais dos mesmos desciam até os ombros e as costas. Conclui-se

---

[5] O nicho de metal amarelo, mandado fazer na Alemanha, e trazido, em 1909, pelo Pe. Roberto Hansmair, era próprio para o nicho de mármore do altar da Basílica Velha. Quando a Imagem foi transferida para a Basílica Nova, o nicho foi instalado lá para conter a Imagem.

[6] Cf. Jornal 'O Parayba', edição de dezembro de 1869.

disso ser acertado o acréscimo feito na restauração de 1946 e de 1950. A boa apresentação da Imagem para o culto público e a maior segurança que este acréscimo deu à mesma, cremos que foi uma razão válida para a reconstituição das partes que faltavam, embora artistas e colecionadores sejam contrários a semelhantes intervenções em imagens históricas.

14.2. Restauração da Imagem

De longa data, os capelães desejavam dar maior segurança à Imagem. No ano de 1946, o Pe. Antônio Pinto de Andrade, Reitor do Santuário, resolveu repará-la. Em épocas anteriores, a Imagem tinha sido submetida a diversas colagens, mas nunca restaurada.

Restauração de 1946 — Havia certo receio; temia-se tocar na Imagem e não ser bem-sucedido no restauro. Mas o Pe. Andrade, confiando na habilidade do Pe. Alfredo Morgado, entregou-lhe o encargo de restaurá-la. No dia 29 de maio daquele ano, ele retirou a Imagem de seu nicho e, levando-a para o Convento, realizou o delicado encargo que recebera. Seu primeiro cuidado foi retirar da base do pescoço todas as camadas de colas que tinham sido colocadas no decorrer do tempo para firmar a cabeça ao tronco. Além de colar novamente a parte quebrada, acrescentou as madeixas laterais de cabelos que caíam sobre os ombros. Estas, como era evidente pelos vestígios encontrados na imagem, existiam no seu estado primitivo. Perderam-se quando a imagem se quebrou e foi lançada no rio.

Para modelar essas madeixas, Padre Morgado gastou todo o dia. Sobre seu trabalho anotou em seu diário pessoal: "29 de maio — Passei o dia todo trabalhando com a imagem. Que pesadelo! Se a quebrasse... Afinal, às 15:00 horas, terminei o trabalho, tirei todas as placas de cera da terra com que andavam remendando a imagem. Fiz a ligação do cabelo, que da cabeça caia pelas costas da imagem. Completei uma madeixa de cabelo, à esquerda da imagem, e outra à direita, e mais o nariz. O restante deixei como estava. O Pe. Luiz Lovato tirou 5 fotos da imagem: duas de frente, uma de cada lado e outra de trás. Às 16 horas e trinta coloquei a imagem no nicho. As Filhas de Maria, que então enfeitavam o altar, aproveitaram a ocasião para beijá-la".

Neste restauro, Padre Morgado utilizou raspa de peroba, obtida com lixa grossa, e cola de madeira. Como podemos observar nas fotos tiradas na ocasião, a modelagem da cabeleira ficou muito natural, harmonizando-se bem com o conjunto. Passados alguns anos, porém, a massa utilizada não resistiu ao calor provocado pelas lâmpadas do nicho, desfazendo-se em parte[7].

Restauração de 1950 — Depois de 4 anos da primeira restauração, foi preciso novo trabalho de reparação para atender à segurança da imagem. O segundo restauro foi realizado entre os dias 28 de novembro e 4 de dezembro de 1950, pelo Pe. Humberto Pieroni, da Comunidade Redentorista de Aparecida. Pe. Antão Jorge Hechenblaickner, Reitor do Santuário, que lhe entregara a responsabilidade do conserto da Imagem fez esta anotação no Livro do Tombo: "Na Vigília Mariana de São Paulo, em 1945, deslocou-se completamente a cabeça. No dia 7 de setembro de 1950, ao trocar o manto, desprendeu-se novamente a cabeça e caiu nas mãos do Pe. Geraldo Bonotti. Fez-se um conserto provisório com cola de madeira. Conhecendo a habilidade do nosso Padre Pieroni, pedi que ele a consertasse colocando um pino"[8].

---

[7] Notas do Padre Morgado, no Arquivo da Comunidade de Aparecida.

[8] Livro do Tombo da Paróquia, fl. 183, e também informações pessoais do Padre Pieroni.

Padre Pieroni, depois de estudar as possibilidades a seu alcance, optou pela massa de cimento. Para reforçar e unir mais firmemente a cabeça ao tronco, que era o maior problema, colocou um pino de alumínio, tendo antes perfurado cuidadosamente com uma pua as partes necessárias. Executou novamente o trabalho de colar a cabeça e modelar a cabeleira, tanto nas partes laterais como na posterior. Retirou com álcool restos de pintura e colas. Pintou a imagem com extrato de nogueira, recobrindo-a com uma camada leve de verniz.

A restauração ficou muito sólida e a cabeça firme sobre o tronco. Depois de consolidada, a massa de cimento não apresentou nenhum defeito ou trinca, tanto assim que a Imagem foi retirada diversas vezes do seu nicho para viagens longas como Rio, São Paulo. Além disso, todos os domingos, a partir de 21 de junho de 1959, a Imagem era transportada para a igreja nova, onde se realizava o movimento religioso.

Apesar de todo o cuidado e precaução tomados em todas essas viagens e durante a Peregrinação Nacional (1965-1969), a cabeça da Imagem perdeu a firmeza que lhe dera a última restauração de 1950. Apareceu uma trinca na base do pescoço em sentido horizontal. A 3 de agosto de 1965, o Irmão Coadjutor Vicente Zambom colou a parte afetada com araldite. Anos mais tarde, notou-se pequena trinca no topo da cabeça junto do orifício no qual se encaixa o pino da coroa. Diante disso, e por outras razões de segurança, a Comunidade Redentorista de Aparecida elaborou e assinou um pedido dirigido ao Sr. Cardeal Arcebispo para que a Imagem não saísse mais da Basílica.

Pe. Alfredo Morgado apanhou diversas fotos após a restauração do Pe. Pieroni. Pelo que aconteceu depois, foi pena que não se fez um verdadeiro documentário fotográfico da Imagem em todos os seus detalhes. Os artistas do MASP sentiram a falta desse material, que os teria ajudado sobremaneira na reconstituição de 1978.

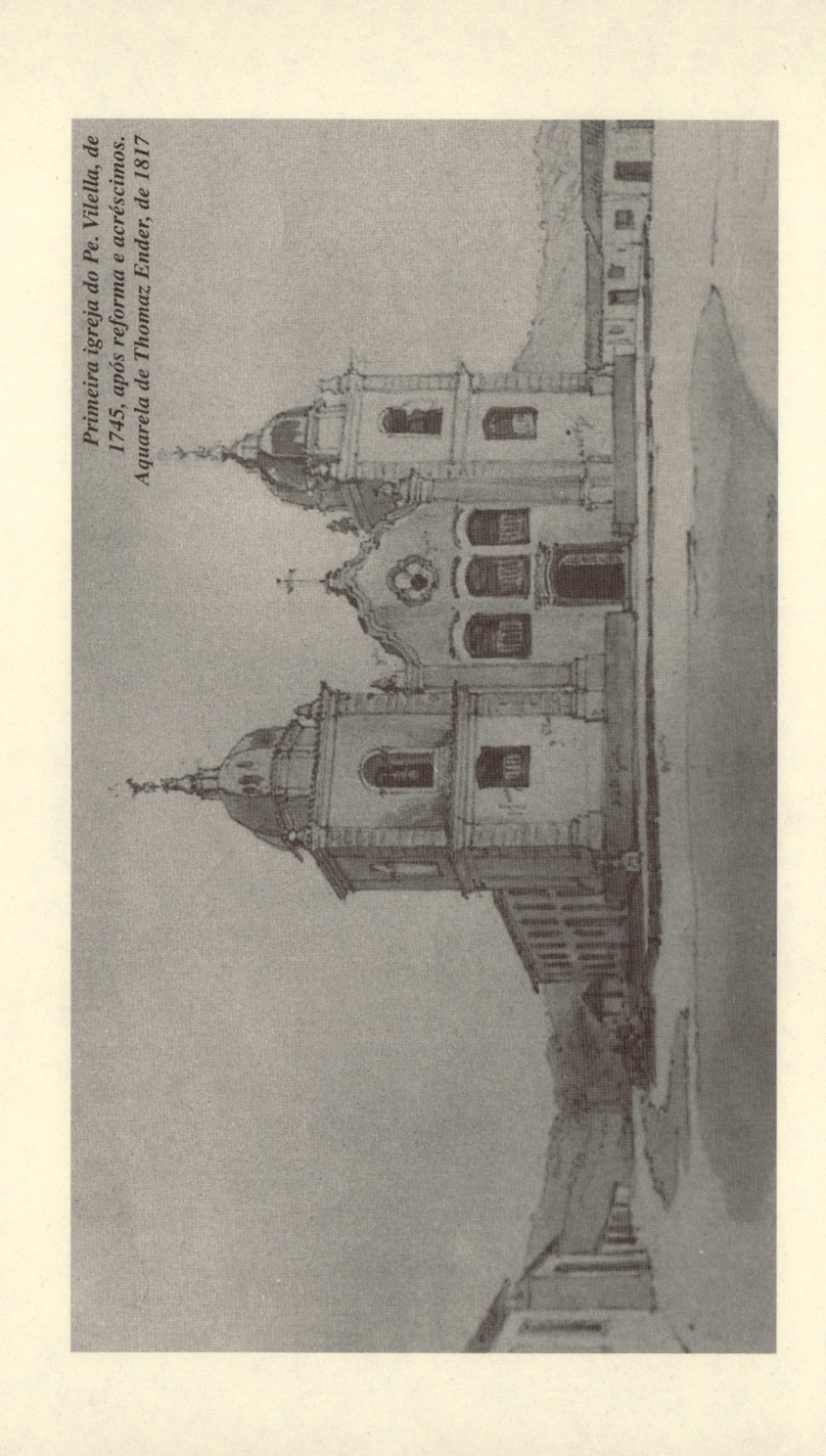

Primeira igreja do Pe. Vilella, de 1745, após reforma e acréscimos. Aquarela de Thomaz Ender, de 1817

15

A IMAGEM, MOTIVO DE CONTRADIÇÃO

A Imagem de N. Senhora da Conceição Aparecida é no Brasil motivo de contradição para muitos crentes, especialmente para os das igrejas pentecostais e de procedência norte-americana, que condenam o católico por causa do culto às imagens. O mais grave não é negar o culto à Imagem de Nossa Senhora Aparecida, mas sim não aceitar o papel de Maria no plano de salvação estabelecido por Deus. Eles aceitam que seu Filho nasceu de uma mulher, Maria, mas não reconhecem o culto devido àquela Mulher que esmagou com sua descendência a cabeça do demônio, e que, por vontade de Deus, foi colocada em nosso caminho de salvação para interceder por nós. Eles, parece, desconhecem estas passagens dos Evangelhos: "Você é bendita entre todas as mulheres", que sua prima Isabel lhe dirigiu durante a visita. Nas Bodas de Caná, Maria intercede em favor dos noivos, e pedindo um milagre, foi atendida por Jesus; no Cenáculo, quando a Igreja nascia, Maria orava com os apóstolos. E no seu cântico do Magnificat, ela diz que será venerada por todas as gerações.

Em 1920, um pastor norte-americano quis abrir uma Casa de Oração na Ladeira Monte Carmelo, bem junto do Santuário, com o propósito de combater a idolatria, mas ele foi mandado embora pelo povo. Nas décadas posteriores, outras tentativas de fundação de igrejas evangélicas foram frustradas pelos católicos com apoio do clero. Não havia ainda o movimento de ecumenismo, o que só se deu após o Concílio Vaticano II[1]. Mesmo depois de fundadas algumas dessas igrejas aqui em Aparecida, não houve propriamente um confronto entre seus adeptos e os católicos. Isso está acontecendo só ultimamente, sobretudo depois que o dia 12 de outubro foi decretado feriado. Como eles não suportam esse feriado, alguns grupos vêm, especialmente os fanáticos da Igreja Universal do Reino de Deus, para protestar e agredir os católicos por causa do culto prestado a Nossa Senhora Aparecida, condenando-os como idólatras.

No passado, nunca houve qualquer atentado contra a Imagem, não havendo por isso maior preocupação com sua segurança. Em 1906, um fato veio advertir a administração da Basílica, pois na noite de 17 de julho, um ladrão penetrou na igreja e, subindo no altar, quebrou o vidro do nicho, roubando apenas uma correntinha de ouro. Deixou tudo desarrumado. O caso alarmou o povo e a comunidade redentorista. "Houve grande nervosismo, escreveu o cronista, entre os padres e o povo. Nos três dias seguintes, foi tocado o sino da penitência às 7:30 horas e na missa das 8:00, cantou-se o terço"[2].

Diante desse fato, o reitor do Santuário, Pe. Roberto Hansmair resolveu proteger melhor a Imagem, adquirindo

---

[1] Por muitos anos, na década de 1970, o Sr. Lacerda, da Igreja Cristã do Brasil, exerceu o cargo de mestre-de-obras da construção da Basílica Nova, mantendo cordial amizade com os padres e leigos católicos. Participava de eventos de confraternização, inclusive de missas especiais, e chegou algumas vezes a comungar.

[2] Doc. nº 02.

para isso, em 1909, na Alemanha um novo nicho. Esse é feito de grossas chapas de ferro, e quando fechado, faz as vezes de cofre forte. Belo e artístico, seu interior e a parte frontal com duas pequenas portas, são de metal amarelo, artisticamente trabalhadas. Quando aberto, a Imagem fica protegida por uma chapa de vidro grosso.

Mas ninguém está a salvo do fanatismo, e foi isso o que aconteceu em 1978.

15.1. A Imagem é reduzida a pedaços[3]

No dia 16 de maio de 1978, às 20h10min, a Imagem sofreu violento atentado. O dia tinha sido calmo e tranquilo com pouco movimento de romeiros, igual a outros dias até às 16h30min, quando violento vendaval penetrou no Vale do Paraíba. Poeira e negras nuvens, que passavam vertiginosas sobre o céu, escureceram a cidade de Aparecida. Passada a tormenta, tudo voltou à tranquilidade. Ninguém esperava pela angústia que viria depois.

Ao cair da noite, a praça estava vazia. Na Basílica, poucas pessoas aguardavam o início da última missa das 20 horas e ninguém mais passava diante da Imagem. Entretanto, o sacristão, Irmão Clemente, e as irmãs de São Carlos, Égide e Emídia, haviam notado um rapaz que nervosamente se postara diante da Imagem. Seu comportamento era estranho. Advertido, permaneceu furtivamente por lá. As irmãs subiram para tribuna a fim de participar da missa e o sacristão continuou com seus afazeres na sacristia.

---

[3] Ver reportagem fotográfica na monografia sobre o restauro da Imagem in ACMA.

Logo depois do início da missa, às 20h10min, a luz elétrica se apaga por um instante — fato que foi verificado em todo o Vale — ficando a Basílica na penumbra só com as velas do altar acesas. Foi o momento para que Rogério Marcos de Oliveira, que estava de cócoras diante do nicho, pulasse e com os punhos desse um golpe inglês contra o vidro que protege a Imagem. Num segundo salto conseguiu quebrar o vidro triplo, que está a 2,20 m acima do chão, e no terceiro pulo arrebata a Imagem. A coroa enroscando-se no vidro, saltou sobre ele e caiu sobre o altar, achatando-se. Tudo aconteceu num instante. Agarrado pelo guarda da Basílica, Rogério deixa cair a Imagem, e livrando-se do guarda, sai correndo.

Enquanto as irmãs ajuntam os pedaços da Imagem totalmente quebrada, o Irmão Clemente avisa a polícia, que tem seu destacamento do outro lado da rua em frente da sacristia. Os policiais saem de carro e alcançam Rogério na Rua Dr. Rangel de Camargo, em frente a casa nº 102, quase à beira do Paraíba. Os policiais levam-no para a Santa Casa local, onde fizeram curativo nos vários ferimentos de seu braço direito, provocados pelos estilhaços do vidro, e depois para a cadeia. Pelas 23 horas, reúnem-se na cadeia o Delegado, Dr. Castilho, Pe. Isidro de Oliveira Santos, Reitor do Santuário, Pe. José Carlos de Oliveira, Superior Provincial Redentorista, e Pe. Antônio Lino Rodrigues. Os parentes de Rogério são avisados. Populares se aproximam da cadeia, alguns por curiosidade, outros chocados pelo que aconteceu.

Estudante, solteiro, com 19 anos, Rogério residia com a família à rua Moscou, nº 93, em São José dos Campos. Trata-se de um desequilibrado, cuja família pertence à Igreja Presbiteriana daquela cidade. Ele sofria de obsessão religiosa, tinha aversão a imagens. Anteriormente havia tentado, por duas vezes, na igreja de São José, principal igreja do centro da cida-

---

[4] Ver artigo *O homem que fez o Brasil chorar*, in Revista "Já", do Diário Popular de São Paulo, Ano I, nº 49, de 12 de outubro de 1997.

de, derrubar a estátua de São José, usando para isso as toalhas do altar. A família, temendo que as autoridades religiosas de Aparecida movessem processo contra ele, internaram-no numa clínica de São José[4].

O Delegado de Aparecida abriu o processo que ficou arquivado por não interessar à Igreja seu prosseguimento. Rogério julgava que, quebrando a Imagem, quebraria também o amor e a devoção do povo brasileiro para com Maria de Nazaré, que aqui chamamos Senhora da Conceição Aparecida[5]. Enganou-se ele, e enganaram-se todos os outros membros de seitas fundamentalistas, pois o ato foi reprovado em todo o país, inclusive por membros de igrejas evangélicas. E foi motivo até de aumento de peregrinos, que vinham rezar diante da imagem ultrajada. Infelizmente a maioria dessas igrejas pentecostais é educada nesse sentido: destruir a idolatria é ato agradável a Deus... como se nós fôssemos idólatras e não adorássemos o único e verdadeiro Salvador Jesus Cristo!

O atentado abalou a cidade e repercutiu em toda a parte. Imprensa, Rádio e TV noticiaram com pormenores o acontecimento, mas nem sempre foram fiéis à verdade ou interpretaram mal os sentimentos do povo. A partir do dia 17 de maio daquele ano, os repórteres importunavam a toda hora os responsáveis pelo Santuário para colher novas notícias, e publicavam diariamente suas notícias e seus comentários; alguns tendenciosos e outros dignos de menção pelo seu critério justo e respeitoso.

As comunidades da Paróquia de Aparecida promoveram para o dia 20 daquele mesmo mês um ato de desagravo que foi mais uma revisão de vida cristã dos católicos da cidade do que propriamente um desagravo, com benéfica repercussão no meio da população local. No dia 20, sábado à noite, o Sr. Arcebispo Dom Geraldo Maria de Morais Penido presidiu à

---

[5] Os redentoristas da comunidade receberam alguns telefonemas de pastores, reprovando o ato grosseiro e impensado de Rogério.

concelebração e à manifestação do povo aparecidense. O comércio espontaneamente cerrou as portas na tarde e durante a celebração popular daquele sábado.

Passados os primeiros momentos de angústia e consternação, uma só era a expectativa de todos: seria possível a restauração da Imagem mutilada? Diante da responsabilidade que lhes cabia, não só por se tratar de uma imagem histórica, patrimônio da cultura nacional, mas muito mais pelo seu significado religioso para o povo, o Sr. Arcebispo e o Reitor do Santuário estudaram carinhosamente o plano para sua restauração. Muitos restauradores se ofereceram para o restauro, vindos alguns até Aparecida trazendo mostras de seu trabalho. Entrementes, a imprensa noticiou que a Imagem seria restaurada no Vaticano pelo célebre professor brasileiro e Diretor do Museu Dr. Deoclécio Redig de Campos, e, devido ao alto custo da restauração, a Basílica havia pedido uma verba ao governo brasileiro. De fato a direção do Santuário havia cogitado consultar o Museu do Vaticano, mas nada de concreto tinha sido resolvido nem se pensou em pedir verba ao governo, pois outras 'imagens humanas', também mutiladas e quebradas pela situação de miséria em que se encontram, necessitam mais de verbas do que uma imagem mutilada de Nossa Senhora!

Mas, no dia 10 de junho, as autoridades resolveram consultar o Sr. Deoclécio Redig de Campos a respeito de um restaurador competente. Ele indicou o Sr. Pietro Maria Bardi, Diretor do Museu de Arte de São Paulo (MASP), e também o Diretor do Museu Nacional de Belas Artes do Rio de Janeiro, Sr. Edson Motta. Ambos os Museus possuem restauradores especializados e mantêm laboratórios com todos os recursos modernos. Com essas informações, o Sr. Arcebispo e o Reitor do Santuário decidiram entregar a tarefa do restauro ao Museu de Arte de São Paulo. Para isso, o Reitor procurou no dia 22 de junho o Sr. Bardi, que prometeu assumir o trabalho, exigindo que se guardasse absoluto sigilo sobre quem e onde iria ser feito o restauro da Imagem para que o trabalho não fosse perturbado pelos repórteres. No sábado seguinte, dia 24 de junho, ele veio a Aparecida para ver a Imagem muti--lada e dar instruções como devia ser levada para o Museu. O Sr. Bardi ficou consternado diante dos fragmentos. Mais tarde ele confidenciou que fora Nossa Senhora que o inspi--rou a dizer sim a Dom Geraldo, quando lhe perguntara se havia possibilidade de restaurá-la; tal era o estado lastimável em que se encontrava a Imagem. Ficou acertado, que no dia 28 do mês, os fragmentos seriam levados para o Museu de Arte.

15.2. Amor e habilidade restauram a imagem[6]

Maria Helena Chartuni, restauradora do MASP, foi incumbida pelo Diretor Pietro Maria Bardi para restaurar a Imagem. Maria Helena repete, em 1978, o gesto dos pescadores de 1717, que com amor e veneração recompuseram a imagem quebrada que haviam pescado miraculosamente. Pela habilidade de suas mãos de artista[7], e graças a seu carinho, a "Imagem voltou a sorrir compassiva para todos os infelizes"[8], na feliz expressão do jornalista Zaluar.

O trabalho de restauro, sob a supervisão da equipe do MASP, foi publicado sob a responsabilidade do próprio Museu. Tratando-se de uma tarefa especializada, e realizada numa

---

[6] Cf. Trabalho publicado pelo Museu de Arte de São Paulo, MASP, 1979, e *Relatório sobre o restauro da Imagem* in ACMA.

[7] Maria Helena revelou que, enquanto ela trabalhava no restauro da Imagem, sua mãe, uma venerável senhora libanesa, rezava o terço de Nossa Senhora para que sua filha fosse feliz no trabalho. Dezenove anos depois, em 1997, ela revela que sua vida mudou muito depois disso. Ver reportagem da Revista "Já", acima citada.

[8] O rosto da imagem, com seu semblante compassivo, não foi afetado pela quebra, nem o busto com as mãos postas. Recomposta, a Imagem continua sendo a expressão da misericórdia da Mãe de Deus em favor dos pecadores.

imagem histórica, a publicação é de muita utilidade para a cultura artística de nossa pátria.

A seguir, queremos apenas destacar alguns dados que falam do amor e do carinho com que a Imagem foi restau-rada.

Como estava previsto, o estojo contendo os fragmentos da Imagem foi levado ao Museu no dia 28 de junho de 1978 pelos Padres Isidro de Oliveira Santos e Antônio Lino Rodrigues. No Museu, estavam presentes para recebê-la o Sr. Pietro M. Bardi, Maria Helena Chartuni, Dr. João Marino, do Conselho consultivo do Museu e o fotógrafo Luiz Sadaki Hossaka. Este último faria toda a reportagem fotográfica do trabalho de restauração para fins de documentação.

Ao abrir o estojo contendo os preciosos fragmentos, todos fizeram um instante de prece rezando a Ave-Maria. A Sala de Restauração ficou isolada para os estranhos, tanto para a tranquilidade da restauradora como para a segurança da Imagem. O relatório registrou: "O Museu de Arte de São Paulo convidado, aceitou a tarefa, por todos os títulos gratificante, de reconstituir a Imagem de Nossa Senhora Aparecida, recentemente danificada por um inconsciente e condenável atentado. O MASP se incumbiu deste trabalho, antes de tudo por um ato de devoção e de respeito para com o povo brasileiro e por aquilatar o grau de veneração de todos pela milagrosa estatueta que simboliza a Padroeira do Brasil"[9].

O trabalho de restauro foi iniciado na manhã do dia 29 de junho, quinta-feira, prolongando-se até o dia 31 do mês de julho, quando foi concluído, conforme esta nota da equipe do Museu: "Constatamos, hoje dia 31, com alegria, que os trabalhos de restauração da Imagem chegaram a seu término e, para nosso contentamento, concluímos o presente relatório

---

[9] ACMA — *Relatório sobre o restauro da Imagem, julho de 1978,* p. 15, *e Coletânea,* p. 45.

agradecendo ao Senhor Deus, Todo-Poderoso, a felicidade concedida de termos sido incumbidos desta honrosa tarefa e de termos podido, modestamente, contribuir para a reconstituição da preciosa obra, certos de termos operado com o máximo empenho, honestidade e fé".

Para a restauração não foi empregado nenhum material estranho, a não ser a cola poxipol necessária para a colagem dos fragmentos. Estes somavam um total de 165, havendo ainda um sem-número de partículas menores que foram aproveitadas na massa do restauro. Para facilitar a reconstituição, foram entregues ao Museu duas cópias da Imagem: uma de bronze e outra de gesso, além de uma fotografia. E, graças à arte e à fé, a Imagem voltou ao estado anterior. O trabalho acabado e artístico foi gratuito. A administração da Basílica e o povo ficam profundamente gratos à equipe do MASP, e devedores de real estima.

Dados históricos são confirmados — A fragmentação da Imagem possibilitou aos artistas um estudo mais acurado do material de que fora feita a Imagem e das circunstâncias em que esteve sujeita. A equipe do MASP, tendo em mãos o material da imagem, pôde confirmar os dados já elucidados no primeiro capítulo desta obra. Uma particularidade importante, porém, aflorou durante o trabalho de restauro: a Imagem esteve submersa na água por muito tempo. Os peritos chegaram a esta conclusão ao constatar cientificamente a porosidade da cerâmica e pela sua fragmentação interna em forma de escamas. Consta do relatório da equipe: "Tão elevado número de fragmentos deve ser atribuído à qualidade porosa da cerâmica, devido ao fato de ter, por certo, permanecido por longo tempo nas águas do rio Paraíba. Graças a isso, toda a sua parte interna apresentava-se fragmentada em forma de escamas"[10].

---

[10] Ibidem, p. 29; *Coletânea*, p. 51v.

Ao refazer a pintura, após o restauro, preferiram dar-lhe a tonalidade bem aproximada daquela que conservava antes do acidente.

A Imagem permaneceu no Museu de Arte Moderna de São Paulo por espaço de 53 dias, desde 28 de junho a 19 de agosto de 1978. Na primeira semana de agosto, os restauradores comunicaram ao Sr. Arcebispo de Aparecida que a Imagem podia voltar para seu Santuário. E no dia 10, Dom Geraldo publicava uma nota no jornal Santuário de Aparecida, comunicando que a Imagem já estava restaurada. Decidira também que ela voltaria no dia 19, sendo antes, no dia 18, apresentada à Imprensa na sede do MASP.

Até o dia 14 de agosto o sigilo era total, nada havia transpirado sobre o local e os nomes dos restauradores. Naquele dia, porém, os jornais da Rede Associada publicavam o local da restauração. O 'Diário da Noite' foi o primeiro a noticiar o fato na sua edição do dia 14. Compreende-se o 'furo de reportagem' porque um dos diretores da Rede Associada é também o presidente do MASP. E a seguir Jornais, Rádios e TVs iniciaram a publicação dos pormenores do trabalho de restauração. Ótimas e detalhadas reportagens foram publicadas, como as do jornal Folha de São Paulo, dos dias 17 e 18.

A Imagem foi apresentada à Imprensa no dia 18 de agosto e, durante a entrevista, a equipe dos restauradores, visivelmente emocionados, deram um apanhado do trabalho realizado. Em seguida, a Imagem foi levada para o salão de exposição. A respeito, Pe. José Pereira Neto, redentorista do Santuário que estava presente, escreveu: "Às 11 horas, subimos levando a Imagem ao Museu, e lá, tendo como fundo sete grandes quadros de célebres Madonas, ficou numa coluna, dentro do nicho de vidro que vai servir para a viagem. O povo avisado pela Rádio e TV acorreu até as 17 horas. Às 8 horas do dia 19, sábado, abre-se o Museu que fica repleto de povo. Ontem e hoje, sempre houve um ou dois padres dirigindo as orações e cânticos: tornou-se uma catedral, o MASP do célebre Chateaubriand...".

Por mais de um dia, muita gente desfilou diante da Imagem até às 13h30min do dia 19, quando foi levada para seu Santuário de Aparecida.

15.3. A peregrinação da volta[11]

Foi solene a peregrinação da volta. O cortejo conduzindo a Imagem saiu da sede do MASP, na Avenida Paulista, percorrendo em seguida as avenidas 9 de julho, Tiradentes e Marginal do Tietê. Finalmente entrou na rodovia Presidente Dutra, caminho por onde passam hoje continuamente seus devotos da grande São Paulo, do interior do Estado de S. Paulo, do Paraná, Santa Catarina, Rio Grande, Mato Grosso e Goiás. Desde o MASP o povo se colocou junto do percurso, ovacionando e aclamando sua Mãe e Padroeira. Um cortejo de carros seguia a Imagem. Faixas e cartazes expressavam a alegria do povo por toda a parte.

Excepcional e vibrante foi a acolhida prestada em São José dos Campos. Por quilômetros, imensa multidão cercava a Dutra, que se tornara uma passarela por onde era conduzida a Imagem. Caçapava, Taubaté e Roseira vibraram igualmente. Diversas Emissoras entraram em cadeia com a Rádio Apa-recida, que fez a cobertura do cortejo. Os carros, que seguiam na pista no sentido Rio-São Paulo, diminuíam a marcha ou paravam, e seus ocupantes saíam para também saudar a Imagem. Flores, fogos, alegria e preces foram a nota emocionante da caminhada. A chegada a Aparecida, que estava prevista para as 16h30min, aconteceu com mais de uma hora de atraso.

---

[11] Cf. Crônica da comunidade redentorista de Aparecida, Jornal Santuário de Aparecida, Jornal Folha de São Paulo, edições de 19 a 20 de agosto de 1978.

Em Aparecida, aguardavam a chegada da Imagem, diante do prédio da Rádio Aparecida, S. Emª o Sr. Cardeal Motta, Dom Geraldo M. M. Penido, Arcebispo de Aparecida, Dom Antônio F. de Macedo, Arcebispo Coadjutor emérito, padres, freiras e a imensa multidão composta de aparecidenses e peregrinos.

Em frente à Rádio Aparecida, a Imagem foi colocada num carro-andor, e seguindo pela Avenida Anchieta e Ladeira Monte Carmelo, chegou finalmente à Praça da Basílica. O povo que lotava a praça aclamou a Imagem com fé e devoção. Jornais, Rádios e TV faziam a cobertura da solenidade.

Às 19 horas, Dom Geraldo iniciou a missa festiva de ação de graças, concelebrada por inúmeros sacerdotes. Junto do altar encontravam-se o Sr. Pietro Maria Bardi, Maria Helena Chartuni, João Marino e Luiz Sadaki Hossaka. Convidados, fizeram questão de participar da comitiva que trazia a Imagem de volta para o seu Santuário. Na praça, o povo vibrava com seus cânticos e preces. Após a missa, o Sr. Arcebispo abençoou a multidão com a Imagem. Logo em seguida, S. Exª apresentou aos fiéis a equipe do MASP e lhes dirigiu palavras afetuosas de agradecimento. E sob os aplausos da multidão a Imagem foi reconduzida para seu altar. Na praça continuaram as aclamações e o céu iluminou-se feericamente com os belíssimos fogos de artifício que o povo preparou como sinal de sua alegria e regozijo.

A ampla divulgação dada pela Imprensa, Rádio e TV, que haviam anunciado, descrito e mostrado no vídeo a volta da Imagem, repercutiu profundamente no meio do povo. O acidente de maio de 1978 não destruiu a devoção nem diminuiu a afluência de peregrinos, contribuindo antes para seu aumento e a interiorização mais intensa da devoção e do amor do povo para com Maria de Nazaré, Mãe de Jesus Cristo.

Em maio de 1978, alguém quis destruir o sorriso da Imagem, para que Maria não sorrisse mais para os infelizes. Quebrou-a. O que parecia humanamente impossível, a artista Maria Helena Chartuni realizou. Seu coração e sua arte restituíram à Imagem o sorriso compassivo com o qual fora moldada. Foi levada para o Museu de Arte humilhada, despedaçada, e sob as aclamações do povo, voltou sorrindo para todos os devotos que a imploravam.

15.4. Pastor da Igreja Universal chuta uma imagem

Ao romper da aurora do dia 12 de outubro de 1995, o pastor Sérgio von Helde[12], da Igreja Universal do Reino de Deus, numa atitude grosseira e desrespeitosa, chutou uma imagem de Nossa Senhora Aparecida, durante o programa da Rede Record de Televisão, 'Despertar da Fé'. O Pastor, em vez de 'despertar a fé' de seus irmãos de crença da igreja universal, foi descaridoso, acusando os católicos de idólatras, argumentando que a imagem não faz milagres, e, chutando-a por diversas vezes, ridicularizava os católicos com gestos e palavras[13].

Naquele mesmo dia um grupo daquela seita esteve em Aparecida agredindo os romeiros no pátio da Basílica Nova.

---

[12] Sérgio von Helde, de família gaúcha de origem alemã luterana, foi um oficial do Exército Nacional dispensado, dizem os jornais, por problemas psicológicos. A imagem de gesso, adquirida por ele, media um metro e meio de altura.

[13] Folha da Tarde, 13 de outubro de 1995: "O bispo Sérgio von Helde, da Igreja Universal do Reino de Deus, deu seis socos e onze chutes em uma imagem de Nossa Senhora Aparecida, Padroeira do Brasil, em programa da TV Record". E o jornal Estado de São Paulo, do dia 14: "'Então, o que acontece? Nós estamos mostrando às pessoas que isto aqui, ó, olha só, isto aqui não funciona, isto aqui não é santo coisa nenhuma, isso aqui não é Deus coisa nenhuma. Será que Deus, o criador do universo, ele pode ser comparado a um boneco desses, tão feio, tão horrível, tão desgraçado?' Enquanto falava, Sérgio von Helde desferia oito socos e dez chutes na imagem de Nossa Senhora". Cf. *Desacato a uma imagem de Nossa Senhora Aparecida, Aparecida*, novembro de 1995 (Coletânea de reportagens de revistas e jornais sobre o fato), p. 1 e 6 in ACMA ou APR.

Antecedentes do ato agressivo — Há mais de ano existia uma luta entre a Rede Globo e a Rede Record, do pretenso bispo da igreja universal, Edir Macedo. Edir achava que a Globo estava sendo influenciada pela Igreja Católica nos seus ataques à Universal. Entretanto, o caso não passava de uma luta por causa da concorrência entre as duas redes de TV para obter mais Ibope. Programas do pastor von Helde, atacando a Igreja Católica e outras religiões, estavam indo ao ar há mais tempo, especialmente contra os rituais de candomblé.

Aquele programa das 6 horas da manhã do dia 12 não teria tido a repercussão que teve se não tivesse sido gravado por um funcionário da TV Bandeirantes. Naquela hora, ainda mais num dia feriado, somente os membros daquela seita estariam sintonizados com o programa. Acontece, porém, que em razão da briga pelos pontos do Ibope aquele funcionário ofereceu a gravação à TV Globo, que se aproveitou durante o dia inteiro para denunciar o ato agressivo e burlesco. Os jornais do dia 13 já saíam com manchetes: "Pastor chuta a Imagem de N. Senhora Aparecida", e semelhantes. E a repercussão do fato cresceu em candência dominó...

Repercussão do gesto desleal[14] — Foi um erro estratégico dos dirigentes da Universal. Seus ataques à Igreja Católica e ao culto e objetos de culto de outras religiões, através dos meios de comunicação, é crime contra o livre exercício da religião, previsto por lei. E eles não contavam com a reação não só dos católicos, mas também das outras igrejas protestantes históricas[15], dos diversos setores da sociedade e, especialmente,

---

[14] Para maiores detalhes tanto do fato da agressão como da reação ver Coletânea das reportagens da imprensa escrita sobre o desacato do Pastor von Helde no programa 'Despertar da Fé', da TV Record, no dia 12 de outubro de 1995 sob o título '*Desacato a uma imagem de Nossa Senhora Aparecida*, com 116 páginas, Novembro de 1995. Edição fotocopiada in ACMA.

[15] Além dos pronunciamentos feitos por líderes de outras religiões na TV, veja o parecer deles na imprensa escrita in Coletânea acima citada.

dos meios de comunicação, que tiveram com o fato um prato cheio para aumentar seu 'Ibope'. Até as revistas de circulação nacional como 'Veja', 'Isto É' e 'Manchete', dedicaram diversos números ao assunto, com reportagens bastante realistas e positivas.

Triste foi o ato de se chutar uma imagem; entretanto, mais triste ainda é o que acontece nos recintos daquela igreja, onde existe verdadeira lavagem cerebral. A grande massa que participa é aquela pobre e sofredora, no caso enganada pelo 'marketing evangélico' do Sr. Edir Macedo. Maria de Nazaré não quer que as imagens de seu Filho Jesus — homens e mulheres — continuem sendo chutadas, pois, nas injustiças cometidas contra os irmãos, chutam-se as pessoas que são a imagem de Deus.

16
A SALA DOS MILAGRES, SUA HISTÓRIA

Neste Santuário, existem três altares nos quais os peregrinos realizam seu culto, culto dirigido a Deus, amparados por Maria de Nazaré, sua Mãe. O primeiro, e o mais importante, é o Altar da Eucaristia, onde se parte o pão da Pa-lavra e do Corpo do Senhor; depois, o Altar do Sacramento da Penitência e Reconciliação, onde, contritos, os romeiros ouvem as palavras de Cristo: "teus pecados te são perdoados, vai em paz". E, finalmente, o Altar das Promessas, onde eles depositam, com gestos de fé e humildade, reconhecimento e gratidão, seus ex-votos, testemunho e sinal de graças alcançadas.

16.1. Um Altar de Gratidão

Podemos chamar a Sala dos Milagres de altar da gratidão, pois é com o coração agradecido que o peregrino chega até ele, para depositar seu ex-voto.

Todos os santuários, mesmo os mais inexpressivos, têm sua Sala dos Milagres ou das Promessas. Capelas, ermidas e oratórios de beira de estrada, são outros tantos altares, onde o povo deposita com gestos bem humanos e leais a recordação da graça alcançada. São sempre sinais de sua fé em Jesus Cristo e de gratidão pela intercessão do santo de sua devoção.

Significado — Sala dos 'Milagres' não é, nem pretende ser, um termo de significado rigorosamente teológico. Ele reflete apenas o modo de expressar de nosso povo, quando se refere à sala ou recinto, onde se conservam os assim chamados ex-votos, promessas, 'milagres'. Nem tudo significa necessariamente ou é um milagre, mas há milagres verdadeiros.

Os objetos lembram o momento e a graça alcançada por intercessão de Nossa Senhora. Todos são expressão de alguma graça tanto na ordem temporal como na espiritual. Para a pessoa simples do povo, de fé e cultura rudimentares especialmente, tudo é objeto de fé e chamam milagre, mesmo aqueles fenômenos naturais que acontecem pela força da natureza e que são uma dádiva constante da bondade de Deus em favor de seu povo. Não é necessário que correspondam à intervenção direta de Deus, como em todo milagre no sentido estritamente teológico.

'Milagre' para o povo, de modo geral, são todos os dons e graças concedidos por Deus aos fiéis pela intercessão dos santos, especialmente da Virgem Maria. Esse conceito de milagre, porém, que é dom e graça de Deus, não exclui o milagre propriamente dito.

Lugares — A Sala dos Milagres de Aparecida não teve apenas diversos nomes: 'Casa dos Milagres', 'Quarto dos Milagres'; ocupou ainda muitos lugares nestes 252 anos de existência do Santuário. Como consta dos documentos, os ex-votos já eram depositados no altar da primitiva Capelinha do Itaguaçu. A maioria deles tinha relação com o milagre das velas e, por isso, se ofertavam velas e lâmpadas ou o óleo necessário para mantê-las acesas[1].

Poucos e bem simples eram os ex-votos de início, tornando-se mais numerosos com o crescer da devoção. Construída a primeira igreja em louvor de Nossa Senhora Aparecida, inaugurada pelo Pe. José Alves Vilella, em 1745, a Sala dos Milagres, Quarto dos Milagres no dizer dos documentos, e seu conteúdo foram transferidos para uma sala contígua do lado direito do presbitério. O número dos ex-votos cresceu tanto que, em 1810, eles se estendiam até nos cubículos das naves laterais da igreja. Em 1860, por testemunho do jornalista Augusto Emílio Zaluar, sabemos que os ex-votos invadiam a nave central e o coro da igreja. O mesmo afirmava mais tarde o Cel. Rodrigo Pires do Rio.

Em 1884, um repórter do jornal paulista 'Correio Paulistano' refere-se aos ex-votos que estavam pendurados nas paredes de toda a igreja em desordenada desordem. Na época, da antiga igreja só restava a nave central sobre a qual Monte Carmelo estava construindo a nova igreja, a atual Basílica Velha. Ao demoli-la, em 1886, os ex-votos foram transferidos para as tribunas esquerdas do presbitério da igreja em construção. Ali ficou a Sala dos Milagres até 1904.

Em 1904, quando os novos capelães, por motivo da festa da Coroação, fizeram nova pintura da igreja, transferiram-na para a tribuna da nave lateral esquerda, da qual possuímos foto[2]. O acesso era pela porta da torre direita. No período entre 1886 a 1888, quando a Imagem Milagrosa ficou exposta na tribuna do presbitério, enquanto se concluía o corpo da igreja, os ex-votos ficavam quase que no mesmo recinto.

---

[1] ACMA — Livro da Instituição da Capela de N. Sra. da Conceição Aparecida, fl. 7 (cópia, fl. 19), Verba testamentária de João Fernandes de Souza: "Deixo de esmola a Nossa Senhora da Conceição Aparecida em Itaguaçu, para uma lâmpada de prata, a quantia de 200$00Rs, se ela não a tiver no dia de meu falecimento".

[2] Ver Polianteia da Coroação in ACMA.

Assim quem ia visitar a Imagem passava necessariamente pelas paredes cobertas de 'milagres'.

Em 1913, houve nova transferência: a Sala passou para o grande salão, ao lado da sacristia da Basílica Velha, num antigo prédio que se situava onde está hoje a Sala de Reuniões, ao lado da atual Livraria Santuário.

Com as diversas mudanças, muitos ex-votos sugestivos e valiosos se perderam, mas era imensamente grande, ainda em 1925, quando o acima citado jornal 'Correio Paulistano' publicou uma página inteira sobre a Sala dos Milagres[3]. "A Sala está, diz o jornal, de alguns anos para cá, funcionando numa casa muito antiga, localizada ao lado da Basílica"[4].

Após a instalação da Arquidiocese de Aparecida, em 1958, o local foi ocupado pela Cúria Metropolitana, e a Sala começou novamente sua peregrinação, agora já a caminho da Basílica Nova. Naquele ano, foi instalada, provisoriamente, num dos salões da Galeria do Hotel Recreio. Em 1966, parte dos ex-votos foi instalada no primeiro andar da Torre, permanecendo a outra na Galeria. Somente em 1974 é que toda a Sala dos Milagres desceu para o subsolo da Basílica Nova, onde, embora bem instalada, aguarda um lugar definitivo.

16.2. Objetos e gestos

A variedade dos gestos e objetos de promessa foi sempre muito grande, porque são quase infinitas as necessidades e circunstâncias em que se encontra o ser humano necessitado de Deus. Além das conhecidas peças de cera, pinturas ou fotografias de membros doentes, que foram miraculosamente curados, temos ainda vestes, mortalhas, toalhas de altar e fitas. As fitas e velas são muitas vezes do tamanho das pessoas que

---

[3] Biblioteca Municipal de São Paulo — Jornal Correio Paulistano, edição de 8 de setembro de 1925.

[4] Ibidem.

as oferecem. Um antigo costume foi agora ressuscitado pelo comércio dos vendedores ambulantes: as célebres fitinhas[5].

Objetos de uso pessoal e outros — Entre os ex-votos existem, e se enumeram em grande número: anéis, relógios, pulseiras e brincos. Alguns destes objetos ou joias são de grande valor monetário e afetivo. Por isso acontece muitas vezes que os doadores arrematam as joias, que são herança de família ou de estimação, para poder levá-las novamente para casa. Também os cabelos são objeto de promessa. E muito valiosos hoje. As mulheres têm por costume fazer voto de cortá-los e deixar as madeixas na Sala dos Milagres. É muito comum as mães fazerem promessa de deixar crescer o cabelo de seus filhinhos e vir a Aparecida para cortá-los na Sala dos Milagres. Muitas moças deixam seus retratos caprichosamente emoldurados por tranças de seus lindos cabelos.

Muletas, tipoias, aparelhos ortopédicos de todo tipo são diariamente colocados no recinto da sala. Uniformes, fardas de militares e outras roupas típicas dão colorido à grande sinfonia daqueles profissionais, que, reverentes, vêm agradecer a Nossa Senhora uma promoção, o sucesso na profissão ou em obter sua aposentadoria.

Muito comum é a pessoa prometer seu primeiro salário ou parte dele, quando pede a Nossa Senhora um emprego ou a aposentadoria. Acontece frequentemente que operários deixam aqui os instrumentos de sua profissão; os artistas, os de sua arte. Muitos são os violões, cavaquinhos e até algum violino oferecido a Nossa Senhora Aparecida. Não faltam os meios de condução, como: bicicletas e motos. Isqueiros e maços de cigarros são oferecidos por aqueles que conse-

---

[5] Em 1849, I Livro de Atas da Mesa, fls. 78 e 78v., menciona-se o costume de tirar medida da imagem e de colocar retratos na Sala.

guiram se libertar do vício. Garrafas de aguardente não são raras, e das melhores marcas, também deixadas na Sala por aqueles alcoólatras que se livraram do vício depois de fazer uma promessa. Óculos dos que recuperaram a vista, armas dos que venceram a tentação do crime, roupas chamuscadas dos que se viram livres de um mortal atentado ou estraçalhadas num acidente. E assim continua a epopeia dos que sofrem e são necessitados.

Cartas, fotos e pôsteres — O maior contingente, porém, de ex-votos são as cartas e as fotografias. As cartas são uma novidade como maneira de se cumprir uma promessa. São tantas, e de tal variedade e procedência, que causam admiração. A maioria delas são cartas ou bilhetes muito simples, pedindo graça ou agradecendo com uma pequena exposição dos fatos. Há, entretanto, muitas que trazem mensagens profundas de fé e de muita compreensão diante de circunstâncias adversas da vida. Os missivistas agradecem e expõem com detalhes o motivo de suas cartas. Conversão e busca sincera de Deus, paz na família, solução de problemas afetivos ou de doenças são tantos outros objetos das referidas cartas.

Há 128 anos — desde 1869 — existe neste Santuário o ex-voto da fotografia. Elas vieram substituir em parte as pinturas. Este gênero começou em 1869, com a chegada a Guaratinguetá — transferiram-se depois para Aparecida — dos dois fotógrafos franceses, Luís Robin e Valentim Favreau[6], que criaram uma necessidade e uma profissão. Inicialmente eles vendiam retratos da igreja e da imagem. Depois faziam fotos dos peregrinos.

Com o progresso da arte, peregrinos e fotógrafos começaram a se entender. Estes sustentam uma profissão, aqueles uma devoção. Desde o início deste século, as fotografias se

---

[6] Cf. Anúncio no jornal 'O Parayba', ed. de dezembro de 1869.

tornaram os ex-votos mais comuns da Sala das Promessas. Há fotos e pôsteres artísticos que são expostos na Sala com mensagens belíssimas de fé e de esperança. Os visitantes muito as apreciam.

Gestos pessoais e fraternos — Mais valiosos, porém, que os objetos são os gestos do peregrino, porque traduzem melhor seus sentimentos de fé. Tornam mais efetiva sua caridade, seu sentido de Igreja, significando e realizando no íntimo de cada um a misteriosa experiência de Deus: a conversão para Cristo. Gestos de caridade sempre houve, e ainda os há muitos, e muito diversificados. E eles existem desde que começa a viagem do peregrino. Atingem parentes, companheiros de viagem e até os estranhos, que no ônibus ou na caminhada a pé ou a cavalo se tornam familiares. Há muita união e solidariedade entre grupos de romeiros. O sentido de partilha do peregrino é muito profundo: sempre o acompanha ou faz parte de sua promessa. Está sempre disponível não só para repartir o pão, teto e vestes, como, sobretudo, os dons e préstimos de sua pessoa. A esmola, a ajuda, o amparo são uma constante nos santuários.

Numa entrevista que fizemos na Sala dos Milagres, percebemos como as pessoas sentem-se crescer ainda mais na solidariedade humana e cristã. Dizia-me um gerente de vendas: "Aqui sinto não apenas confirmar-se a minha fé, mas ainda sou impelido para a caridade e a solidariedade. Sinto necessidade de ajudar os outros".

Gestos penitenciais — Ainda existem? — Sim, são muitíssimos, diversificados e constantes. Antigamente, a figura do penitente caminhando para um santuário, para um lugar remoto junto da natureza, para encontrar-se com Deus, era muito comum, e ainda hoje, numa sociedade mais sofisticada e utilitarista, não é rara. Os gestos de penitência exterior são frequentes e se resumem em: andar de joelhos, varrer o recinto da igreja, transportar doentes, não conversar durante a viagem, jejuar até a chegada ao santuário, andar descalço, caminhar a pé longas distâncias e outros...

Todos esses ex-votos — objetos e atitudes pessoais — são a um tempo uma lídima manifestação da gratidão do homem para com Deus, de sua religiosidade, sua arte. São, enfim, expressão de sua conversão interior e da busca de Deus.

16.3. Sentido e arte dos ex-votos

A Sala dos Milagres, além de ser um local de expressão de fé, é um lugar de expressão de arte tanto erudita quanto ingênua e de artesanato. De fato a nossa arte e cultura podem orgulhar-se de possuir nobres e artísticos ex-votos, tanto em objetos quanto em igrejas e monumentos, que são frutos de promessas e de votos. Mas, para não alongar, fiquemos apenas com os ex-votos do nosso Santuário.

A obra do pintor francês Jean Baptiste Debret é um exemplo da promessa religiosa influindo na arte, quando, em 1827, ele põe na tela a cena de uma rica senhora, que se aproximava da Capela trazendo nas mãos uma vela acesa, precedida pelos seus escravos que transportavam sua filha doente.

Avaliando a diversidade dos ex-votos escreve a professora aparecidense Conceição Borges Ribeiro, estudiosa do assunto: "Notamos como ex-votos muitas peças de confecção ingênua, alguns, porém, cheios de arte. Não podendo adquirir uma peça de cera, o agraciado executa ou manda um artista fazê--la. Sempre é um pintor ou um compadre que tenha jeito para figurinhas de presépio"[7].

---

[7] Artigo da Profª Conceição Borges Ribeiro Camargo: *Alguns aspectos do culto de N. Senhora Aparecida*, in Revista de Folclore, ano 1952, nº 01, página 29.

Entretanto, é óbvio que nem todos os desenhos, pinturas ou esculturas depositadas na Sala dos Milagres, através dos tempos, eram artísticas e expressivas. Embora nem sempre sobressaísse a expressão artística, é verdade, a expressão de fé, confiança e amor sempre estiveram presentes. Algumas pinturas, ao contrário, eram até chocantes e grotescas, fruto certamente da ingenuidade e rudeza de alguns devotos que as traziam e as depositavam na Sala dos Milagres. Dom Antônio Joaquim de Mello, quando fez a Visita Pastoral no Santuário, em julho de 1854, observou tal fato e determinou que tais ex-votos não ficassem expostos na Sala. Na ocasião deixou anotado no livro do Tombo: "Visitamos a Casa dos Milagres e achamos muitas pinturas que não convêm, inda mais as gravadas em papel. Nós proibimos com pena de culpa ao capelão que consinta mais pintura alguma em papel, consumindo desde logo todas as que existem"[8]. Permitia, porém, como consta do mesmo termo da visita, "a moldagem e escultura de 'milagres' em cera e madeira".

Entre os objetos artísticos doados como promessa estavam as coroas para a Imagem. A maioria delas era de ouro e prata, cinzeladas com arte e bom gosto. Várias delas ficaram reservadas para embelezamento da Imagem, por ocasião das festas e procissões; outras, e estas se contam às dezenas e centenas, eram, depois de algum tempo de uso, postas à disposição dos compradores.

Todos podem conhecer a coroa de ouro com brilhantes, doada pela Princesa Isabel, que atualmente orna a Imagem milagrosa[9]. Além de seu valor real, deve-se-lhe acrescentar o imenso valor artístico e afetivo.

---

[8] I Livro do Tombo da Paróquia de Guaratinguetá - Termo da visita pastoral de D. Antônio Joaquim de Mello, fl. 150.
[9] Diante do nicho da Imagem você pode admirar a arte e a delicadeza da coroa de ouro doada pela princesa Isabel.

Hoje, na era da industrialização, os ex-votos são ainda doados em grande número, e em maior quantidade do que antes. As pinturas e os desenhos foram substituídos pelas fotografias em preto e branco ou coloridas; as peças esculpidas em cera ou madeira foram substituídas pelas peças de cera, fabricadas em série. Embora a arte tenha perdido esse campo, a fé não o perdeu e os objetos com a marca da era industrializada continuam a ser oferecidos com o mesmo amor das antigas peças de artesanato, como expressão da religiosidade do povo.

17
SALA DOS MILAGRES — UMA VISÃO HUMANA E RELIGIOSA

A Sala dos Milagres é um recinto tão ligado ao Santuário, e tal é sua importância, que podemos definir sua influência no meio da sociedade humana. Não há dúvida que a matéria dos ex-votos pode definir ainda, e com propriedade, a influência que o referido santuário exerce sobre as camadas populares. A extensão geográfica da influência do Santuário também é outro dado que se pode medir no recinto da Sala dos Milagres.

Considerando, pois, a primitiva influência deste Santuário e sua atual expansão, queremos estudar neste capítulo qual a repercussão e ressonância que o Santuário de Aparecida teve e tem nas pessoas e nos grupos. Os depoimentos de jornalistas e escritores, que interpretaram o sentir pessoal e coletivo, a opinião da imprensa ou da comunidade, foram escritos e chegaram até nós. Obtive o depoimento de pessoas particulares numa entrevista de 1984.

Visão de ontem — O primeiro documento do encontro da Imagem, escrito pelo Padre Dr. João de Moraes e Aguiar, em 1757, já acenava para a realidade da Sala dos Milagres[1]. Também os livros administrativos da Capela oferecem múltiplas e constantes referências ao recinto da Sala dos Milagres. Não são, porém, depoimentos da realidade sociorreligiosa existente no Santuário, mas apenas referências administrativas ou com fins administrativos.

Em 1827, porém, encontramos o depoimento de um funcionário qualificado porque era teólogo, Pe. Claro Francisco de Vasconcellos, que na época exercia a função de secretário da Mesa Administrativa da Capela. Transcrevendo uma narrativa mais ampla do encontro da Imagem, inclui o milagre do escravo. Omitindo suas reflexões teológicas, esse é o tópico que nos interessa: "Do escravo foi visto ali mesmo (*no Santuário*) cair improvisamente a corrente, que até o dia de hoje se vê e se conserva pendente da parede do mesmo Santuário, por um monumento e testemunho de que Maria Santíssima tem suprema autoridade para desatar as prisões dos criminosos pecadores compungidos. Se põem diante dos olhos dos fiéis os milagres (*refere-se à corrente como ex-voto do milagre e outros ex-votos*) e os exemplos saudáveis de Deus, para que, por esses benefícios e mercês deem graças ao mesmo Deus"[2].

Depois dessa apreciação do teólogo, temos outras de dois jornalistas do século dezenove: Zaluar e de um repórter do jornal 'Correio Paulistano', de 1884, que são assinadas com as iniciais, E. F.

Como jornalista, Zaluar captou o sentimento do povo, não deixando, porém, de fazer alguma reflexão sob o ponto de

---

[1] I Livro do Tombo da Paróquia de Santo Antônio de Guaratinguetá, *Notícia do encontro da Imagem*, p. 99.

[2] *Notícia do encontro da Imagem*, in Autos de Ereção e Bênção da Capela, 1743-1745, p. 4 e 4v.

vista médico. Na ocasião, os 'milagres' ou ex-votos estavam espalhados pela igreja inteira e ele se espantou com a multidão deles porque já não havia espaço para serem colocados outros. "As paredes da Capela, descreve, quase não têm lugar para as figuras de cera, troncos, cabeças, braços, pernas e mãos de todos os tamanhos e feitios que se veem simultaneamente pendurados, ao lado de numerosos painéis, representando este um pai salvando seu filho das garras de uma fera, aquele um moribundo restituído à vida por haver invocado, cheio de religiosa piedade, o nome de sua divina protetora[3]."

E é muito humana esta reflexão final: "Finalmente, passa diante de nossos olhos a simbólica epopéia de todos os martírios e de todas as dores que angustiam a existência humana. Afortunados os rudes sertanejos que têm mais fé na intervenção divina do que nos resultados tantas vezes mentirosos da ciência humana".

Zaluar, o médico-jornalista, entrou em sintonia perfeita com os sentimentos religiosos do povo. Não estranhou seus sentimentos, não se escandalizou com seus gestos. Sentiu antes grande respeito pela fé do povo.

Em 1884, um jornalista do 'Correio Paulistano' depois de fazer algumas críticas contra a administração da Capela[4], mas, solidário com os peregrinos, reverencia sua fé[5]: "Esses numerosíssimos 'milagres' são a mais evidente prova da religiosidade e honradez de alma do povo brasileiro. Alguns são de comovedora ingenuidade". Finalizando, fez esta reflexão

---

[3] Augusto Emílio Zaluar, op. cit., p. 87/88.

[4] O Cônego Frei Joaquim do Monte Carmelo se defendeu no mesmo jornal, com razão, pois na ocasião ele estava ultimando a construção da nova igreja sobre a antiga nave, com o inconveniente, é verdade, do pó e da desordem das coisas. Na ocasião construía-se a atual Basílica Velha; da antiga igreja restava somente a nave central, onde o jornalista foi encontrar os numerosíssimos ex-votos que passa a descrever com muito interesse e variedade.

[5] Departamento do Arquivo do Estado de São Paulo, Jornal 'Correio Paulistano', 6 de janeiro de 1884.

muito apropriada sobre o sofrimento humano dizendo que os ex-votos são "as múltiplas formas e infinitas variedades de sofrimento que constituem a grande miséria humana".

Em 1900, Pe. José Wendl, missionário redentorista também nos deixou um valioso relatório dos votos e promessas com apreciações bastante profundas sobre os ex-votos e os 'milagres'[6]. De início, ele faz um apanhado dos objetos da Sala dos Milagres e, em seguida, apresenta o resultado de uma pesquisa feita por ele mesmo entre os peregrinos. Esse Relatório foi publicado em 1901, depois de 6 anos de convivência com os peregrinos.

Padre José expõe seu pensamento sobre o fenômeno da Sala dos Milagres, afirmando: "A Sala dos Milagres mostra-nos o grau de devoção dos brasileiros para com Nossa Senhora Aparecida, e quanto são recompensados por Ela; são tantos os ex-votos que já não há mais lugar no recinto da Sala que mede 6 x 6 metros". Ele foi o primeiro a mencionar os vestidos de noiva oferecidos como ex-votos. "Os brasileiros oferecem não só dinheiro, colocado generosamente no cofre, mas oferecem, à querida Mãe, vestes que só usaram uma vez para visitar a igreja, especialmente muitos vestidos de noiva de bela seda, após o casamento realizado diante do altar de Nossa Senhora. Os peregrinos oferecem anéis, correntes de ouro, brincos, que muitas vezes eles mesmos arrematam para levá-los de volta como lembrança. Os vestidos são em parte dados aos pobres, em parte empregados em outros fins como, por exemplo, usando-se os de seda para confecção de bonitos paramentos para a Igreja."[7]

---

[6] Coletânea de Documentos e Crônicas da Capela de N. Senhora Aparecida — Relatório de 1901, I vol., p. 97.

[7] Naquele tempo que não havia ou eram raras as oficinas de alfaias sacras, quem transformava aquela seda em paramentos era o Ir. Carlos Jungwirth, exímio alfaiate da comunidade.

Descreve em seguida "as figuras de cera de todo o jeito e tamanho, representando crianças e adultos ou então partes do corpo: cabeças, seios, braços, pés etc. Ao lado destas figuras de cera, apresentando todas as misérias humanas, há também quadros e fotografias". E conclui: "Nessas fotografias de velhos e moços, de pobres e de gente rica, de humilde negro ou de homem instruído se vê a epopéia do martírio da humanidade e o braço misericordioso da Mãe de Deus, estendido lá do céu para amparar e aliviar. Ano após ano, dia após dia, aparecem romeiros, mesmo no tempo de chuva mais intensa, e são numerosos, para dar um testemunho de alma, de boca e de coração sobre o poder miraculoso de Nossa Senhora Aparecida, quando, com lágrimas nos olhos, se ajoelham diante do altar da Virgem, ou depositam no cofre sua oferta, sendo às vezes tudo o que possuem. É generosidade, eu queria dizer, heroísmo!"

Em seguida, Pe. José Wendl apresenta o resultado da entrevista que fez entre os peregrinos, sendo, sem dúvida, a primeira pesquisa realizada sistematicamente neste Santuário de que temos conhecimento. Nela percebe-se sua preocupação em orientar os peregrinos para que interiorizem sua fé. Entre os muitos relatos destacamos estes:

"Um grupo de peregrinos veio das selvas do Avanhandava, paróquia de S. José do Rio Preto, percorrendo a distância de 200 léguas, vencendo muitas dificuldades, de serras a galgar, rios a transpor a vau ou por balsa ou a nado, passando a noite a céu aberto, debaixo de árvores, ferindo-se muitos na viagem. Ao chegar a Aparecida, foram todos prostrar-se aos pés da Imagem agradecendo com lágrimas nos olhos. Tudo isto por quê? Porque um dos companheiros, João Gonçalves de Andrade, fora curado milagrosamente pela Virgem, de uma horrível doença chamada fogo-selvagem, que estava grassando naquelas selvas".

E este outro: "Um rico senhor, o major Francisco de Oliveira Sá Ribas, do Estado do Paraná, devia ser justiçado, em abril de 1894, embora inocente. Sua mulher fez a promessa de vir com toda a família se ele não fosse condenado e voltasse são e salvo para casa. Alcançada a graça, a família veio, numa viagem de 65 dias a cavalo e de trem, para agradecer".

"A mensagem de Maria, conclui o Padre José, é assim levada ao longe, atraindo os corações pelas portas dos olhos e dos ouvidos. Compreende-se assim que lábios e corações estejam cheios do nome da Senhora da Aparecida e que muitos sejam os peregrinos que buscam o seu Santuário... Admirável o poder dessa Imagem Milagrosa!"

Visão de hoje — A visão da Sala dos Milagres hoje me parece tão importante para se entender os sentimentos religiosos do povo que convive com o progresso técnico e social. Se o conteúdo da Sala empolgou, no passado, escritores, jornalistas, sociólogos e os estudiosos da religiosidade popular, creio que deve empolgar muito mais os agentes de pastoral de hoje, que, à luz da mesma religiosidade, devem tentar entender o comportamento religioso de nosso povo. Neste estudo, nossa intenção não é tirar conclusões, queremos, apenas, apresentar a face da Sala dos Milagres como ela se apresenta hoje. Para isso vamos nos utilizar dos dados que colhemos numa entrevista no mês de janeiro do ano de 1984 e das mensagens escritas deixadas na Sala pelos peregrinos.

Entrevista com os peregrinos — Para a entrevista, escolhemos o recinto da Basílica, a fila do beijamento da Imagem, a passarela e, naturalmente, a Sala dos Milagres. Foram duas semanas em que a Sala esteve sempre bem frequentada, com maior diversidade de classes sociais, como sói acontecer em janeiro. Contamos ainda com os nossos 30 anos de experiência de trabalho pastoral neste Santuário.

Nosso objetivo era saber qual o motivo que trazia o peregrino até Aparecida e, mais particularmente, à Sala dos Milagres. Em geral, os peregrinos falaram espontaneamente da finalidade de sua vinda a Aparecida. Todos manifestavam espontaneamente sua gratidão, alegria e satisfação pela graça alcançada. Dentre os muitos depoimentos, apresentamos estes:

O primeiro caso é de um gerente de vendas da cidade paulista de Batatais. O casal João Bosco Garcia Campi e Maria Carmélia Fávaro Campi nos referiram o seguinte:

"Temos dois filhos gêmeos. Quando nasceram, um deles nasceu com um pé torto. Depois de alguns anos levamos o menino ao médico que afirmou ser o caso muito difícil e melindroso. Receosos retiramos a criança do hospital, onde ia ser operada. Consultamos outros médicos, e na aflição recorremos a Nossa Senhora Aparecida para que ela iluminasse a criança para escolher o médico que a operaria.

Escrevemos o nome dos três médicos que consultamos em três bilhetes e pedimos ao nosso filho que tirasse um deles. Sempre rezando, pedimos que ele repetisse o gesto e por três vezes o menino retirou o nome do mesmo médico. Ele operou o menino, e graças a Nossa Senhora Aparecida, nosso filho hoje anda perfeitamente. Por ocasião da operação, prometemos trazê-lo aqui para que ele entregasse um pé de cera e uma vela. O mesmo já fizemos na capela de N. Senhora Aparecida, do Pe. Donizetti, em Tambaú.

Estamos muito gratos e felizes. A mãe acrescentou: 'Sinto-me realizada'".

O casal frequenta a comunidade assiduamente e o Sr. João Bosco afirmou: "Com a graça que alcançamos para nosso filho e com o que vemos aqui na Sala dos Milagres, sentimo-nos confirmados na fé. Conhecendo tanta miséria, somos levados a ajudar os mais necessitados. É a nossa gratidão para com Nossa Senhora".

A professora Inês Balestrin e sua filha Roberta têm uma história bonita para nos contar. Seu pedido a Nossa Senhora foi no sentido que Ela indicasse um caminho para solucionar o grave problema da visão da filha. E aconteceu deste modo:

"Esta minha filha, Roberta, sofria de catarata congênita. Submeteu-se a uma cirurgia no centro oftalmológico de Campinas. Conseguiu apenas um mínimo de visão. Pedimos então a Nossa Senhora que nos guiasse e indicasse um meio de cura. Fomos a Belo Horizonte e lá um médico descobriu um glaucoma que poderia deixá-la cega. Foi operada com sucesso. Com o uso de lentes de contato, que antes era impraticável, sua visão está praticamente normal. Hoje minha filha lê e estuda na Faculdade. Estamos felizes e gratas a Nossa Senhora Aparecida. Para ela foi ótimo; sua adaptação social, familiar e espiritual lhe trouxeram muita realização pessoal. O mais importante foi seu reencontro com Cristo por intermédio da Senhora Aparecida".

***

Um dia encontrei no recinto da Basílica a doméstica Iracema Tavares dos Prazeres, residente em São Paulo, que, de joelhos, se dirigia para o altar da imagem. Quase chorando, mas feliz, ela nos relatou:

"Minha mãe sofreu trombose cerebral e ficou por mais de 15 dias em estado de coma. Na aflição pedi a Nossa Senhora que ajudasse minha mãe a sarar e prometi que, se fosse atendida, entraria de joelhos desde a entrada da igreja até o altar. Minha mãe recuperou a saúde e hoje vim cumprir minha promessa. Sinto-me feliz e cheia de fé e vontade de viver".

***

Um casal de boias-frias, da cidade de Apiaí, agradece a Nossa Senhora ter-lhe restituído a vida de seu filho. Eles contam como foi:

"Este nosso filho, que na ocasião tinha seis meses — agora está com 7 anos — esteve muito mal e completamente desenganado. Foi internado, mas os remédios nada resolveram. Por fim o médico nos aconselhou a levar o menino para casa, pois não havia mais esperança de vida. Era para morrer em casa. Naquela aflição, invoquei Nossa Senhora Aparecida com toda a fé para que salvasse meu filho. Já em casa, o menino começa a melhorar de repente, ficando bom em pouco tempo, sem tratamento algum. Hoje trouxemos o menino para agradecer a nossa boa mãe".

***

De Vitória da Conquista, Bahia, dona Emília traz sua mensagem de fé e de confiança. É legionária de Maria e trabalha ativamente na paróquia. Toda a família frequenta a comunidade. Veio com seu filho para participar da missa, agradecer a Nossa Senhora e colocar uma vela na Sala dos Milagres. Ela nos contou o seguinte:

"Meu filho sofreu um acidente grave no ano passado (1983). Estando em perigo de vida, recorri a Nossa Senhora Aparecida para que lhe salvasse a vida. Depois de muita angústia, meu filho reagiu e se restabeleceu. Estamos felizes".

O filho ainda jovem me assegurou: "este milagre me faz ter ainda mais fé e me aproximou mais de Cristo".

***

Um jovem casal veio diretamente da cidade de Guandu, na Bahia, para cumprir a promessa da filha. Abordamos o casal quando a mãe iniciava sua caminhada de joelhos, da entrada da nave sul da igreja nova até o altar. Com emoção o casal nos confidenciou:

"Viemos de Guandu, Bahia, e aqui estamos para agradecer o 'milagre' que nossa bondosa mãe fez em favor de nossa filha. Somos da roça. A menina se queimara toda, e, sem recursos, pedimos a Nossa Senhora que salvasse nossa filha e que seus olhos não ficassem prejudicados. A criança está perfeita e por isso viemos cumprir a promessa de ir de joelhos pela igreja até o altar da imagem e colocar na Sala dos Milagres uma vela do tamanho da menina".

À minha pergunta, se participavam da Igreja, responderam: "Frequentamos a capela da comunidade rural e fazemos parte da equipe que promove o culto na mesma. Estamos muito felizes e somos muito gratos a Nossa Senhora e lhe devotamos muita fé".

***

O Dr. Alano Caliende, dentista, residente em São Paulo, veio participar da missa e agradecer a cura de seu pai. Ele nos contou o seguinte:

"Meu pai levou uma queda e fraturou o crânio. Houve derrame e não conseguia sobreviver. Fiz a intenção de vir a Aparecida trazer uma vela e participar de uma missa se ele melhorasse. Ele ficou bom e hoje vim cumprir o prometido".

***

Mensagens dos peregrinos — Das muitíssimas mensagens escritas e deixadas na Sala dos Milagres em quadros com moldura ou pôsteres, escolhemos estas:

—*A primeira é de uma família de vivência cristã. Vejamos a sua mensagem*:

"Nossa família passou um Natal feliz; juntos, ao redor de nossa mesa, demos as mãos e rezamos, agradecendo a Cristo e a Nossa Senhora Aparecida por tudo o que tínhamos. Participamos da missa na comunidade e tínhamos o plano de festejar a entrada de 1978. Mas não foi possível, pois no dia 26 de dezembro, ao meio-dia e meia, recebemos uma brutal notícia: meu marido tinha sido assaltado e os bandidos tinham atirado nele. Pensando que fosse um só, meu marido reagiu, mas outro veio por detrás e o alvejou. A bala entrou ao lado da espinha, atravessou os rins, o fígado e os intestinos. Ele foi operado e os médicos nos recomendaram muita fé, pois já tinham feito o possível da parte da medicina. Foram quatro dias de agonia, mas nossa fé em Cristo e em Nossa Senhora Aparecida é muito grande. Nossa prece foi atendida. Após oito dias da operação, os médicos retiraram a bala, que se alojara entre as costelas. Hoje ele veio cumprir a promessa que fizemos. Só temos uma palavra a dizer: Obrigado Senhor, nosso Pai e nosso Deus. Obrigado Nossa Senhora Aparecida, por tudo o que nos tem dado. Aumentai ainda mais a nossa fé. Abençoai-nos".

Nori Luciano - Resende, 26 de dezembro de 1978.

***

Esta outra, de 1983, mostra a confiança de uma mãe, desolada diante da inutilidade dos meios da medicina para salvar seu filho.

"Meu filho André Luís, com apenas um mês, teve seu intestino paralisado por 72 horas, ficando internado 29 dias e 29 noites em estado de coma. Somente seu coraçãozinho estava funcionando. Quando os médicos do hospital Gastro-Clínica, em São Paulo, pediram-me que levasse a criança para morrer em casa, pedi mais um prazo para a recuperação do bebê. Quando desligaram o balão de oxigênio e a tenda úmida em que ele se encontrava, tudo parou. No desespero de ver meu filho morto, saí correndo e de joelhos pedi a N. Senhora Aparecida que fizesse meu filho voltar a viver, e eu, durante 12 anos, o traria para visitar o Santuário. E ele voltou a viver.

Hoje, meu filho está com oito anos e com saúde de ferro. Obrigada, Senhora Aparecida!

 Seus pais: Clóade e Ciro Shigemoto, São Paulo.

***

Este agradecimento veio da cidade de Caracas, na Venezuela. A agraciada, por sugestão de uma brasileira, lá residente, fez um pedido a Nossa Senhora Aparecida e foi atendida.

"Encontrava-me doente do cólon, praticamente sem esperança de viver, pois os médicos diziam que somente após a operação poderiam dar um diagnóstico mais seguro. Uma senhora brasileira contou-me uma graça que tinha recebido por intercessão de Nossa Senhora Aparecida e pediu que eu fizesse um pedido a ela, porque sempre ajuda a quem com fé recorre a ela. E assim foi. Graças a Deus já me recuperei, embora no início tivesse alguns problemas. Por isso, hoje, como aquela senhora que me aconselhou, digo a toda pessoa que tenha aflição que suplique a ela porque seguramente será ouvida.

Obrigada a Deus e a Nossa Senhora Aparecida pelo favor concedido".

 Rosa de Fernandes, Caracas, abril de 1983.

Para concluir, resumimos dois depoimentos que revelam a face religiosa e humana da Sala dos Milagres. Um é do Padre Lino, da cidade de Juiz de Fora, que acompanhando seus paroquianos em romaria a Aparecida, a 29 de janeiro de 1984, escreveu: "A Sala dos Milagres é um recanto, diz ele, que todo romeiro faz questão de visitar, porque é lá que está exposta, ao vivo, a ação benéfica de Maria. Verdade é, continua, que grande parte dos ex-votos que ali são expostos, não representam uma realidade (*isto é: um milagre no sentido teológico*), mas é também certo que a maior parte deles são sinceras expressões da fé simples e agradecida, de quem provou o poder intercessor de Maria Santíssima. Conclusão que se impõe, lógica, a estas considerações, é o reconhecimento de que o Santuário de Aparecida se transformou no recanto sonoro da fé de todo um povo. Em Aparecida, Deus está presente a comprovar o seu amor pelo homem que sofre e crê"[8].

Outro é da professora Zilda Ribeiro. Ela é natural e residente em Aparecida. Comparando o ambiente da Sala dos Milagres do seu tempo de criança, fez esta apreciação em 1984, sentindo algo de novo. Percebe novas formas de agradecer, novidade nos ex-votos, mas, permanecendo a mesma fé e a mesma autenticidade do povo que expressa seu sentimento religioso.

"Notei, diz ela, que a fé em Nossa Senhora Aparecida é a mesma. Mas a maneira de testemunhar essa fé acabou sofrendo a influência do progresso. O antigos ex-votos perdem, em número, para as placas de carro, volantes, pneus, bicicletas inteiras, capacetes de motoqueiros.

As mortalhas já não são tantas como eram antigamente. Mas em compensação o número de maquetes de casas construídas, a maioria pelo BNH, mostra como o povo humilde conta muito mais com a proteção de Nossa Senhora do que

---

[8] Jornal Santuário de Aparecida, edição de 29.01.1984.

com os órgãos públicos, e o 'milagre' que é construir uma casinha própria hoje."

"Admira a variedade e a novidade das capas de disco com dedicatórias. São duplas sertanejas que agradecem à Santa o sucesso alcançado, ou que vêm alcançando junto ao público. Muitíssimas são as camisas de jogadores de futebol — quase todos os times estão representados — ofertadas pelos vencedores. Inúmeros são os troféus oferecidos."

Diante do número incontável de cartas que encontrou na Sala, Zilda nos oferece apreciação digna de menção, descrevendo algumas de suas particularidades. "Esta maneira pela qual o ser humano se comunica e se ajuda mutuamente é também empregada no campo religioso, quando o devoto quer comunicar-se com Deus e seus santos, pedindo ou agradecendo. As cartas, diz ela, parecem ser outra maneira atual do devoto pedir ou agradecer. Acredito ser influência da Rádio Aparecida, através das novenas perpétuas. Estas cartas parecem ser outra maneira atual de o devoto se comunicar com a Virgem. Mais do que isso até: percebe-se que o remetente fica como que a espera de uma resposta".

Refere-se depois ao grande, quase infinito número de fotografias e pôsteres, escrevendo: "O gesto de dar uma fotografia para alguém é um arquétipo. Traduz o desejo de entrega, de fazer parte do mundo da pessoa a quem se dá. Acho que a fotografia, como ex-voto, tem um significado mais profundo: a pertença de fé, amor e gratidão. É muito comum a pose do devoto com a imagem de Nossa Senhora nas mãos. Deixam uma dessas fotos na Sala e levam as outras para casa como a significar que nunca devem se esquecer que pertencem a ela".

Esta análise sobre os ex-votos contidos na Sala dos Milagres tem grande valor de amostragem do sentimento religioso do nosso povo e é própria a nos dar uma visão humano-religiosa de hoje.

Altar de mármore de Carrara, semelhante ao do Mosteiro Beneditino de Salvador, encomendado na Itália por Monte Carmelo, 1879

SEGUNDA PARTE

O POVOADO, AS IGREJAS E A ADMINISTRAÇÃO DOS BENS

Esta parte apresenta a estrutura material do Santuário: as igrejas construídas, a formação do povoado e a administração de seus bens. Todas as cidades, especialmente nos séculos 17 e 18, nasceram e se formaram ao redor de uma igreja. As formalidades eram cumpridas conforme o Direito e o Ritual eclesiásticos. De 1809 a 1890, a administração de seus bens permaneceu nas mãos do governo civil.

Foto da comunidade do Santuário, apanhada a 19 de maio de 1997

18
CONSTRUÇÃO DA IGREJA E DO POVOADO

Conforme a Provisão que aprovara a construção da igreja sob o novo título de Nossa Senhora da Conceição Aparecida, em 1743, duas eram as condições que o Padre Vilella deveria cumprir em primeiro lugar: escolher um local apropriado e receber a doação do terreno para a construção da igreja e formação do povoado. O terreno devia servir de patrimônio da Capela, ainda conforme as mesmas normas das Constituições Primeiras[1]. A mais difícil delas foi a escolha do local. No Itaguaçu, os terrenos não eram apropriados, pois a parte plana e mais baixa estava sujeita às inundações durante as cheias periódicas do rio Paraíba; a faixa mais alta era muito estreita e os morros muito altos e íngremes, totalmente impróprios para qualquer construção. Diante disso, a escolha recaiu sobre o Morro dos Coqueiros, mais próximo da sede da paróquia e

---

[1] Durante o regime do Padroado, para se fundar uma capela ou igreja era necessário doar uma boa porção de terras que eram divididas em lotes. Sua renda era destinada a sustentar o culto e mais despesas do recém-fundado povoado. Este era um costume e assim nasceu a maioria das cidades antigas.

mais apropriado para se construírem nele a igreja e o povoado, duas condições também exigidas para se fundar uma nova igreja naqueles tempos.

Escolhido o local, Padre Vilella recebeu o terreno do Morro dos Coqueiros — colina onde se assenta a Basílica Velha e o centro da cidade de Aparecida — por doação de três escrituras em maio de 1744. A escritura principal do morro, que pertencia a viúva Margarida Nunes Rangel, tem este inciso interessante: "... e doou de hoje para sempre à Virgem Maria, Senhora da Conceição chamada 'Aparecida', para que no dito Morro, chamado dos Coqueiros, pela disposição que tem a dita paragem, lhe possam fazer a nova Capela"[2].

A escolha foi muito feliz. Além de ser o terreno mais consistente, à sua volta foi possível construir o povoado que deu origem à cidade de Aparecida. Dois córregos — Ponte Alta e Guano — de águas límpidas serpeavam pelas suas fraldas e a paisagem da colina era mais ampla e bonita. Não foi sem razão que o cientista francês Auguste de Saint-Hilaire, de passagem por Aparecida, escrevia em 1822: "É encantadora a vista que se desfruta do alto da colina. Descortina-se região alegre, coberta de mata pouco elevada; o rio Paraíba ali descreve elegantes sinuosidades, e o horizonte é emoldurado pela alta cordilheira da Mantiqueira".

18.1. A igreja do Padre Vilella

A primeira igreja foi construída pelos escravos. Padre Vilella entregou a direção da construção ao Capitão Antônio Raposo Leme, abastado fazendeiro de Guaratinguetá que possuía muitos escravos[3]. Com muitos sacrifícios e alguma

---

[2] Escritura de doação de Margarida Nunes Rangel in Coletânea de Documentos e Crônicas da Capela, Aparecida, 1978, p. 52.

dívida, como consta do testamento do capitão, a construção chegava a seu termo nos primeiros meses de 1745. No dia 18 de julho daquele ano, Padre Vilella tomou posse das terras do patrimônio por sentença proferida pelo Juiz Ordinário de Guaratinguetá, Salvador da Motta Paes[4].

No início do mês de julho de 1745, tudo estava pronto para a solene bênção da igreja e a entronização da Imagem em sua primeira igreja e primeiro Santuário. Ao redor do Pátio da Capela, já estavam construídas as primeiras casas do novo povoado. Padre Vilella fizera os últimos preparativos para a inauguração e bênção daquela igreja. A Provisão necessária para o ritual fora concedida por Dom Frei João da Cruz, a 22 de maio de 1745. Convites foram feitos para as autoridades e para o grande povo, devotos e peregrinos de perto e de longe. Os pormenores da solene inauguração ficaram ocultos no silêncio dos documentos, mas isto não nos impede de supor grandiosas as festas da bênção e da primeira missa celebrada. Seria desconhecer os sentimentos do povo numa ocasião como esta.

Na véspera, a procissão conduzindo a Imagem desde o porto do Itaguaçu, o Pátio da Capela enfeitado, a igreja iluminada com profusão de tochas e velas e o povo feliz junto de sua querida Imagem: tudo ao sabor das festas populares daqueles tempos de simplicidade e de fé.

No dia 26 de julho de 1745, festa da Senhora Santana, pela manhã teve lugar a bênção solene conforme o ritual romano; em seguida Padre Vilella celebrou, pela primeira vez em o novo Santuário, a missa. Naquele dia dava-se início ao culto público e litúrgico de Nossa Senhora da Conceição

---

[3] Inventário de Antônio Raposo Leme, 1744, Cartório do 1º Ofício da Comarca de Guaratinguetá. Sua inventariante, Maria Nunes de Brito, declarava que o Padre Vilella ficou devendo ao Capitão Raposo certa quantia "pelo feitio da Capela de Nossa Senhora da Conceição Aparecida".

[4] ACMA — Livro da Instituição da Capela, 1750, Sentença de posse do patrimônio, fl. 13. Na cópia do mesmo, p. 14.

Aparecida, confirmando a vocação mariana de nosso cato-
-licismo. Nascia, então, um novo Santuário que seria o maior
e o mais importante da Igreja no Brasil. Desde então a Imagem
seria venerada em sua igreja no alto da colina que se tornaria
um lugar privilegiado de busca de Deus e de conversão pessoal.
Um marco e um reduto da religiosidade popular brasileira.

Depois de vistoriar a nova igreja e de certificar-se, conforme exigência das Constituições Primeiras, que a igreja estava
provida das alfaias necessárias para o culto, o então Vigário
da Vara, Padre Vilella, procedeu à sua bênção e inauguração.
Felizmente, conservou-se esta ata assinada pelo Padre Vilella,
que faz parte dos 'Autos e Bênção' da primeira igreja. Dada
sua importância tanto para o Santuário como para a cidade de
Aparecida, que têm nela seu atestado de nascimento, vamos
transcrevê-la no seu inteiro teor:

> *"José Alves Vilella,*
> *clérigo presbítero etc. etc.*
>
> *Certifico que a Capela de Nossa Senhora da Concei-
> ção Aparecida está situada em lugar decente, escolhido
> por mim, em virtude de uma Provisão de Ereção de Sua
> Excia. Revma., com dote de terras no mesmo lugar por
> doação de três escrituras, das quais tomei posse como
> aceitante da parte da mesma Senhora, o que de tudo consta
> dos traslados, que 'de verbo ad verbum' vão em livro para
> título da mesma Capela.*
>
> *Tem ornamento das quatro cores, e mais paramen-
> tos necessários, e vão por inventário no mesmo livro,
> e achando-a assim decentemente paramentada, a benzi
> aos vinte e seis de julho, dia da Senhora Santa Ana, deste
> presente ano de mil setecentos e quarenta e cinco, para
> nela se celebrar o santo Sacrifício da Missa, tudo na
> forma do Ritual Romano; e, com efeito, no mesmo dia se
> celebrou na dita Capela missa, para a benzer de manhã,*

*tudo em cumprimento do mesmo Ritual e Provisão retro de
S. Excia. Revma., e por verdade e a todo o tempo constar,
passei a presente.*

Capela da Conceição Aparecida, 26 de julho de 1745

ass. José Alves Vilella"[5]

Por esse ato do Padre Vilella, em virtude da Provisão emanada do Bispo do Rio de Janeiro, à cuja jurisdição pertencia a Capela, o culto público dedicado a Nossa Senhora da Conceição Aparecida foi aprovado oficialmente pela Igreja. Consta da mesma, que o povoado que nascia ao redor da igreja recebeu o nome de 'Capela da Conceição Aparecida', conservando esse nome nos documentos oficiais até o início do século vinte. É interessante anotar que até o ano de 1930, mais ou menos, o povo conhecia o Santuário e a cidade pelo nome de 'Capela da Aparecida' ou simplesmente 'Capela'. Especialmente em Minas costumava-se dizer: "Vou à Capela cumprir minhas promessas".

Uma igreja de taipa de pilão — Logo após a transcrição da narrativa do achado da Imagem, Pe. Dr. João de Morais descreveu, em 1757, a igreja do Morro dos Coqueiros, com detalhes, nestes termos:

"Está situada esta Capela uma légua, pouco menos da matriz, em lugar alto, aprazível e naturalmente alegre. É a igreja de taipa de pilão; tem o altar-mor com tribuna em que está a Imagem da Senhora, com dois altares colaterais, todos pintados e o teto da capela-mor; é toda forrada a igreja e por baixo assoalhada de madeira com campas; tem coro, dois púlpitos, sacristia com duas via-sacras, corredores assobradados e ambas as partes com casas por baixo; tem uma torre, sacristia

---

[5] Autos de Ereção e Bênção, op. cit., fl. 3, in ACMA.

pintada e ornamentos de todas as cores, os quais e os mais móveis constam do inventário"[6].

A igreja possuía três naves, uma central e duas laterais com tribunas superiores, sendo sua parte térrea construída à moda de corredor com pequenos compartimentos, chamados casas. No piso havia as tais 'campas', locais onde sepultavam-se os benfeitores da igreja ou outras pessoas gradas. De cada lado do arco cruzeiro, existiam dois altares: um dedicado à Senhora Santana, cuja imagem ainda hoje se conserva, e outro do Menino Jesus. O presbitério estava rodeado de salas, entre as quais a sacristia, a Sala dos Milagres e, no andar superior, o Consistório ou Sala de Reuniões para os membros da Mesa Administrativa e da Irmandade de Nossa Senhora Aparecida, fundada em 1750. De cada lado do presbitério, situavam-se as assim chamadas 'via-sacras', isto é, pequenas salas que davam passagem para a capela-mor, sacristia e para a rua, e nelas estavam geralmente localizadas as escadas que davam acesso ao andar superior.

O altar-mor tinha como fundo o 'retábulo', que era de madeira com entalhes dourados, fazendo parte dele o nicho da Imagem. Este retábulo foi substituído por outro mais artístico, conforme consta do 'provimento' da Visita Pastoral realizada no povoado, em 1768, pelo Visitador Diocesano Pe. Gaspar de Souza Leal[7].

Reformas e acréscimos — A partir de 1760, a igreja foi reformada e ampliada, sendo reconstruída a fachada, recebendo duas torres, novo altar e retábulo mais ajeitado e artístico. A taipa interna do presbitério foi substituída por alvenaria, ficando realmente muito formosa e bela, conforme se pode ver da aquarela de Thomas Ender de 1817[8].

---

[6] ACMA — I Livro do Tombo da Paróquia de Santo Antônio de Guaratinguetá, fl. 97v.

[7] Ibidem, fl. 12.

Entre 1824 e 1833, houve nova reforma. Foi nesse tempo que a administração adquiriu a pedreira no lugar chamado 'Cachoeira', perto de Guaratinguetá no caminho de Cunha. Em 1825, a Mesa mandou buscar na Corte os oficiais de cantaria Bento José Teixeira, José de Oliveira Maia e Joaquim Gonçalves[9]. Mas como não desempenhassem a contento a função, foram substituídos, em 1827, pelos canteiros vindos de Minas Gerais, Manuel José Gonçalves e Joaquim Gonçalves[10]. Além dos retoques, foi renovada a fachada e feitos os serviços de pedra no adro e, em 1834, o calçamento da Ladeira que passou a chamar-se Rua Calçada, hoje Monte Carmelo.

Esta igreja do Padre Vilella, mesmo depois dos melhoramentos executados, era pequena: sua nave central, conforme anotou Frei Joaquim do Monte Carmelo, em 1884, tinha apenas 32 palmos de largura por 72 de comprimento. Sobre ela, Monte Carmelo construiu a nave central da atual Basílica Velha.

18.2. O povoado e cidade de Aparecida

À sombra da Capela nasceu um novo povoado; 'Capela da Aparecida' era seu nome. O primeiro a chamá-lo com esse nome, e dele se utilizar, foi seu fundador Pe. José Alves Vilella, ao assinar a ata de sua fundação, a 26 de julho de 1745. Além do nome de Capela, o povoado ficou conhecido por Aparecida do Norte. O pintor austríaco Thomas Ender, que esteve no povoado, a 22 de dezembro de 1817, identificou a pintura que

---

[8] O inventário de 1805 descreve a igreja com capela-mor e altar-mor, dois laterais, todos com retábulos, o coro e duas torres, cf. Livro da Instituição da Capela, op. cit. fl. 34. A aquarela da vista da igreja e outras do povoado, pintadas por Thomas Ender, em 1817, se encontram no Museu de Arte de Viena. Existem cópias no ACMA.

[9] ACMA — I Livro de Atas da Mesa Protetória, fl. 24v., Ata de 15 de outubro de 1825.

[10] ACMA — I Livro de Atas da Mesa Protetória, fls. 11 a 31v.

fez da igreja e da praça com estes dizeres: "Anschit der Kierche zu 'Cappela de Nossa Senhora Aparecida' (= Vista da igreja na Capela de Nossa Senhora Aparecida, isto é, no povoado 'Capela de Nossa Senhora Aparecida').

Esse povoado foi predestinado a tornar-se a Cidade-Santuário de Aparecida, para onde convergiriam pessoas de todas as direções e condições.

Conforme costume da época e por exigência das Constituições Primeiras do Arcebispado da Bahia, de 1707, para se fundar um novo povoado era necessário a doação de certa porção de terras para a construção de uma igreja e do próprio povoado. A gleba era loteada para construção de moradias, cujas taxas anuais da ocupação dos lotes aforados se destinavam à manutenção do culto e de outros encargos da comunidade nascente. Assim nasceram todas as cidades brasileiras no século dezesseis, dezessete, dezoito e grande parte do século dezenove. Aparecida nasceu desta maneira e tem seu atestado de nascimento[11].

As primeiras moradias foram surgindo no Pátio da Capela e na rua da Ladeira (hoje Rua Monte Carmelo), desde o início da construção da igreja no Morro dos Coqueiros, em 1743. Já, em 1748, consta no Livro da Instituição da Capela que Miguel Martins de Araújo pagava aforamento de casa que tinha construído na Ladeira; em 1750, o Tesoureiro da Mesa Administrativa da Irmandade assinava contrato de aforamento com José Leal dos Anjos, que havia construído três casas na mesma rua da Ladeira[12].

Estes e outros contratos da época indicam que a vida do povoado se processava normalmente, desde sua inauguração a

---

[11] Cf. Ata da inauguração da primeira igreja e do povoado de Aparecida, nesta obra à p. 160.

[12] ACMA — *Livro da Instituição da Capela*, op. cit. fls. 8 e 16, na cópia p. 20 e 21. Infelizmente o referido livro está muito deteriorado e faltam as primeiras páginas com os primeiros aforamentos.

26 de julho de 1745. Em 1748, o povoado já possuía um bom número de moradores, tanto assim que foi incluído no roteiro das Santas Missões dos padres jesuítas.

Desde o início do povoado houve grande preocupação em ressaltar o caráter sagrado do povoado. A administração mantinha normas severas a respeito. Como seria bom para Aparecida se hoje as autoridades civis e militares tivessem o mesmo empenho e colaborassem com a Igreja... certamente não presenciaríamos certos abusos[13].

No contrato celebrado com José Leal dos Anjos, acima citado, por exemplo, aparecem estas exigências: "Não poderá vender ou alugar sem a permissão do Juiz nem as poderá alugar a mulheres escandalosas, e se o fizer, o Juiz as poderá botar fora"[14]. Outros contratos repetem as exigências quanto à conduta moral do locatário não permitindo jogatina e meretrício.

No contrato de Francisco José Pereira, consta que a ad-ministração se preocupava também com o "aumento e for-mosura desta capela (= povoado)", voltando a insistir no respeito: "Não poderá vender ou alugar, senão a pessoas de boa nota e com a aprovação do Revdo. Capelão, sem a qual ficará nula a venda ou locação; de não consentir à gente do lugar jogos, desordens nem habitar pessoas de mau proce-dimento"[15].

Entre os termos de aforamento de 1750 a 1805, os poucos que restaram da voracidade dos cupins, aparecem os dados

---

[13] Como é edificante o ambiente de respeito e piedade que se nota nos pátios e no recinto dos Santuários de Fátima e de Lourdes!

[14] Ibidem, op. cit., fl. 8, na cópia fl. 20v.

[15] Ibidem, fl. 8, na cópia fl. 23v. Como se vê, pelas condições deste contrato, a decência e a sacralidade do povoado-santuário estavam preservadas. Infelizmente depois que a administração passou da Irmandade para o governo civil de Guaratinguetá, não se cumpriram mais tais normas. A "formosura" do povoado foi totalmente descuidada, pois se permitiu que os lotes com frente de 12 metros fossem subdivididos sem critério algum, havendo hoje hotéis com até menos de 5 metros de frente.

estatísticos do crescimento do povoado. No Pátio da Capela, assim era chamada a praça ao redor da igreja, foram construídas diversas casas para acolher os peregrinos, ainda não eram pensões ou hotéis; estes surgiriam depois da metade do século dezenove; seis delas foram relacionadas no inventário de 1805.

Constam ainda alguns serviços prestados aos peregrinos, como hospedagem e alimentação. Um documento de 1802 menciona o "Pasto da Senhora", onde eram recolhidos os animais de montaria[16].

Desenvolvimento do povoado — Nos últimos 40 anos do século dezoito, a região obteve maior progresso com a implantação dos engenhos de cana-de-açúcar. As glebas do patrimônio da Capela: Aroeiras, Pitas, Mato Dentro e Ponte Alta, foram aforadas para plantio de algodão e cana. Os escravos negros começaram a ser introduzidos em maior escala[17]. Esta situação socioeconômica trouxe significativo desenvolvimento para o povoado: mais riqueza e consequente aumento populacional, predominando entre seus habitantes os pardos e negros.

Diversos escravos, doados por seus senhores a Nossa Senhora, passaram para o serviço do Santuário. O inventário de 1805 menciona o casal Boaventura e Isabel com seus filhos Benedito, Francisco e Manuel, Luís, carpinteiro de profissão, e João Mulato, este deixado em testamento a Nossa Senhora por Dona Ana Ribeiro de Escobar, da Vila de São Sebastião, do Litoral Paulista. Boaventura era organista da Capela[18].

Distrito — Pelo ano de 1827, o povoado passou à categoria de Distrito de Paz. Em 1833, ocupava o cargo de Juiz o Sr.

---

[16] Ibidem, fl. 18, na cópia fl. 23v.

[17] Hermann, Lucila — *Evolução da Estrutura Social de Guaratinguetá num Período de Trezentos Anos* in Revista Administrativa, 1948, Ano II, nº 5 e 6, p. 53 a 111

[18] ACMA — *Livro da Instituição da Capela*, Inventário de 1805.

Francisco de Assis e Oliveira Borges, que residia no povoado. Pintor de profissão, Francisco de Assis foi tesoureiro da Capela entre os anos de 1844 e 1849, possuía loja, e enriquecendo-se aqui, tornou-se mais tarde o célebre e rico Visconde de Guaratinguetá. Em 1836, o povoado possuía cinco quarteirões[19]. Em 1842, o núcleo do povoado contava com 66 casas com cerca de 350 habitantes. Naquele ano alguns deputados desejavam criar a freguesia no povoado, como primeiro passo para a emancipação política, pois o ser freguesia equivalia a ser município com eleições e demais serviços independentes. E conforme a Ata da Assembleia de São Paulo, a motivação para a declaração de freguesia foi seu crescimento e riqueza "pela concorrência de povo (*peregrinos*) que diariamente a ela acode, o que bastante a tem aumentado e tornado florente"[20].

Entretanto, os passos para a emancipação política do Distrito de Aparecida foram sempre barrados pelos políticos da Vila de Guaratinguetá, especialmente da família Rodrigues Alves. A autonomia religiosa só será realizada a 28 de novembro de 1893, e a política, a 17 de dezembro de 1928.

Patrimônio da Capela — Toda a área doada por três escrituras de 1744 foi aforada, passando para os enfiteutas o domínio útil dos lotes, permanecendo com a Capela apenas o direito de posse das referidas terras. Depois de 1837, quando uma lei proibiu os morgados e as fundações pias (é o caso dos patrimônios de igrejas) as igrejas e capelas não podiam mais conservar a posse de bens de raiz sem prévia autorização do governo. Os lotes, considerados 'bens-de-mão-morta', deviam ser aforados e o resultado convertido em apólices da dívida

---
[19] Dados apresentados pelo Relatório do Marechal Daniel Pedro Müller, em 1836.
[20] Anais da Assembleia da Província de São Paulo, Sessão de 28 de fevereiro de 1842, fls. 218 a 220.

pública no prazo de seis meses[21]. Assim todos os terrenos do patrimônio de 1744 e outros, doados ao Santuário durante o regime imperial, foram aforados. Até o ano de 1870, os livros de atas da Mesa ainda mencionam os aforamentos que eram cobrados, cessando depois, uma vez que ficava mais caro a cobrança do que o fruto da mesma. Assim os foreiros foram se tornando tacitamente proprietários de seus lotes e, após a República, cada qual registrou o seu. No final do século passado o Santuário já não detinha mais a posse da maioria dos terrenos, apenas de alguns imóveis.

A primeira escritura de doação de 1744 se refere ao sítio da Ponte Alta com o Morro dos Coqueiros ou colina, onde está assentado o centro com a Basílica Velha, e foi doada por Margarida Nunes Rangel, viúva de André Bernardes de Brito, passada a 6 de maio de 1744. A segunda escritura se refere ao terreno chamado Paragem das Pitas, junto do ribeirão do Sá, imediações da Santa Casa e do Colegião e Alto de São João até o Morro do Cruzeiro, doado por Lourenço de Sá com escritura passada a 28 de maio de 1744. A terceira escritura abrange os terrenos da região do Mato Dentro, hoje de Santa Rita, que foram doadas por Fabiana Fernandes Telles e seu esposo com escritura passada a 16 de novembro de 1744. De todos esses terrenos, tomou posse Padre Vilella, conforme os Autos de Posse constantes do Livro da Instituição da Capela, de 18 de julho de 1745[22]. Nos referidos Autos lemos: "Tomo posse das terras, que judicialmente me são dadas, e constam das escrituras de doação feitas a Nossa Senhora da Conceição Aparecida".

---

[21] Alves, Joaquim Augusto Ferreira — *Consolidação das Leis relativas ao Juízo da Provedoria*, ed. 1912, Cap. XLII, parágrafos 528 a 530, com suas respectivas notas.

[22] ACMA — *Livro da Instituição...*, op. cit., fl. 13, na cópia fl. 14. As escrituras das terras foram publicadas no jornal semanário de Guaratinguetá, 'O Parayba', no ano de 1869. Entretanto, os livros de registro de terras anteriores a 1837 não existem mais nos Cartórios da Comarca de Guaratinguetá. Por isso, muitos patrimônios das igrejas ficaram sem comprovação pública.

Além dessas escrituras, houve outra doação, em 1750, pelo casal de Guaratinguetá, Jerônimo Ornellas de Menezes e Lucrécia Leme Barbosa, constando da várzea e terra firme da fazenda Juca Nabo. O termo de doação foi assinado em 1751, na Vila de Campos do Viamão, termo da Vila de Laguna, no sul do país para onde tinham ido residir[23].

Santuário de Nossa Senhora de Altötting, Baviera, onde os redentoristas adquiriram a prática na pastoral dos romeiros

---

[23] A gleba doada pelo casal Ornellas de Menezes ficava situada a meio caminho entre Aparecida e Guaratinguetá; era a parte alta e a vargem que fez parte da fazenda Nabo Freire. Em 1860, aquelas terras estavam arrendadas a Francisco Nabo Freire.

19
A IRMANDADE DE NOSSA SENHORA APARECIDA

As irmandades eram a manifestação mais forte do catolicismo luso-brasileiro. Eram fundadas com a finalidade de levar seus membros a viver as virtudes cristãs na imitação de seu orago, promover a festa do padroeiro e outras, como a Semana Santa. As obras de misericórdia contavam-se entre suas finalidades. Era costume que as igrejas não paroquiais fossem construídas e administradas por uma irmandade que devia promover o culto, manter as tradições religiosas e zelar sobre seus bens de raiz.

O grupo de pessoas devotas que auxiliou o Padre Vilella na construção da primeira capela e, depois, da igreja, desejava fundar uma irmandade. Com a posse do novo Vigário da paróquia, Pe. José Gaspar de Souza Leal, em janeiro de 1746, foram lançadas as bases para sua fundação.

Em 1750, como consta de fragmentos do Livro da Instituição, a Irmandade de Nossa Senhora da Conceição Aparecida já estava formada, pois um documento da época menciona o cargo de Juiz ocupado por Antônio Galvão de França. Sua ereção canônica, porém, se deu somente a 28 de fevereiro de

1752, por provisão do Bispo de São Paulo, Dom Frei Antônio da Madre de Deus Galvão[1].

A Irmandade zelava dos bens e promovia o culto a Nossa Senhora Aparecida. O Compromisso ou Estatutos da mesma constam de 13 capítulos que foram aprovados por provisão do mesmo Dom Frei Antônio, a 25 de maio de 1756[2]. Vêm precedidos por uma breve exposição da finalidade que visava levar os membros à perfeição cristã mediante a devoção a Nossa Senhora Aparecida e a confiança no seu patrocínio. Além dos assuntos próprios para a boa direção e desempenho da Irmandade, temos que destacar os seguintes: A Mesa da Irmandade era composta por um juiz, escrivão, tesoureiro, procurador e o pároco como presidente. Celebrava-se a festa no dia 8 de dezembro, não podendo ser transferida, constando de missa cantada, sermão com procissão e às expensas dos membros da diretoria. Quem desejasse pertencer à Irmandade devia fazer um pedido oficial à Mesa que o submetia à aprovação dos Irmãos, quanto a seus bons costumes e conduta moral.

Os Estatutos previam a escolha de um homem para o cargo de ermitão da Capela, que devia ser de bons costumes e aprovado pelo pároco. O Cofre da Capela devia ter três chaves, ficando uma com o pároco, outra com o Juiz e a terceira com o tesoureiro. Da abertura do cofre faz-se ata constando dia, mês e ano, bem como a quantia retirada, o que se deve fazer quinzenalmente.

A Irmandade prosperou e zelou do culto e dos bens do Santuário. Leigos e sacerdotes importantes faziam parte da mesma, tanto de Guaratinguetá como de cidades distantes, e foram beneméritos na propagação da devoção à Senhora

---

[1] Cf. Compromisso da Irmandade de N. Senhora da Conceição Aparecida, fl. 4 in ACMA ou Cópia autenticada in APR.

[2] Ibidem, fls. 5 a 10.

Aparecida. Seus bens foram bem administrados pela Irmandade que promoveu a restauração e ampliação da Capela em 1760. Em 1803, houve a primeira intervenção do Governo na Irmandade e no Santuário, que culminou com sua supressão prática em 1809. A 3 de abril de 1809, na correição realizada na Capela por parte do governo, o Juiz Provedor Miguel Antônio de Azevedo Veiga baixou provimentos, abrindo e rubricando novos livros e criando a Mesa Protetória, que passou a gerir os bens da Capela e da Irmandade em nome do governo. Com isso a Igreja perdeu a gestão dos bens materiais do Santuário, sendo seus bens unidos aos da Fazenda Nacional.

Durante 56 anos, a Irmandade de Nossa Senhora da Conceição Aparecida procurou cumprir sua finalidade, zelando dos bens do Santuário e propagando a devoção. Nem sempre foi eficiente, especialmente nos últimos anos do século dezoito, quando muitos interesses entraram em conflito.

19.1. A Capelania

Não possuímos o documento de sua criação. É certo que não existiu antes de 1780, mas é provável que foi criada em 1790, pois um documento da época menciona pela primeira vez a figura do capelão. No termo de aforamento de lotes do povoado em favor de Manuel Alves Barbosa, Pe. Francisco das Chagas Lima assina em nome da Mesa da Irmandade como capelão[3]. O referido padre exerceu o cargo até o ano de 1800, quando foi transferido para pároco da Nova Aldeia de São João de Queluz — hoje cidade de Queluz, SP — fundada para abrigar os índios puris[4]. Seu sucessor na capelania do Santuário foi o Pe. Francisco Xavier de Gusmão, cujo nome aparece nos

---

[3] ACMA — Livro da Instituição da Capela, fl. 17v., na cópia fl. 23.

[4] Livro do Tombo de Queluz — Notícia sobre a fundação da Aldeia escrita pelo Pe. Francisco das Chagas Lima, a 12 de junho de 1802.

documentos desde 1800 até 1821. Em 1805, ele assina, juntamente com o Capitão-mor Jerônimo Francisco Guimarães o termo de responsabilidade do inventário dos bens da Capela.

Entre 1800 e 1821 havia dois e até três capelães no Santuário. Eram capelães efetivos os Padres Francisco Xavier Gusmão e Lourenço Marcondes de Sá. E como substitutos, constavam os nomes dos Padres Salvador Moreira da Costa, Manuel da Costa Pinto, Joaquim Gomes Duarte e Vitoriano José dos Santos Reis. No mesmo período havia ainda um sacerdote com o ofício de sacristão-mor na pessoa do Pe. José Marques da Conceição.

Em outubro de 1821, entretanto, o Juiz de fora Bernardo Pereira Vasconcellos, fazendo a correição na Capela, determinou que houvesse só um capelão, alegando que mais de um seria inútil e oneroso para a Capela. Os capelães substitutos não se conformaram e apelaram para a Mesa de Consciência e Ordens, que, em 1825, confirmou a decisão do Juiz Vasconcellos. Daí em diante ficou sendo atribuição da Mesa Protetória escolher o sacerdote para servir à Capelania. Esta decisão imposta pelo governo na pastoral do Santuário acarretou as piores consequências para os peregrinos, mas não impediu que diversos sacerdotes não provisionados residissem no povoado. Como havia muitos pedidos de missa, eles as celebravam e, para sobreviver, se dedicavam a outras funções seculares. Nem sempre davam exemplo de vida sacerdotal e, filiados a partidos políticos, desorientavam os peregrinos. A Capelania permaneceu em vigor até o dia 28 de novembro de 1893, quando foi criado o Curato independente, com todos os direitos paroquiais.

20

ADMINISTRAÇÃO DA CAPELA
— 1745 a 1890

Neste capítulo tratamos da administração financeira do Santuário desde sua inauguração, a 26 de julho de 1745, até o advento da República, em 1889. Entre 1745 e 1893, o Santuário permaneceu na condição de capela filial da Matriz de Santo Antônio de Guaratinguetá[1]. Até 1805, a Igreja, por intermédio do Pároco de Guaratinguetá e da Irmandade de N. Senhora da Conceição Aparecida, dirigia tanto a pastoral quanto as finanças do Santuário; de 1809 até 1890 somente a pastoral, pois o governo usurpou a direção e utilização do cofre e do patrimônio.

20.1. Administração eclesiástica, 1745 a 1805

Nesse período, a Igreja detinha em suas mãos tanto a administração espiritual ou pastoral, como a administração dos bens da Capela. A Irmandade, que estava subordinada ao pároco,

---
[1] Desde 1790, a capela tornou-se curada, isto é: tinha capelão próprio.

administrava os bens temporais e providenciava a celebração da festa anual. O bispo diocesano, por si ou por seus Visitadores, orientava, nesse período, a pastoral, conforme veremos mais adiante no capítulo 26.1, e também supervisionava a administração dos bens e, quando oportuno, ditava normas, como vimos atrás no capítulo 18.1.

20.2. Administração secular, 1805 a 1890

Na Europa, desde o século dezoito, o espírito liberal-maçônico e a aplicação da doutrina regalista predominavam nos regimes dos governos católicos da Áustria, Nápoles, Espanha e Portugal. Aí, a partir de 1800, houve intervenção no governo pastoral daquelas igrejas, acontecendo o mesmo na igreja do Brasil. O Santuário de Aparecida passou para o domínio do poder secular em consequência de uma resolução tomada por Dom João VI, rei de Portugal, em 1800, que seguia o exemplo daqueles países.

Em 1803, saíram as primeiras normas a respeito; em 1805, os bens do Santuário, e particularmente as rendas do cofre, passaram a pertencer à Fazenda Nacional. Isto consta claramente de uma consulta do ano de 1822, quando o governo da Província de São Paulo manifestou dúvidas a respeito de sua competência sobre eles e o Juiz de fora Dr. Bernardo Pereira de Vasconcellos as dirimiu. Esse Juiz afirmava taxativamente, em carta de 26 de janeiro daquele ano, que o governo provincial tinha plena jurisdição sobre os bens da Capela. "É meu dever, escrevia, não só zelar dos réditos daquele cofre, como nacional, mas também arredar todo o abuso por que pudesse diminuir. Os provimentos das Capelas do Reino do Brasil são de jurisdição secular"[2].

---

[2] Departamento do Arquivo do Estado de São Paulo — *Carta do Juiz Bernardo Pereira de Vasconcellos ao Governo Provisório de São Paulo, de 26 de janeiro de 1822.* Cópia in Coletânea, op. cit., p. 253

Com esta resolução do referido juiz ficou claro que os bens, e especialmente o cofre do Santuário de Aparecida, não pertenciam mais à Igreja e sim ao governo central 'como bem nacional'. O Juiz dirimiu todas as dúvidas com essa resolução, mas ela não teve força de coibir os abusos, e muito graves, que a administração secular acarretou à pastoral do Santuário entre 1805 a 1890. Além da intromissão indébita no terreno da jurisdição puramente eclesiástica, o governo se arvorou em juiz para decidir sobre as necessidades pastorais do Santuário anulando a nomeação de mais capelães quando estes se faziam necessários. Em outubro de 1821, o mesmo Juiz Vasconcellos, fazendo a correição na Capela, determinou que houvesse só um capelão, alegando que mais de um seria inútil e oneroso para a Capela. Os capelães auxiliares apelaram para a Mesa de Consciência e Ordens, que, em 1825, confirmou a decisão do Juiz Vasconcellos, dando esta razão: "É desnecessário esse capelão substituto à Capela de Aparecida; a despesa que se vai fazer é inútil"[3].

Entre 1805 e 1809 houve até algumas determinações ditadas diretamente pelo rei Dom João VI, e, a seguir, muitas outras do próprio Imperador Dom Pedro I. O Capelão e a Irmandade perderam o direito de administrar as finanças do Santuário. Ao contrário do que aconteceu com outras tantas capelas e irmandades do país[4], a de Aparecida foi supressa.

Outra consulta a respeito dos bens do Santuário confirma o acima exposto. Como, em 1838, o governo da Província de São Paulo desejasse saber qual era a situação jurídica da Ca-

---

[3] ACMA — *Apanhado das respostas da Mesa e Consciência e Ordens referentes à administração da Capela entre 1821 e 1828*. Cópias das mesmas in Coletânea de Documentos e Crônicas da Capela, I Volume.

[4] As Irmandades mais ricas causaram problemas para a hierarquia no regime de separação entre Estado e Igreja. Como aconteceu, por exemplo, com a do Senhor do Bonfim, de São Salvador na Bahia, que tratava os redentoristas como simples funcionários, ou melhor, como coroinhas e sacristães, que nada podiam decidir a respeito do uso da igreja para a pastoral em plena década de 1930. E como acontece ainda hoje na Basílica da Conceição da Praia, de Salvador, BA, conforme experiência que tive na primeira semana de dezembro de 1996.

pela de Aparecida quanto a seus bens, o inspetor e contador da Província Vicente José da Costa Cabral dava ao Presidente da Província, Dr. Venâncio José Lisboa, a 26 de fevereiro daquele ano, esta informação: "A Capela foi fundada e governada pelo poder eclesiástico até o ano de 1805, e depois passou a ser administrada pelo poder secular, em virtude de uma Resolução do Rei e Senhor D. João VI, de 19 de outubro de 1800, tomada em consulta da Mesa de Consciência e Ordens a 26 de novembro do mesmo ano"[5].

A intervenção efetiva na administração dos bens do Santuário começou a 21 de abril de 1803, quando o Juiz Ouvidor e Corregedor Geral da Comarca, Dr. Joaquim José de Almeida, exigiu por um ofício que a Mesa da Irmandade nomeasse o Capitão-mor da Vila de Guaratinguetá, Jerônimo Francisco Guimarães, como tesoureiro do Cofre patrimonial da Capela e da Irmandade. A Mesa homologou seu nome e o capitão-mor passou a ter o título de 'Protetor da Capela' e administrador de seus bens[6].

Outro passo para a incorporação dos bens da Capela à Fazenda Nacional foi o inventário realizado pelo Ministro Provedor, Joaquim Procópio Picão Salgado, em Correição Geral no mês de setembro de 1805[7]. A correição aconteceu na Capela nos dias 22 e 23 de setembro e foram declarantes o Protetor da Capela, Capitão-mor Jerônimo Francisco Guimarães, e o capelão Pe. Francisco Xavier Gusmão. Todos os bens móveis e imóveis foram catalogados: terras, casas, vasos sagrados,

---

[5] Departamento do Arquivo do Estado de São Paulo, Tesouro, Caixa 10, parte 1ª, documento 30 — *Informação sobre a administração da Capela em carta do Contador e Inspetor Vicente José da Costa Cabral ao Presidente Dr. Venâncio José Lisboa, a 8 de fevereiro de 1839.* Cópia do texto in Coletânea, op. cit., p. 251.

[6] ACMA — Livro de Atas da Irmandade de Nossa Senhora da Conceição Aparecida, fl. 17v. O título de "protetor" pertencia àquelas pessoas que fundavam capelas ou ermidas e as sustentavam com seus bens.

[7] ACMA — Livro da Instituição da Capela, op. cit., *Auto do inventário de 1805*, fls. 22 a 39. Na cópia do mesmo fls. 27 a 40.

imagens, alfaias, escravos, créditos e obrigações. E ficaram sujeitos à administração da autoridade civil de Guaratinguetá. Os Autos do inventário têm, entretanto, grande valor histórico porque nele consta de que material fora feita a Imagem achada na pesca milagrosa de 1717 e que se encontrava no Santuário para veneração dos fiéis. Na ocasião, o ministro Procópio rubricou novamente os livros já rubricados pelas autoridades eclesiásticas[8].

Entre 1809 e 1890, o Santuário foi administrado por duas Mesas: a Protetória, criada pelo Governo Central, e a Mesa Administrativa, criada pelo governo da Província de São Paulo.

20.2.1. Mesa Protetória, 1809 a 1844

A Mesa Protetória foi instalada pelo Ministro Corregedor, Miguel Antônio de Azevedo Veiga, a 3 de abril de 1809. Com essa medida tomada pelo Ministro Azevedo Veiga, a administração da Capela foi montada conforme as normas da administração pública. Pelo 'provimento' lançado no Livro de Receita e Despesa foi organizada a administração dos donativos do cofre e do patrimônio. Na ocasião ele abriu e rubricou os seguintes livros: Atas das Sessões da Mesa, Recibos de pagamentos efetuados pela administração, Saídas do Cofre (*Livro onde se anotavam as somas das retiradas quinzenais do cofre*). Para o lançamento das Receitas e Despesas continuou sendo usado o mesmo livro aberto em 1805[9].

---

[8] Por falta de carimbos é que ninguém pode duvidar da autenticidade dos livros históricos deste Santuário, pois eles contêm as rubricas das autoridades religiosa e civil.

[9] Cf. Relação dos referidos livros ainda existentes no ACMA.

A Mesa era composta por três membros, a saber: Protetor ou tesoureiro, escrivão e procurador. Não consta quem os indicava, apenas sabemos que o Protetor foi nomeado diretamente pelo governo central do Rio de Janeiro e o escrivão e o procurador eram os mesmos eleitos pela Irmandade; esta fornecia ainda elementos para outros ofícios, como: Ermitão, Recebedor de esmolas. Não havia limite de tempo para o exercício do cargo de Protetor. O primeiro foi o Capitão-mor de Guaratinguetá Jerônimo Francisco Guimarães.

O período de vigência da Mesa Protetora foi muito conturbado, especialmente a partir de 1821. Os provimentos dos Ministros Provedores eram modificados a cada correição anual. As mazelas administrativas de uma gestão nem chegavam a ser corrigidas e os provimentos já apontavam outras a corrigir. O Tribunal da Mesa de Consciência e Ordens se ocupou diversas vezes com assuntos da administração da Capela, atritos entre a esfera civil e eclesiástica, conflitos entre ordens do Imperador e interpretação do Ministro Provedor e oposição da Mesa e provimentos de outros Ministros[10]. O próprio Imperador Dom Pedro I assinou provisões e avisos para dirimir algumas questões administrativas, tais como: nomeação de capelão e eleição dos membros da Mesa. Em 1824, o Imperador exigiu, por uma provisão, que o protetor e tesoureiro Jerônimo, depois de 23 anos, fosse afastado do cargo e que fosse nomeada outra Mesa. Mas, para que ele deixasse o cargo de tesoureiro-protetor foram necessárias duas Provisões emanadas diretamente do Imperador: a primeira de 10 de janeiro de 1824, que exigia sua saída e a renovação da Mesa, e a segunda, de 17 de julho, anulando a reeleição dele não para protetor-tesoureiro, mas para o cargo de recebedor de esmolas. Embora o Capitão-mor

---

[10] Cf. Essas questões nas respostas registradas pelo Padre Vasconcellos anexadas aos Autos de Aprovação dos Compromissos da Irmandade in ACMA, Cópia no APR.

de Guaratinguetá fosse a autoridade civil máxima da Vila, residia, desde 1803, num grande e belo sobrado[11], situado logo atrás do Santuário[12]. Depois que ele abandonou o cargo, em 1826, a Mesa Protetória comprou o sobrado para o Santuário pela quantia de 1:400$000Rs, dos quais foram descontados 1:090$300Rs que ainda devia à caixa da Capela do seu tempo de tesoureiro da mesma[13].

Entretanto, foi a partir de 1821 que começaram as lutas de bastidores na administração e não cessaram mais, manifestando-se ora com mais ou menos intensidade. Desde 1805, o saldo do Cofre foi empregado em obras públicas pelo governo central. O próprio Rei Dom João VI, como atesta o inspetor-contador Costa Cabral, a 26 de fevereiro de 1839, "mandou recolher por duas vezes o dinheiro da Capela para socorrer às necessidades do Estado"[14].

20.2.2. Mesa Administrativa, 1844 a 1890

Durante a vigência da Mesa Protetória, a administração da Capela esteve desligada da Igreja e totalmente entregue a funcionários públicos, embora muitos deles fossem sacerdotes, que agiam como cidadãos e não como representantes da Igreja.

---

[11] Spix e Martius, *Viagem Pelo Brasil*, I volume, Edições Melhoramentos, 2ª edição, p. 130. Von Martius se refere ao capitão-mor que residia no povoado.

[12] O prédio existiu até 1900, sendo depois demolido. Em seu lugar, por concessão de Dom José Gaspar de Afonseca e Silva, a prefeitura construiu, em 1940, a caixa-d'água da cidade.

[13] I Livro de Recibos da Capela, 1810 a 1828, fls. 63. Pelo que se depreende do teor do recibo passado, a nova Administração adquiriu o sobrado como meio de repor ao cofre a quantia que ele retinha consigo desde o tempo em que era tesoureiro.

[14] Arquivo do Estado de S. Paulo — Tesouro, Caixa 10, parte 1, doc. 30: *Carta do Inspetor-Contador Vicente José da Costa Cabral*. Cópia in Coletânea, op. cit. p. 251.

A autoridade da paróquia ou da diocese não tinha a mínima participação. A situação melhorou, ao menos legalmente, com a criação da 'Mesa Administrativa dos bens e esmolas de Nossa Senhora d'Apparecida', em 1844[15]. O decreto-lei entrou em discussão na Assembleia Provincial de São Paulo em março daquele ano, que, sendo aprovado, foi sancionado pelo Presidente Manuel Felizardo de Souza e Mello, a 30 do mesmo mês e ano. Por essa lei, o quadro administrativo, que era confuso no período anterior, ficou bem definido. Não sobrou vestígio algum da antiga Irmandade; os cargos de recebedor de esmolas, de procurador e de ermitão foram extintos. A Capela passou a ser administrada como qualquer outro departamento do governo provincial (*estadual*), e sujeito à política partidária. Mas houve uma novidade: o pároco passou a fazer parte da Mesa como membro nato.

A Mesa era composta de três membros: tesoureiro, escrivão e o pároco. Como funcionários efetivos existiam os cargos de capelão, sacristão, organista, chaveiro das casas dos romeiros, todos nomeados pela Mesa e com salário mensal. Mais tarde, com a instalação do serviço de água e ilu-minação, às expensas do Cofre, respectivamente em 1877 e 1881, foi criado o cargo de zelador das águas e da iluminação. A Mesa nomeava também o recebedor dos aforamentos e aluguéis das casas com salário de 10% sobre a arrecadação. O salário do tesoureiro e escrivão da Mesa Administrativa conjuntamente foi determinado pela lei de 1844 em 5% de todas as entradas da Capela. O pároco, como membro nato, dizia expressamente a lei, nada receberia. Em 1888, a percentagem devida ao tesoureiro e escrivão passou para 8%;

---

[15] Coleção de Leis de São Paulo in Departamento do Arquivo do Estado de São Paulo. Lei provincial nº 43, de 30 de março de 1844. Fotocópia in Coletânea de Documentos e Crônicas da Capela de N. Senhora Aparecida, 1717-1917, Edição particular, Aparecida, 1978.

e nos primeiros meses da República, antes da administração ser devolvida à diocese, o tesoureiro passou e receber, sozinho, 8%.

A principal inovação dessa lei foi a admissão do pároco como membro nato da Mesa; não deixando de ser, sem dúvida, um ensaio para dar participação à Igreja nas decisões atinentes à administração do Santuário. Dizemos ensaio, porque na realidade, quando interesses escusos entravam em jogo, o voto do pároco era sempre 'voto vencido', isto é, um contra dois. Frequentemente, a partir de 1850, o pároco assinava seu nome acrescentando os dizeres 'voto vencido'[16]. Outra inovação foi o modo da escolha do capelão. A Mesa devia propor um sacerdote idôneo para ocupar o cargo, e ao bispo competia aprová-lo. A não observância desta disposição da lei por parte da Mesa foi causa de sérias divergências com o bispo reformador Dom Antônio Joaquim de Mello, primeiro bispo brasileiro a ocupar a diocese de São Paulo. A lei só admitia um capelão.

A escolha do tesoureiro e do escrivão era de competência do Juiz Municipal e Provedor de Capelas de Guaratinguetá, que podia "conservá-los ou demiti-los quando julgasse conveniente a bem da Capela". Embora justa e boa, essa disposição foi o ponto mais vulnerável da lei, porque os Juízes se deixavam levar por interesses políticos partidários ou pessoais. A nova lei foi aplicada no Santuário no mês de maio de 1844 e, no dia 30 do mesmo mês, já se reunia a nova Mesa.

Mazelas da Mesa Administrativa — A gestão da primeira Mesa foi curta, apenas dois meses, pois, em julho daquele mesmo ano, o Juiz Municipal nomeava novos membros para substituí-los. Por esta amostra, e por muitas outras que se lhe seguiram, percebe-se como eram arbitrárias as nomeações e

---

[16] Tratava-se de párocos mais afinados com a autoridade diocesana, e não regalistas, que não concordavam com os desmandos da Mesa e por isso declaravam seu voto com esta observação: voto vencido.

como a política partidária influenciava na administração. A maioria das Mesas administrou o Santuário por um ou dois anos; poucas por três anos. Sete delas por alguns meses e duas por um mês. Num período de 40 anos — 1844 a 1884 — quando a Assembleia Provincial teve de intervir nomeando diretamente o tesoureiro por causa de incompetência e corrupção do tesoureiro Bento Barbosa Ortiz, passaram pela administração nada menos do que 25 tesoureiros. Isto se explica, afirma o Cônego Dr. Joaquim do Monte Carmelo, "pelo oportunismo carreirista dos Juízes Municipais, que sacrificavam os interesses da Capela em seu proveito ou em proveito de seu partido político. Por esta lei, continua Monte Carmelo, o Juiz Provedor de Capelas de Guaratinguetá torna-se o árbitro de Aparecida. Sem que ninguém lhe possa tomar contas, nomeia ele ou demite o tesoureiro e o escrivão quando bem lhe parece"[17]. Nem se pode imaginar o que acontecia na administração e estarrecedor é o que Monte Carmelo descreve no seu Memorial. "Um certo político influente de Guaratinguetá se achegou do Juiz e lhe disse: 'tenho um devedor de três contos e tantos, sem meio algum de m'os pagar; se o senhor não o fizer tesoureiro da Capela, mudarei incontinenti de partido"[18].

Honrosa exceção para Monte Carmelo foi o Juiz Dr. José de Barros Franco, que, em 1878, procurou disciplinar a administração e continuar a construção do novo templo, iniciada em 1844 e paralisada desde 1864[19]. Para moralizar

---

[17] ACMA — *Memorial do Cônego Monte Carmelo*. Fotocópia in Coletânea de Documentos e Crônicas da Capela de N. Senhora Aparecida, I vol. in APR.

[18] Cf. *Memorial de Monte Carmelo* in Coletânea, p. 269. Estranho: como tesoureiro poderia saldar sua dívida não tanto pelo seu salário, mas pela gestão corrupta.

[19] Cf. *Memorial*, op. cit. in Coletânea, p. 274. "Nos cofres de Aparecida caem anualmente cerca de 40:000$000 (40 contos de réis) e desde que se fizeram as torres (1850) até que o Dr. Barros Franco autorizasse as obras da continuação (1878), tem a Capela por único patrimônio acumulado, em todo esse tempo, duas apólices de um conto de réis."

as finanças e continuar a construção, Barros Franco nomeou o tenente Inácio de Loiola Freire, que introduziu o costume de abrir o cofre perante testemunhas. Mas a política partidária conseguiu destituí-lo após um ano e pouco de administração correta, seguindo-se depois a baderna administrativa anterior, culminando com a deposição, pela Assembleia Provincial de São Paulo, do tesoureiro Bento Barbosa Ortiz, em 1884. Naquele ano, a situação administrativa tornou-se insustentável, pois estava repercutindo mal na Imprensa e na Assembleia Provincial, onde novos deputados e senadores estavam agindo com mentalidade mais correta. Naquele ano, o senador Dr. José Vicente de Azevedo, católico convicto e ativo, apresentou na Assembleia um decreto-lei para sanear a administração e dar uma aplicação mais condigna às esmolas e donativos dos peregrinos. Dizia no seu discurso de apresentação do projeto de lei: "Ao coração católico punge profundamente contemplar os fatos escandalosos que ali se dão continuamente"[20]. Por seu empenho, a Assembleia interveio na administração do Santuário, nomeando como tesoureiro o Tte. Cel. Manuel Domiciano Ferreira da Encarnação, fazendeiro radicado no distrito de Embu, município de Lorena. Este tomou posse em outubro de 1885, mas deixou o cargo, depois de uma administração eficiente e correta, a 15 de novembro de 1889, pois era monarquista convicto.

No curto período de 15 de novembro de 1889 a 15 de janeiro de 1890, dois oportunistas republicanos, Pe. Antônio Luís Reis de França e o Sr. Francisco Augusto dos Santos Velho, assumiram o cargo de tesoureiro. Nenhum destes dois se recomendava, e o pior deles foi o Padre Antônio, que chegou a retirar duas vezes a quantia correspondente a seu salário de oito por cento das entradas, como consta do Livro de Receita e Despesa, e que o Juiz exigiu que devolvesse.

---

[20] Cf. *Discurso do senador Dr. José Vicente de Azevedo na Assembleia Provincial de São Paulo, 1884*, in Coletânea, p. 277. Cf. ainda, à p. 279, cópia xerox do texto do Projeto nº 268, de sua autoria.

Apesar das boas rendas, a igreja não podia utilizá-las nem para o bem do Santuário nem para o bem da pastoral da diocese; à semelhança dos dinheiros da receita pública de nosso país, eram esbanjados ou desviados para proveito próprio dos administradores e de políticos de Guaratinguetá. O mal só foi sanado quando, a 7 de janeiro de 1890, foi publicado o Decreto 119A, do Governo Provisório, que separou a Igreja do Estado, pondo fim ao regime do Padroado.

Pelos documentos que possuímos, e diante da repercussão negativa da ingerência do Estado na vida religiosa do Santuário de Aparecida, concluímos mais uma vez que a penetração da devoção no meio do povo se fundamentava no seu sentimento religioso e, sobretudo, na alegre e esperançosa mensagem de salvação em Cristo, depositada no patrocínio de Maria, a Mãe de Deus. A influência do Santuário de Aparecida não se explicaria de outro modo.

21
O SANTUÁRIO MANTÉM SERVIÇOS PÚBLICOS NO POVOADO

Os donativos ofertados a Deus no culto ou para o culto lhe pertencem, isto é, são, como se diz, bens sagrados. Assim neste Santuário temos hoje ofertas espontâneas dos peregrinos. Utilizá-las e administrá-las pertence à autoridade religiosa. Em Portugal, por concessão dos papas, durante o regime do Padroado, os dízimos eram cobrados e administrados pelo poder civil e deveriam ser aplicados em favor das dioceses e paróquias. A partir de 1805, o governo se apropriou também das rendas deste Santuário e, até janeiro de 1890, administrava-os, dispondo do saldo para fazer ou manter obras públicas. Vimos que até o rei Dom João VI, quando refugiou-se, em 1808, no Rio de Janeiro, por causa da invasão de Portugal por Napoleão, utilizou-se de verba do cofre de Aparecida para manutenção da família real.

Plantado no patrimônio do Santuário, o povoado de Aparecida recebeu todas as suas benfeitorias e serviços públicos do cofre do Santuário. O que seria, antes de tudo, um dever do Estado, passou a ser um encargo da Capela. Iniciamos pelo ensino.

Ensino — A Capela mantinha curso de alfabetização para filhos de escravos que estavam a serviço da mesma. Em 1810, estão anotados no Livro de Recibos da Capela os salários pagos ao professor Francisco de Paula Ferreira, para ensinar os escravos Francisco e Benedito a ler e escrever[1]. As aulas eram dadas numa sala do prédio da igreja.

A primeira escola pública de Aparecida foi criada somente em 1854, pela lei nº 484, de 3 de maio daquele ano[2]. Anos depois, a dotação daquela escola foi transferida para a cidade de Itapetininga e o Santuário continuou a subvencionar sua escola. A atual sacristia da Basílica Velha, conforme projeto de Monte Carmelo, de 1878, estava destinada para servir de sala de aula do povoado.

Vias públicas — As vias públicas também foram abertas pela administração: o 'caminho da ladeira' ou Ladeira foi aberto pelo ano de 1741, quando Padre Vilella iniciou a construção da primitiva igreja; foi a primeira rua do povoado. Em 1825, a Mesa Administrativa resolveu calçá-la com pedras. O trabalho foi entregue ao empreiteiro João Martins de Oliveira, que o concluiu em dezembro de 1837[3]. O 'Caminho da Ladeira' passou então a chamar-se Rua Calçada ou Rua da Calçada, nome que conservou até 1892, quando foi alterado para Avenida Monte Carmelo em homenagem ao construtor da igreja, frei Joaquim do Monte Carmelo.

Naquela época já eram muitas as casas existentes no Pátio da Capela e na Ladeira, sendo, pois, necessário cuidar da única

---

[1] ACMA — I Livro de Recibos da Capela, 1810 a 1828, fl. 11.

[2] Departamento do Arquivo do Estado de São Paulo — Coleção de leis do Estado de São Paulo, 1854.

[3] ACMA — II Livro de Recibos, fl. 27.

via de acesso ao Santuário. O calçamento da rua e as obras de pedra da fachada da igreja propiciaram a abertura de um caminho a sudeste da colina — atrás da igreja — para possibilitar o transporte das pedras que eram carreadas da Pedreira Cachoeira, situada na estrada de Cunha. Aquele caminho são hoje as ruas Prof. Borges Ribeiro e Travessa 17 de Dezembro. Abriram-se ainda depois, atrás da igreja, a Rua do Cemitério, hoje Martiniano de Oliveira, que recebeu esse nome em homenagem ao ilustre cidadão de Guaratinguetá e primeiro tesoureiro da administração eclesiástica de 1890[4], e a atual rua São Carlos, por ali situar-se o Colégio do mesmo nome.

Em 1852, a administração abriu uma nova rua que ficou conhecida com o nome de Rua Nova, passando a chamar-se nas primeiras décadas deste século: rua Dr. Oliveira Braga. Foi feito um pedido acompanhado da motivação para a abertura da nova rua ao Juiz Municipal e Provedor de Capela, Dr. Antônio Pinto da Silva Vale, e que consta da ata da Mesa Administrativa da Capela, do dia 5 de maio daquele ano de 1852. Seu teor é este:

"Deliberou-se, mais nesta Mesa, que se abrisse uma rua nova nesta Capela (*povoado*), principiando do beco das casas do Sobrado (*atual travessa 17 de dezembro*) e depois em linha reta, a sair-se na estrada real, porque oferece grande vantagem não só para formosear a dita Capela, como também pela utilidade pública, e grande interesse que a mesma oferece com novos arrendamentos a pessoas que pedirem termo para levantar edifícios"[5].

Cemitério — Em 1843, a Câmara de Guaratinguetá mandou que se construísse um cemitério para o povoado às expensas do cofre. Para tal fim a Mesa adquiriu os direitos dos foreiros de um terreno localizado atrás da igreja, onde se

---

[4] Em junho deste ano de 1996, a Câmara Municipal alterou o nome para Rua Osvaldo Elache, que tinha uma farmácia naquela rua.

[5] ACMA — I L. de Atas da Mesa Protetória, 1809-1857, fl. 93v.

encontra hoje o Colégio de São Carlos, residência das Irmãs Carlistas desde 1921. Em 1852, o cemitério estava pronto, sendo o primeiro sepultamento realizado a 27 de setembro do mesmo ano[6]. Antes desta data, conforme costume generalizado, os sepultamentos eram realizados dentro do recinto das igrejas e nos seus adros.

Água encanada — O primeiro serviço de água foi providenciado pelos escravos que a conduziam do ribeirão dos Morais, desde 1743, tanto para a construção da igreja como para seus primeiros habitantes. Entretanto, o serviço de água encanada foi iniciado pelo tesoureiro e padre/deputado Antônio Luís Reis França, que encaminhou o pedido à Assembleia Provincial para instalá-lo em fevereiro de 1862. Foram empregados 20 contos de réis do cofre para compra dos canos e do chafariz[7]. A firma do Rio de Janeiro, Fundição Central Alegria & Cia., forneceu o material e realizou o serviço sob as ordens do engenheiro francês Charles Romien, sendo inaugurado em 1877[8].

A respeito dos serviços públicos, afirma Monte Carmelo: "O tesoureiro, (*Pe. Luís*) Reis França, que era também político, elegendo-se diversas vezes para deputado, fez, às custas do cofre, benfeitorias nas estradas e caminhos para beneficiar seus eleitores. E ainda: Muita gente 'bem' de Guaratinguetá se utilizava gratuitamente das pedras lavradas e carreadas às custas do Santuário para alicerçar e embelezar suas casas na cidade".

Iluminação pública — Em agosto de 1882, foram colocados no Pátio da Capela sete lampiões de ferro para iluminação

---

[6] Ibidem — XVI Livro de Óbitos da Paróquia de Guaratinguetá, fl. 169v.

[7] Ibidem, III Livro de Atas da Mesa, 1853-1883, fls. 71, 76, 114, 172 e 184.

[8] O chafariz, depois de servir de pedestal para a estátua de Santo Afonso colocada no pátio do convento velho em 1932, foi transferido para o pátio interno da Casa da Pedrinha, em 1995.

pública a gás. Para as consequentes despesas, o Juiz Municipal autorizou a venda de 4 coroas de ouro da Imagem, sendo uma cravejada de brilhantes, outras de prata e mais outros objetos preciosos, entre os quais 4 pequenos castiçais de prata.

Financiamentos do Cofre — Entre os financiamentos nobres que a Capela fez, destacamos estes: doação de 30 contos de réis para a construção da Santa Casa de Misericórdia de Guaratinguetá, entre os anos de 1872 e 1876; ajuda à Irmandade do Senhor dos Passos, que construía o cemitério da mesma cidade, em março de 1841; a quantia de 6 contos de réis para a reforma da igreja matriz de Guaratinguetá e, em 1849, mais 6 contos para a conclusão das obras da catedral de São Paulo. Esta última ajuda foi concedida pela Mesa, a pedido do Presidente da Província, Pires da Motta, contra o voto do Pároco Antônio Martiniano de Oliveira.

Entretanto, o povoado mesmo ficou sem o benefício de um hospital, só conseguindo-o, também com a ajuda do Santuário, em 1935, quando o Reitor e Vigário Pe. Oscar Chagas de Azeredo, lançou a campanha para a construção da atual Santa Casa. Vinha de longa data a aspiração de se construir um hospital no Santuário para recolher leprosos. Quando, em 1841, foi discutido, na Assembleia Provincial de São Paulo, o projeto da criação da Mesa Administrativa, o Deputado Vergueiro havia proposto que com o saldo do cofre se construísse um hospital de caridade no povoado. Nas décadas seguintes, o assunto voltou para a tribuna da Assembleia, que se dividia entre a criação de um hospital, um instituto de educação para meninos e, parece, a construção de um templo maior e mais suntuoso. Quem levou a melhor foi Guaratinguetá, ficando o povoado de Aparecida sem hospital e instituto para menores.

A propósito da construção de uma igreja maior escrevia o jornalista Augusto Emílio Zaluar, em 1861, no seu Diário: "Respeitando o que há de religioso na intenção dessa ideia, não seria mais útil e até agradável à benfeitoria dos aflitos que, em vez de uma igreja, se construísse um hospital com a invocação da mesma Virgem, consagrado a recolher a grande quantidade de morféticos que infestam as estradas e os caminhos de quase todo o norte da Província (*geograficamente é o sudeste da Província*), oferecendo aos olhos do povo viandante o mais triste e lastimoso de todos os espetáculos? A criação de um hospital de lázaros seria, pois, a nosso ver, uma das obras mais meritórias à piedade divina"[9].

Casas de hospedagem — No povoado, existiam casas para os romeiros que faziam as vezes de pensões e hotéis, e constam do inventário de 1805, quando seis delas foram arroladas pelo Ministro Provedor Procópio. Outras foram adquiridas ou construídas posteriormente.

Em 1826, a Mesa comprou do antigo tesoureiro Jerônimo Fr. Guimarães o sobrado de sua residência para neles serem hospedados, no dizer da ata, "peregrinos de maior categoria". Depois de 1837, como vimos no capítulo 18, pela lei de amortização, era proibido às corporações de mão-morta, no caso, à Capela de Aparecida, adquirir ou conservar bens de raiz sem prévia autorização do governo. Embora outras igrejas, irmandades e santuários continuassem com seus bens sem contestação alguma por parte das autoridades do governo, o cumprimento da lei foi exigido da Capela de Aparecida. Por isso, a Mesa enviou, a 13 de julho de 1858, um ofício à Assembleia provincial pedindo dispensa da lei de amortização de alguns imóveis, argumentando que o Santuário possuía "de

---

[9] Zaluar, Augusto Emílio, Peregrinação pela Província de São Paulo, 1960-1861, Livraria Martins, São Paulo.

tempo mui remotos, além dos lotes aforados, algumas casas contíguas à igreja destinadas à aposentadoria (*hospedagem*) dos fiéis, que, em romarias, concorrem ao lugar, a cumprir seus votos, e oferecer suas oblações". A Mesa Administrativa julgava justa a conservação desses prédios em razão das esmolas deixadas por eles e porque "em todos os países católicos e em todas as Províncias do Império os fiéis encontram acomodações suficientes pertencentes ao Orago, que delas se servem". E dá como exemplo o Santuário de Congonhas do Campo, MG, "onde os romeiros encontram casas pertencentes ao mesmo Senhor Bom Jesus, em que se abrigam"[10]. E parece que o argumento convenceu, pois o Santuário pôde conservar algumas casas destinadas à hospedagem dos peregrinos.

Em 1880, Monte Carmelo construiu, com o material da demolição da antiga igreja, seis chalés, situados na rua Oliveira Braga e que ainda hoje existem, embora dois deles tenham sofrido alterações. Eram grandes salões destinados ao pernoite dos peregrinos; destes, havia outros tantos na praça como nas adjacências do Santuário. Até os missionários redentoristas foram instalados à sua chegada, a 28 de outubro de 1894, em duas dessas casas de nº 2 e 3 da praça, adaptadas para sua primeira moradia.

---

[10] ACMA — III L. de Atas da Mesa, 1853-1883, fls. 48v./49.

22
CONSTRUÇÃO DA SEGUNDA IGREJA (BASÍLICA VELHA)

A atual igreja plantada no alto da colina, conhecida nos séculos dezoito e dezenove como 'Capela', e neste século XX, depois do início da construção da nova basílica, como 'Basílica Velha', tem uma longa história. De um lado a generosa contribuição dos peregrinos, e de outro, a irresponsabilidade das Mesas Administrativas. Iniciada em 1845, ficou paralisada durante quinze anos (1863-1878), sendo sua construção retomada em 1878, com sua conclusão em janeiro de 1888.

22.1. Torres e fachada, 1844 a 1864

A primeira igreja do Padre Vilella, inaugurada a 26 de julho de 1745, aumentada entre 1760 e 1770, quando recebeu nova fachada e duas torres, novamente reformada, entre 1824 e 1831, com partes de pedra, conservou a maior parte da taipa de pilão com a qual fora construída. Passados dez anos da última reforma, uma das torres não oferecia mais segurança, e constatado o perigo, em julho de 1844, pelo mestre pedreiro

José de Mello Costa, a Mesa resolveu demoli-la e construir outra. A construção foi autorizada pelo Juiz Municipal e Provedor de Capelas, em outubro de 1844. Faziam parte da Mesa Administrativa na ocasião: Francisco de Assis e Oliveira Borges, como tesoureiro; Francisco de Assis Oliveira, escrivão, e o Pároco de Guaratinguetá, Pe. Benedito Manuel da Costa Pinto, como membro nato.

Os trabalhos foram iniciados em novembro daquele mesmo ano com a reativação da Pedreira Cachoeira, situada no caminho de Cunha. Para o transporte das pedras foi contratado o Pe. Francisco Antunes de Oliveira, que possuía carros de bois e escravos para esse serviço[1]. Em abril de 1845, foi contratado o mestre canteiro José Pinto dos Santos para dirigir os trabalhos da construção da torre. Supomos que foi sob a orientação do arquiteto Antônio Pereira de Carvalho, construtor da fachada da matriz de Pindamonhangaba, em 1841, que o mestre José construiu a fachada da nova igreja de Aparecida.

Em maio daquele ano de 1845, a Mesa alterou o plano, decidindo construir nova fachada com as duas torres e não apenas reparar a torre que ameaçava desabar[2]. Havia o desejo de se construir um templo mais belo e digno, pois, na época, a cultura do café estava trazendo maior riqueza e progresso para o Vale do Paraíba[3]. Aumentara também o fluxo de peregrinos para o Santuário.

O primeiro lanço da fachada foi construído entre 1845 e 1850, trazendo o portal da torre esquerda gravado o ano de 1846 e o da direita, o de 1849. A 7 de março daquele mesmo ano, ao se iniciar o segundo lanço, a Mesa pediu a João Gui-

---

[1] Este é um exemplar dos "padres de dizer missa", dos muitos que viveram à sombra do Santuário no século passado e não primavam pela vida sacerdotal e religiosa.

[2] ACMA — I L. de Atas da Mesa, op. cit., fls. 58 e 64.

[3] Foi exatamente nessa época que as lavouras de café enfeitavam as colinas do Vale com a alvura das floradas de setembro/outubro contrastando com o verde escuro de sua ramagem e inundando o ar com seu perfume.

lherme que fizesse a planta do restante da igreja. Entretanto, com a demissão do tesoureiro Francisco de Assis e Oliveira Borges, em novembro de 1849, e com as substituições cada vez mais frequentes dos tesoureiros, a critério e interesse político-partidário dos Juízes Municipais de Guaratinguetá, a construção da fachada se prolongou por quase 15 anos.

Em 1856, o mestre José Pinto dos Santos se afastou da direção, entrando em seu lugar o mestre construtor José Pereira da Cruz. As obras continuaram morosas por força dos conchavos políticos e não por falta de numerário, que na época, como dissemos, era abundante. A torre direita só ficou pronta em 1859, conforme consta do recibo de João Júlio Gustavo, com data de 15 de setembro. O referido oficial havia recebido o pagamento pela confecção e colocação da esfera, da cruz e do galo que encimam a mesma torre[4].

Somente em 1862, a Mesa decidiu, pressionada pela opinião pública, continuar a outra torre. Nesse meio tempo, a Mesa se ocupava com outras obras, que embora úteis, tinham o cunho político-partidário e eram próprias a desviar os recursos do Santuário. Na sessão de 20 de fevereiro daquele ano, a Mesa contratou o transporte das pedras para que "logo que findem as chuvas, mandar tirar as madeiras necessárias para o engenho (*andaime*), para subir as pedras necessárias para a conclusão da segunda torre"[5].

Essa torre, porém, só foi concluída em fins de janeiro de 1864, quando o mesmo oficial João Júlio Gustavo colocou a esfera e a cruz[6]. Em fevereiro daquele ano, o mestre João Júlio foi incumbido pela Mesa para elaborar a planta das naves[7], que ainda eram as de taipa de pilão da primitiva igreja. A planta foi executada, mas ficou só no papel até janeiro de

---

[4] ACMA — III Livro de Recibos da Capela, 1859, fl. 3.
[5] Ibidem — II L. de Atas da Mesa, sessão de 20 de fevereiro de 1862, fl. 71v.
[6] Ibidem — III L. de Recibos da Capela, 1864, fl. 9v.

1878, quando o Dr. Frei Joaquim do Monte Carmelo assumiu a dura tarefa de construir o restante da igreja. Mas não por falta de numerário. Apenas por curiosidade anotamos que a soma do cofre destinada para a construção da Santa Casa de Misericórdia de Guaratinguetá, em 1870, equivalia à do orçamento apresentado por Monte Carmelo para construir as naves da igreja[8].

Finalmente, após 20 anos — 1844 a 1864 — a fachada com suas duas torres estava pronta e artisticamente bela e imponente no topo da colina, toda de pedra, com paredes rebocadas e cantoneiras e portais de pedra lavrada. Torres, que no dizer do cronista Padre Wendl, detinham os peregrinos, quando ainda de longe as avistavam, para um instante de alegria e de prece, que, apeando-se de seus cavalos, ajoelhavam-se no chão e, em coro, agradeciam a Deus a feliz viagem. À Senhora Aparecida cantavam seus cânticos e suas preces.

22.2. Naves e Capela-mor, 1878 a 1888

Com muita euforia e tenacidade, o Cônego Dr. Frei Joaquim do Monte Carmelo reiniciou, em fevereiro de 1878, a construção do novo templo que estava paralisado desde 1864. Com sua batina rota e alguns pertences de uso pessoal, ele se instalou num pequeno cômodo da Rua Calçada, que depois receberá seu nome (Rua Monte Carmelo). Com seu bastão, que era também a medida de que se servia para traçar as dimensões de paredes e alicerces, entrava na igreja e com ele batia nas grossas traves do assoalho da antiga nave, chamando seus operários para o trabalho. Depois de demolir as naves laterais da antiga igreja e reforçar as paredes da nave central, sobre a

---

[7] Ibidem — Ibidem, fl. 9v.
[8] Ibidem — IV L. de Atas da Mesa, fl. 146 e outras atas.

qual vai construir o corpo da nova igreja, ele iniciou, a 6 de julho de 1878, a construção das naves.

— Mas, como esse monge beneditino de Salvador da Bahia, que estava sujeito à lei da residência em seu mosteiro, chegou até o pequeno povoado de Aparecida?

Esta é sua história resumida. Joaquim dos Santos nasceu em São Salvador da Bahia, a 19 de setembro de 1817, e professou no mosteiro de São Bento daquela cidade com o nome de Frei Joaquim do Monte Carmelo. Doutor em Teologia pela Universidade Gregoriana de Roma, Filosofia e Retórica, pela USP, era um homem culto, foi escritor e pregador polêmico. De gênio colérico e irrequieto, perambulou por diversos mosteiros da Ordem, pedindo e obtendo, em 1843, licença do Imperador para viver fora do mosteiro[9]. Foi pároco da cidade de Franca, SP; e, em 1848, mediante concurso, ganhou uma cadeira no Cabido da Sé de São Paulo.

Lá aconteceu um fato desagradável que o levaria, anos depois, a mudar sua residência para a cidade de Guaratinguetá. Na noite de Natal de 1854, durante o canto solene do Ofício Divino na Catedral, e perante o povo, Cônego Frei Joaquim do Monte Carmelo desacatou seu Bispo, com escândalo dos fiéis. Seu gênio colérico levou-o a outras atitudes de insubordinação contra a autoridade eclesiástica, mas não destruiu sua fé e não contaminou seus costumes de vida sacerdotal. Suspenso do uso da Ordem, transferiu sua residência para Guaratinguetá, em 1876, onde fez grande amizade com seu conterrâneo baiano, o jovem Juiz Municipal, Dr. José de Barros Franco. Ambos decidiram dar continuidade à construção da nova igreja, que estava paralisada desde 1864 com o término das torres. Para isso o Dr. Barros Franco nomeou como tesoureiro um homem

---

[9] Ver cópia do processo de exclaustração de Monte Carmelo in ACMA; original in ASV, Seção: Nunciatura do Brasil.

competente e honesto na pessoa do Tte. Inácio Loyola Freire Bueno[10].

Em fins de 1877, Monte Carmelo propôs reconstruir as naves da antiga igreja e apresentou o projeto no valor de 50:000$000Rs (cinquenta contos de réis) a serem pagos com prestações quinzenais com o saldo do cofre, deduzidas as despesas normais com a manutenção do Santuário. Como o presbitério se encontrasse ainda em bom estado, a Mesa aceitou a proposta e assinou o contrato em fevereiro, como consta da ata de 28 de janeiro de 1878, somente para a construção das naves. Faltou, entretanto, previsão e planejamento tanto da Mesa como de Monte Carmelo, pois, em dezembro daquele ano, quando as paredes já estavam em construção, o empreiteiro Monte Carmelo percebeu que o comprimento das mesmas ficava desproporcionado com sua largura, que era a mesma da fachada já construída.

Monte Carmelo elabora novo plano incluindo a construção do presbitério, com altar de mármore[11] no valor de 110:000$000Rs (cento e dez contos de réis), que seria importado da Itália, e o apresentou à Mesa, em dezembro de 1878; sendo aprovado em reunião extraordinária a 16 de janeiro de 1879, com prazo de entrega das obras em três anos[12]. Em maio de 1880, Monte Carmelo elabora o projeto definitivo da capela-mor (presbitério). Para compensar o acréscimo de despesas com o novo projeto, pede em troca o antigo retábulo do altar-mor e os dois altares laterais[13] e se compromete a

---

[10] Cf. Documentos e Crônicas da Capela, p. 183, onde o Cel. Rodrigo Pires do Rio diz que o Dr. José de Barros Franco, Juiz Municipal de Guaratinguetá, era um homem correto e se propôs, juntamente com frei Joaquim do Monte Carmelo, a dar um novo rumo aos rendimentos da Capela.

[11] Para o altar, Monte Carmelo seguiu o desenho do altar-mor do Mosteiro beneditino de S. Sebastião da capital da Bahia.

[12] Sobre projeto, orçamento, deliberação da Mesa e alteração do projeto ver Livro de Atas, ano de 1878, fls. 189v., 192, 206 e 210.

entregar pronta a igreja até dezembro de 1881. A Mesa aceita a proposta e concorda com a prorrogação do prazo de entrega, em ofício que louva o sacrifício e a perfeição de seu trabalho.

Amor e constância do monge — Os louvores da Mesa foram passageiros, como foi passageiro o prazo de administração honesta e competente do Juiz Municipal, Dr. Barros Franco, e do tesoureiro Tenente Loyola. Em maio de 1880, outro Juiz, com outra mentalidade a respeito dos dinheiros do cofre, nomeou para o cargo de tesoureiro Bento Barbosa Ortiz, que, além de se opor a Monte Carmelo, fará péssima administração. Entre 1880 e 1886 houve verdadeira guerra política dos Juízes Municipais de Guaratinguetá contra o empreiteiro Cônego Frei Joaquim do Monte Carmelo, pois ele não deixou de ser para eles, por sua honestidade e competência, uma pedra no calçado... Tesoureiros desonestos, como Bento Barbosa Ortiz, apropriaram-se de somas do cofre e não repassaram, conforme cláusula do contrato, as parcelas quinzenais para o empreiteiro Monte Carmelo[14]. Diante da má vontade dos tesoureiros, que lhe recusavam as verbas, Monte Carmelo teve que lançar mão de seu patrimônio pessoal para poder saldar compromissos assumidos[15], vendendo até uma chácara que possuía em São Paulo, à rua Tabatinguera, para poder pagar os operários.

Em 1883, após a demissão do tesoureiro Barbosa Ortiz, Monte Carmelo pediu a renovação de alguns itens de seu segundo contrato, especialmente quanto ao orçamento. A Mesa cedeu, mas insistiu que peritos fizessem uma avaliação das obras já realizadas e por realizar. Da parte de Monte

---

[13] O retábulo do altar-mor e os altares laterais, vendidos por Monte Carmelo, encontram-se na igreja de São Gonçalo dos padres jesuítas, da Praça João Mendes, em São Paulo.

[14] O cofre era aberto cada 15 dias, por isso é que o contrato dizia parcelas do saldo quinzenal.

[15] Ata da Mesa, de 10 de julho de 1886, fl. 93.

Carmelo fez a peritagem o Dr. Eugênio Barbosa de Oliveira e, em nome da Mesa, o Dr. Francisco Teixeira de Miranda Azevedo, ambos de São Paulo. Diante do resultado favorável dos peritos, o Juiz autorizou a escritura da atualização do contrato, a 18 de julho de 1883, que foi estipulado em 190:000$000Rs[16].

Aquele ano foi triste para a administração do Santuário; pois, em setembro, já era nomeada a terceira Mesa daquele ano. A primeira coisa que esta fez foi abrir processo para rescindir a cláusula do contrato com Monte Carmelo. O Juiz de Direito da Comarca, Dr. Luís Gonzaga, como se queixou Monte Carmelo em seu Memorial, sem audiência nem citação do interessado, aprovou a rescisão, condenando-o às custas do processo e a abandonar a empreitada[17]. A este ponto chegou, no século passado, a administração pública do Santuário: o Juiz de Direito aliou-se aos Juízes Municipais e tesoureiros contra o empreiteiro Monte Carmelo. Inconformado com a sentença condenatória, Monte Carmelo entrou, por seu advogado, com recurso no Tribunal de Relação de São Paulo[18], a 14 de março de 1884. Para cuidar de seus interesses nessa apelação, a Mesa contratou o Conselheiro Manuel Antônio Duarte de Azevedo.

Enquanto aguardava a decisão da Justiça por mais de dois anos, o obstinado e colérico empreiteiro não desistiu nem abandonou a obra. Com a ajuda direta dos peregrinos con-tinuou lentamente a construção; e para angariar mais recursos, colocou, sob protestos dos mesários, um cofre no recinto da igreja. Tão calamitosa foi a administração pública do

---

[16] Ata de 1º de junho de 1883, Livro III, fl. 298 e Livro IV de Atas, fls. 1 a 12.

[17] ACMA — *Memorial de Monte Carmelo*, também in Documentos e Crônicas da Capela, p. 265.

[18] Pesquisando cheguei até à ficha do processo referido, mas o processo mesmo não foi localizado. Pena porque nele estão incluídas fotografias da antiga igreja e naves e outros itens importantes. Por onde andará o processo?

Santuário entre 1880 e 1884 que a própria Assembleia Provincial de São Paulo, liderada pelo senador Dr. José Vicente de Azevedo, nomeou diretamente, em 1885, o Sr. Manuel Domiciano da Encarnação, como tesoureiro administrador, que assumiu o cargo no mês de outubro. Ganhando a causa no Tribunal de Relação no início de 1886, Monte Carmelo reiniciou as obras em março. Recebendo pontualmente as parcelas devidas pelo contrato[19], ele pôde concluir a construção em janeiro de 1888.

Tempo, arte e detalhes da nova igreja — De estilo barroco, o novo templo conservou a unidade de suas linhas arquitetônicas, apesar da diferença de tempo e de orientação entre a construção da fachada (1845-1864) e das naves e da capela-mor (1878-1888). A arte de diversos arquitetos e mestres levou as obras a seu acabamento, e, graças a Monte Carmelo, não perderam a harmonia de seu conjunto. O novo templo muito se assemelha à igreja da Ordem Terceira dos Mínimos de São Francisco de Paula, do Rio de Janeiro[20].

Os alicerces das naves e da capela-mor foram construídos de pedras e as paredes de tijolos; os batentes das janelas e das portas são de pedra lavrada, bem como as cantoneiras e os pilares das paredes. As dimensões externas do prédio são de 44,10 m de comprimento por 18,30 de largura nas naves e 19,24 m nas bases das torres. As naves laterais medem 19, 62 m por 2,80; a capela-mor 11,22 m por 6,16, com a altura de 10,50 m.

As paredes das naves laterais foram concluídas em 1880 — e este é o ano esculpido em relevo numa das janelas externas — com exceção do revestimento interno e obras de talha da nave central, que foram iniciadas a partir de março de 1886,

---

[19] IV L. de Recibos da Capela, fls. 13v. em diante.
[20] Carvalho, Benjamim de A. — *Igrejas Barrocas do Rio de Janeiro*. Ver igreja de S. Francisco de Paulo, p. 99.

quando a antiga nave central foi demolida. O mesmo se diga das paredes externas do conjunto da capela-mor que traz o ano de 1882 também gravado num dos portais externos.

Em agosto de 1882, Monte Carmelo conseguiu, com o apoio da Firma Blas Crespo Garcia, marmorista do Rio, um empréstimo de 15 contos, uma vez que a Mesa lhe negava as parcelas mensais, para poder retirar da alfândega o altar de mármore de carrara importado da Itália, encomendado já em 1878 com prazo de três anos para entrega. Todo o conjunto custou 18:000$000Rs[21].

Em 1884, a Imagem ainda se conservava na antiga nave sobre a qual se construía a nova igreja, e seu estado era lastimável. Daí as críticas severas publicadas no jornal 'Correio Paulistano', nos dias 4 e 5 de janeiro de 1884. Monte Carmelo concorda, mas esclarece, em seus artigos publicados nos dias 6 e 8 do mesmo mês, que o repórter se esqueceu de ver as obras adiantadas e construídas sobre a antiga nave[22]. Ele afirma que estavam prontas as capelas laterais do transepto com seus altares, o teto com o forro, as talhas douradas dos arcos das referidas capelas e os balcões das tribunas com seus ornatos em talha dourada. As obras de talha foram encomendadas no Rio de Janeiro e eram "de subido valor", na sua expressão. Estava pronto também o altar de mármore com seu retábulo.

Em 1886, os cômodos internos do presbitério já estavam prontos, pois, a 13 de março daquele ano, a Imagem foi trasladada para a sala superior da tribuna direita. Durante dois anos, aquela tribuna, com entrada pela porta dos fundos, serviu de Santuário. Transladada a Imagem, a antiga nave central foi demolida e começou o acabamento interno da nova, que já

---

[21] Alvará de autorização do empréstimo, 1882, Cartório do 1º Ofício, Guaratinguetá; cópia in Documentos e Crônicas da Capela, p. 331.

[22] Ver reportagens do Jornal 'Correio Paulistano', edições de 5, 4, 6 e 8 de janeiro de 1884. Copia in Documentos e Crônicas da Capela, p. 87.

estava construída e coberta. Foram colocados os dois púlpitos de madeira com seus adornos de igual material e os seis nichos das imagens de Santa Isabel, São Joaquim, São José, São João Batista, São Bernardo e Santo Elias. As imagens são de cedro e foram encomendadas na Bahia, em 1878[23].

Por essa época, foram pintadas na cornija da nave central pelo artista alemão que residia no Rio Thomas Driendl[24] cinco telas representando os primeiros milagres: a pesca da imagem, o milagre das velas, o caçador que se viu livre das garras da onça bravia, a menina cega que voltou a enxergar e o menino que se afogava no rio Paraíba e foi salvo pela invocação de N. Senhora Aparecida.

22.3. A igreja de Monte Carmelo

Depois de 43 anos de construção — 1845 a 1888 — o belo e artístico templo estava concluído para alegria e satisfação dos peregrinos e do monge beneditino, que desejavam dar a Nossa Senhora Aparecida um trono digno. Os méritos de Monte Carmelo foram exaltados pelo célebre Missionário Apostólico Monsenhor Miguel Martins, quando era pároco de Bananal, SP, e afirmava em 1883: "O Cônego Monte Carmelo consumiu sua fortuna e está resolvido até a consumir sua existência para dar à misericordiosa Mãe de Deus uma morada digna da fé e da piedade de seus devotos que, de todas as partes, concorrem para ali implorar seu poderoso e divino auxílio"[25].

---

[23]ACMA — III L. de Atas da Mesa, fl. 227. Certamente não foi de bom alvitre mandar o Sr. Sales, fabricante de imagens de gesso, restaurá-las, preenchendo com gesso as partes carcomidas pelos cupins. Um restaurador competente ficaria bem melhor...

[24]Cf. verbete "Driendl" in Grande Enciclopédia Delta Larousse, Tomo V, p. 2281.

A 29 de fevereiro de 1888, a Mesa composta do Pároco de Guaratinguetá, Pe. Miguel Martins, Manuel Domiciano da Encarnação, tesoureiro, e do secretário Francisco Vieira da Silva, declarava ter recebido o novo templo e desejava entregá-lo quanto antes ao culto. O Juiz e Provedor pede à Mesa que faça todo o empenho para conseguir a presença do bispo diocesano para o ato inaugural. O Pároco Pe. Miguel Martins ficou incumbido de convidar S. Exª Dom Lino e organizar o programa religioso da solenidade e o tesoureiro e o secretário se incumbiriam dos festejos externos populares[26].

O programa da festa foi publicado por 10 dias nos jornais 'A Província de São Paulo', da cidade de São Paulo, e 'Gazeta de Notícias', do Rio de Janeiro. Dom Lino foi solenemente recebido na Estação local no dia 22, sendo saudado à porta da igreja. Em seguida visitou o novo templo, que permaneceu aberto à visitação pública. Às 12 horas do dia 23, ele benzeu o novo templo e as seis imagens de cedro vindas da Bahia. Às 17 horas, sob cânticos e preces do povo, Dom Lino entronizou a Imagem de Nossa Senhora Aparecida no seu novo altar, trazida da capela provisória da tribuna, onde se encontrava desde 1886. Às 19 horas, houve o canto solene das Matinas e do Te Deum, pregando Pe. Miguel Martins.

Festa da inauguração — A festa aconteceu no dia 24 de junho de 1888, domingo e festa de São João Batista, com Missa Pontifical, celebrada às 10h30min, por Dom Lino Deodato Rodrigues de Carvalho, Bispo de São Paulo. Os festejos estenderam-se de 22 a 25 daquele mês, sendo a igreja benzida e entronizada a Imagem, às 12 horas do dia 23. Banda de música,

---

[25] ACMA — Coletânea de documentos e Crônicas da Capela de Nossa Senhora Aparecida, I volume, p. 266

[26] ACMA — IV L. de Atas da Mesa, fl. 82v.

orquestra e queima de fogos de artifício solenizaram a festa na noite do dia 24. Oradores sacros, como: Pe. Miguel Martins e Mons. Dr. Francisco de Paula Rodrigues, Arcediago do Cabido da Sé de São Paulo, emprestaram sua palavra vibrante e apostólica à solenidade. Não faltaram leilão e quermesse, e uma missa, no dia 25, na intenção dos benfeitores, com novo espetáculo de fogos de artifício à noite.

Um templo de reconciliação — Frei Joaquim do Monte Carmelo estava ausente da Ordem Beneditina desde 1844, e desde 1876 estava suspenso do uso de ordens por contestar a autoridade do bispo e por escritos e pregações considerados contrários à sã doutrina da Igreja. Mesmo suspenso e marcado pela censura eclesiástica, conservou sempre grande amor a Nossa Senhora e fidelidade ao celibato sacerdotal. Em 1883, pedira ao Sr. Bispo licença para celebrar a missa no oratório particular de sua residência em Aparecida, não sendo então atendido[27]. Entretanto, ele teve o privilégio de celebrar a primeira missa no horário das 6 horas no dia da inauguração em o novo templo que, com tanto amor e dedicação, havia construído para sua Senhora e Mãe. Depois de estar afastado do ministério sacerdotal por 12 anos, Dom Lino lhe concedeu a graça da reconciliação, levantando a censura e nomeando-o para o cargo de capelão do Santuário.

Monte Carmelo foi o primeiro devoto e peregrino a obter de Maria, a Mãe de Jesus, a graça da reconciliação com Cristo em o novo templo. Sem dúvida seu amor a Nossa Senhora, seu respeito aos peregrinos foram o motivo de sua constância corajosa na construção da igreja, e nela, junto da Imagem que tanto venerava, conseguiu redimir-se de suas faltas provocadas pelo seu gênio colérico e polêmico. O Cel. Rodrigo Pires do Rio, testemunha ocular do fato, afirma: "Após a missa, o

---

[27] ACMA — Cf. Carta de Monte Carmelo no processo de reabilitação.

celebrante foi cumprimentado e abraçado por quase todos os que a ela assistiram, confundindo-se as lágrimas dos abraçantes com as do abraçado".

Na mesma igreja onde milhares e milhões de peregrinos encontrariam a paz e a reconciliação com Deus, ele mesmo foi o primeiro a encontrá-las. A igreja que ele construiu — a Basílica Velha — tornar-se-ia o símbolo da devoção a Nossa Senhora Aparecida; seus sinos, suas torres falam aos corações e à alma dos peregrinos.

> *"Sinos que comovem,*
> *torres que apontam para o infinito.*
> *Templo de Deus e Casa de Maria,*
> *onde o romeiro encontra*
> *socorro, graça e valia."*

23
CONSTRUÇÃO DA BASÍLICA NOVA

Todos os povos têm seus monumentos históricos; igrejas célebres fazem parte deles. O nosso povo sempre guardou veneração pela Capela construída no Morro dos Coqueiros. A primitiva não suportou o impacto do tempo e a atual, conhecida como Basílica Velha, construída em seu lugar, embora muito mais sólida e artística, não suportava mais o movimento crescente de peregrinos. Hoje seu espaço interno não seria suficiente até mesmo para comportar os peregrinos, que, aos domingos a cada meia hora, procuram a celebração da penitência.

É de 1913 a primeira notícia escrita que temos sugerindo a construção de uma nova igreja que fosse um Monumento Nacional em honra da Padroeira, comemorativo dos 200 anos do encontro da Imagem (1717-1917)[1]. Por volta de 1926, os

---

[1] COPRESP-A, Vol. VI, cartas nº 1244 e 1246. Dr. Basílio Machado, grande devoto de N. Senhora e estudioso da história do Santuário, propunha, em carta endereçada a Dom Duarte Leopoldo e Silva, a celebração, em 1917, de um Con-

capelães e os peregrinos sentiram a necessidade de se construir uma igreja mais ampla. Durante o Congresso Mariano, celebrado em Aparecida no mês de setembro de 1929, a ideia ganhou consistência. O grande concurso de povo mostrou que a Basílica, inaugurada a 24 de junho de 1888, se tornara pequena demais para atender às necessidades do Santuário. Dom Duarte Leopoldo e Silva, Arcebispo de São Paulo, em razão de sua idade avançada e outros encargos, costumava dizer: "A construção da nova igreja fica para meu sucessor".

23.1. A promessa de Dom José Gaspar — 1939

Dom José Gaspar de Afonseca e Silva sempre foi grande amigo de Aparecida; não perdia oportunidade de visitá-la. Como Bispo Auxiliar de Dom Duarte, vinha frequentemente ao Santuário, e, convivendo com os capelães, sempre mostrou interesse pelos problemas de Aparecida, e particularmente do Santuário. Assim que foi nomeado Arcebispo, comunicou ao Pe. Oscar Chagas de Azeredo, Reitor do Santuário, que iria tratar quanto antes do assunto da nova igreja.

Na sua primeira visita a Aparecida, como Arcebispo de São Paulo e sucessor de Dom Duarte, realizada a 23 de novembro de 1939, prometeu ao povo e aos redentoristas que construiria um novo templo, digno da Padroeira do Brasil. Na ocasião, o Reitor do Santuário, Pe. Oscar Chagas, apresentou o plano de construí-lo atrás da atual Basílica Velha[2]. Dom José aceitou a ideia e deu os primeiros passos para adquirir, por desapropriação, o terreno necessário, mas desistiu diante da negativa dos proprietários em vender "um palmo sequer" de seus imóveis.

-gresso Mariano para comemorar os 200 anos do encontro da Imagem, levantando-se também um monumento comemorativo. Na segunda carta, de 10/05/1913, em vez de um monumento ele fala da construção de uma nova igreja.

[2] Cf. Plano de construção do Pe. Chagas in APR.

A recusa foi providencial, pois o plano estaria superado dentro de poucos anos.

Dom José Gaspar, em sintonia com os capelães redentoristas, partiu para outro plano escolhendo a região do Morro do Cruzeiro, para lá construir, em ambiente sagrado e com espaço para uma boa infraestrutura social, a nova igreja[3]. Chegou a adquirir os terrenos, mediante escritura, a 13 de setembro de 1940. A 6 de outubro daquele ano, Dom José Gaspar, Pe. Oscar Chagas e uma comissão de técnicos composta pelos engenheiros Dr. Guilherme Winter, Dr. Anhaia Mello e Dr. Amador Cintra, visitaram o Morro do Cruzeiro para estudar a possibilidade e o plano de construção naquele local. A primeira pedra já estava preparada e seria lançada a 8 de setembro de 1942, logo após o encerramento do II Congresso Eucarístico Nacional, realizado em São Paulo. Por diversas razões a solenidade não aconteceu; sendo por fim abandonado o plano de se construir naquela região do Morro do Cruzeiro. A causa mais decisiva foi apresentada pelos técnicos acima referidos, que desaconselharam a construção por constatar que aquele terreno era inconsistente.

Entretanto, surgiu logo um terceiro plano. Dom José Gaspar, juntamente com o Superior Provincial dos Redentoristas, Pe. Geraldo Pires de Souza, e o Reitor do Santuário, Pe. João Batista Kiermeier, estudaram novo local para a construção. A escolha recaiu numa gleba de 60 alqueires, localizada entre a estrada de rodagem Rio-São Paulo e o leito da Central do Brasil, que iniciava no Morro das Pitas, em direção ao Porto de Itaguaçu. A 12 de fevereiro de 1943, Dom José esteve em Aparecida para inspecionar o terreno. Em março voltou novamente para encaminhar a compra, ficando finalmente

---

[3] O Dr. Clemente Holzmeister, arquiteto de fama internacional, que se encontrava no Brasil, a pedido do Pe. Valentim Mooser, Diretor da Editora Santuário, apresentou, a 19 de abril de 1940, os primeiros esboços da planta do futuro templo. Os esboços se encontram no ACMA.

acertada a aquisição do terreno, no valor de 300 contos de réis (300.000$000Rs).

O projeto de Dom José Gaspar era ambicioso e visava, entre outras coisas, a promoção do peregrino, sobretudo os da zona rural. Por isso, além da igreja, ele desejava construir um conjunto de obras sociais: parques, escolas, exposição agrícola e outros empreendimentos tendo como objetivo a instrução e o bem-estar do peregrino[4]. Em agosto de 1943, depois de sua volta do Rio de Janeiro, Dom José assinaria a escritura, cuja minuta levava consigo na viagem. Faleceu, porém, no dia 27 de agosto, quando o avião que o conduzia à Capital Federal se chocou contra a Escola Naval, precipitando-se no mar. Após sua morte, o Vigário Capitular suspendeu a transação e o assunto da nova igreja ficou paralisado até a nomeação de seu sucessor[5].

23.2. Cardeal Motta assume o plano de Dom José

Assim que foi nomeado Arcebispo de São Paulo, quando ainda se encontrava em São Luís do Maranhão, como Arcebispo, Dom Carlos Carmelo de Vasconcellos Motta se comprometeu a continuar a obra de Dom José. Ele fora informado pelo Pe. Geraldo Pires de Souza a respeito do plano de Dom José. Com estilo próprio e direto, S. Exª respondia, a 23 de setembro de 1944, ao Padre Pires: "Com a sua vontade, Padre Geraldo, com as bênçãos de Nossa Senhora e a graça de Deus, vamos ao projeto de Dom José Gaspar sobre a nova Basílica"[6].

---

[4] Cf. Ecos Marianos, ano 1943.

[5] Cf. Reminiscências sobre a construção da nova Basílica, in Coletânea, op. cit., p. 98v. Maiores detalhes sobre a nova Basílica in Ecos Marianos e Jornal Santuário de Aparecida.

[6] COPRESP-A, Vol. XVII, carta n° 6127, de 23 de setembro de 1944.

Dom Carlos, de passagem para São Paulo, naquele mesmo ano de 1944, antes da posse, fez seu retiro na comunidade redentorista de Aparecida. No ano seguinte, a 20 de março de 1945, voltou a Aparecida para conhecer o projeto in loco, visitando, em companhia do Pe. Geraldo Pires de Souza, o Morro das Pitas e região, para conhecer o local que Dom José havia escolhido. Gostou, e, concordando, disse: "Fica decidido, vamos construir a nova Basílica". Dessa visita temos a foto histórica, onde S. Exª aparece ladeado pelo Pe. Geraldo Pires e pelo engenheiro/ arquiteto Dr. Benedito Calixto de Jesus Neto. Ainda a 10 de junho daquele mesmo ano, voltando de Roma já como Cardeal, Dom Carlos Carmelo fez sua visita ao Santuário e, à noite, diante de grande multidão de aparecidenses e peregrinos, reunidos na praça para lhe prestar homenagens, comunicou sua resolução de iniciar logo a construção do novo templo.

Convocou a primeira reunião, que foi realizada em Aparecida no dia 12 de junho daquele mesmo ano, com a presença do Interventor do Estado de São Paulo, o Sr. Embaixador José Carlos de Macedo Soares, Pe. Geraldo Pires de Souza, Mons. Paulo Rolim Loureiro, Pe. Antônio Pinto de Andrade, Vigário da Basílica, Pe. Valentim Mooser, Diretor da Editora Santuário, Dr. César Salgado, Procurador do Estado e o Sr. Américo Alves, Prefeito de Aparecida[7]. Outra reunião aconteceu no Palácio dos Campos Elíseos no dia 15, com a presença de altas personalidades do governo e da sociedade paulistana. O objetivo dessas reuniões era sensibilizar a sociedade paulistana em favor do plano.

Em Aparecida, as glebas da região do chamado Morro das Pitas, local onde se encontra hoje a Nova Basílica, foram adquiridas pela Cúria Metropolitana de São Paulo, em 1944. Eram dez os proprietários dos terrenos; nove deles

---

[7] III Livro do Tombo, fl. 109, Crônica da Comunidade Redentorista de Aparecida — Doc. nº 5, p. 191, Jornal Santuário e Ecos Marianos.

venderam-nos por escritura de 4 de setembro de 1946[8], e o último, que pertencia à Conferência Vicentina, foi permutado a 10 de junho de 1957[9]. Adquiridos os terrenos, foi programada a solenidade do lançamento da primeira pedra para o dia 10 de setembro de 1946.

A 8 de setembro de 1946, realizou-se em Aparecida a maior festa do aniversário da Coroação, preparando a solenidade da primeira pedra. A Imagem Milagrosa foi levada em solene procissão para o local da futura igreja. Muita alegria e esperança animavam o entusiasmo de todos. E no dia 10 aconteceu a solenidade histórica para o Santuário com a bênção e o lançamento da pedra fundamental do novo Santuário. O ato foi oficiado pelo Cardeal Patriarca de Lisboa, S. Em ª Dom Manuel Gonçalves Cerejeira, participando das cerimônias os Cardeais de São Paulo e do Rio de Janeiro: Dom Carlos Carmelo de Vasconcellos Motta e Dom Jaime Câmara respectivamente; os Bispos: Dom Francisco do Amaral, de Taubaté; Dom Luiz Peluso, de Lorena; Dom Augusto de Assis, de Jaboticabal; Dom Ranulfo Pena, de Valença; Dom Manoel da Silveira D'Elboux, de Ribeirão Preto; muitos sacerdotes do clero secular e regular. Fizeram-se representar o Presidente da República e o Ministro da Guerra, e compareceram pessoalmente ao ato S. Ex ª José Carlos de Macedo Soares, Interventor do Estado, vários Secretários e mais pessoas gradas. A 11 de setembro, S. Em ª o Cardeal Motta celebrou a primeira missa junto do Cruzeiro plantado no local por ocasião da procissão do dia 8.

De novembro de 1946 até o início de 1951, o arquiteto Dr. Benedito Calixto de Jesus Neto, incumbido pelo Sr. Cardeal Motta, trabalhou na elaboração da planta do novo templo. O

---

[8] Cf. Cópia dos Registros das escrituras in Coletânea de Documentos e Crônicas da Capela de N. Sra. Aparecida, II vol. 1782 a 1981, p. 178.

[9] O Santuário permutou o terreno com outro ao sopé do Morro do Cruzeiro, construindo nova Vila Vicentina com aprimorado conjunto de casas e uma capela.

Dr. Calixto viajou para os Estados Unidos, Canadá, México e Peru a fim de coletar dados para o projeto da obra. Apesar do tempo gasto e das viagens, não foi original, pois o projeto é cópia adaptada do Santuário da Imaculada Conceição de Washington. Em junho de 1949, viajou também para Roma, onde apresentou seu plano e projeto às autoridades competentes, que lhe sugeriram algumas modificações. Elaborado, enfim, o projeto definitivo, foi este apresentado à Imprensa por S. Em.ª o Sr. Cardeal Motta na entrevista coletiva de 11 de maio de 1951[10].

Havia, porém, um problema jurídico a ser resolvido e que tinha passado despercebido: o Morro das Pitas estava situado em território pertencente à Diocese de Taubaté, pois situava-se à margem esquerda do córrego da Ponte Alta que era o limite oeste da Paróquia de Aparecida. O assunto foi estudado entre o Cardeal Motta e o Bispo de Taubaté, Dom Francisco do Amaral, que, em fevereiro de 1951, acertaram novos limites para a Paróquia de Aparecida, incluindo a área da futura nova Basílica.

23.3. Preparativos para a construção[11]

Para se construir a nova igreja foi necessário rebaixar o Morro das Pitas e canalizar o córrego da Ponte Alta que corria a seu pé. A canalização foi pedida, em julho de 1951, ao Governo do Estado, Dr. Lucas Nogueira Garcez, que se prontificou em realizá-la a título de saneamento básico. Seu interesse e boa vontade não foram suficientes para desemperrar a tradicional

---

[10] III Livro do Tombo, fls. 112v., 114. Notícias mais detalhadas in Ecos Marianos e Jornal Santuário.

[11] Cf. Livro do Tombo, Ecos Marianos, I Livro de Atas da Comissão Executiva da Basílica de Nossa Senhora Aparecida.

lentidão da burocracia estadual, somente em agosto de 1952 foram examinadas as propostas da concorrência, e, finalmente, o contrato foi assinado com a firma Augusto Velloso, em agosto de 1953. O desmonte do morro e a terraplanagem da praça tinham sido iniciados em fins de 1952 pela firma Irmãos Mariutti, contratada pela Cúria Metropolitana de São Paulo[12].

O Livro do Tombo registrou o início da terraplanagem com termos eufóricos: "O dia da Pátria, 7 de setembro de 1952, foi mais uma vez histórico, marcando o início da construção da Nova Basílica. Além das festas tradicionais, Dom Paulo Rolim celebrou Missa Pontifical com a assistência de S. Em^a o Cardeal Motta. Às 16 horas, em solene procissão, a Imagem milagrosa foi conduzida à colina da futura Basílica. Usou da palavra o ilustre Procurador do Estado Dr. José César Salgado. Seguiu-se a bênção da primeira máquina da firma Mariutti com a assistência dos Srs. bispos auxiliares. No dia 8, Dom Antônio Alves de Siqueira celebrou no mesmo lugar missa campal e pregou ao Evangelho"[13].

Em agosto de 1954, a plataforma da construção e a canalização estavam prontas. E, a 8 de setembro, após o Congresso Mariano, celebrado em São Paulo (de 4 a 7), foi renovado o ato da bênção da pedra fundamental. O Cardeal Legado Dom Giovani Piazza celebrou missa às 10h30min e, após a missa, o Pe. Antão Jorge, vigário da Basílica, presidiu a bênção e o lançamento da pedra fundamental[14].

Nos primeiros meses de 1955, realizaram-se os trabalhos de infraestrutura para o início de tão grande obra. Em agosto, Dom Antônio Ferreira de Macedo, C.Ss.R., foi encarregado

---

[12] Naquele tempo, as verbas eram minguadas. O Estado canalizou a maior parte do Córrego da Ponte Alta, sendo o restante feito com recursos do Santuário. O Reitor, Pe. Antão Jorge, correu de Pôncio a Pilatos para conseguir verbas governamentais, recebendo muitas promessas... Contam-se às centenas as cartas que ele dirigiu de próprio punho a Deputados, Senadores e pessoas do governo.

[13] Livro do Tombo da Paróquia, fl. 202v.

[14] Ibidem, fl. 231v.

por S. Em.ª o Sr. Cardeal Motta para dirigir em seu nome as obras da construção do novo templo. Os contratos já tinham sido assinados com a Firma Irmãos Mariutti na Cúria Metropolitana, para a construção, e com o Dr. Benedito Calixto, para dirigi-la como engenheiro/arquiteto responsável.

23.4. Início e etapas da construção[15]

No dia 11 de novembro de 1955, pelas 10 horas da manhã, foi colocada a primeira massa de concreto nos alicerces da nave norte, que, das quatro naves, seria a primeira a ser construída. O velho e incansável batalhador da causa da construção da nova igreja Pe. Antão Jorge Hechenblaickner, Reitor do Santuário, estava feliz. Anotou no Livro do Tombo: "Após longos e dispendiosos preparativos, chegou a hora feliz dos trabalhos positivos da construção da Nova Basílica. S. Em.ª pôs em movimento a betoneira que fornecerá daqui por diante o concreto para as 8 colunas".

Estavam presentes à cerimônia oficial S. Em.ª o Sr. Cardeal Motta e seus 4 bispos auxiliares, o arquiteto Dr. Benedito Calixto, o calculista Dr. Paulo Franco Rocha, os construtores irmãos Atílio e Hugo Mariutti, vários padres e leigos. O ato foi televisionado pela TV Record[16] e irradiado pela Rádio Aparecida.

Nave Norte — A nave começou a surgir da terra timidamente como uma planta após longo inverno: colunas do subsolo e a laje do piso em 1956, colunas das paredes em

---

[15] III Livro do Tombo, fls. 245 e ss., Atas da Comissão executiva, Ecos Marianos e Jornal Santuário.

[16] A TV Record pertencia ao Sr. Paulo Machado de Carvalho que sempre colaborou com o Santuário. Foi ele que doou a primeira mesa de som para a Rádio Aparecida, em 1951.

1957. Sua primeira nave ganhou forma em 1958 e chegou à altura de 40 metros em 1959. A conclusão da alvenaria na parte superior e a colocação do telhado aconteceram somente em outubro de 1963, atraso causado pela construção da torre.

Torre Brasília — Seus fundamentos foram abertos nos últimos meses de 1959 e, a 31 de maio de 1960, foi montada a primeira peça metálica da sua estrutura. A estrutura de aço foi fundida na Usina Siderúrgica Nacional, de Volta Redonda, e doada pelo Presidente Dr. Juscelino Kubitschek de Oliveira em nome do governo federal. Seu peso total é de um milhão e quinhentas mil toneladas. Sua montagem ficou concluída no dia 2 de outubro de 1961, celebrando-se a festa da cumeeira no dia 4. A concretagem dos pisos e o serviço de alvenaria dos andares foram concluídos em janeiro de 1963, e, a 16 de outubro daquele ano, foi montada a cruz que mede 10 metros de altura. Em fins de 1964, parte da mesma começou a ser utilizada pelo público, depois de serem instalados alguns serviços de utilidade para os romeiros, como: sanitários e uma pequena lanchonete.

Cúpula — A cúpula foi iniciada em fins de 1964 com a abertura de seus fundamentos, e nos primeiros meses de 1965 concretavam-se os alicerces. Os cálculos necessários foram entregues ao escritório do engenheiro Dr. José Carlos de Figueiredo Ferraz, de São Paulo. Em razão da grandiosidade, e para sua segurança, os trabalhos foram morosos, havendo um atraso de perto de três anos em relação ao cronograma inicial, incluída a construção da torre. Em meados de 1968, a estrutura de concreto alcançava o grande anel que serviria de base para a esfera da cúpula. Esta consta de duas esferas sobrepostas, havendo entre elas um vão com uma escada que conduz, em círculo, ao lanternim que a encima. A primeira esfera, a interna, foi concretada no primeiro semestre de 1969; a segunda, a externa, no segundo semestre. Todo o conjunto, incluindo a alvenaria, ficou pronto e acabado em agosto de 1970.

Capela das Velas — A Capela foi construída entre os anos de 1970 e 1971, concluída com a galeria, em agosto de 1971.

Nave Sul — A nave sul foi alongada por mais dois lanços de colunas com 16 metros mais longa que as demais, e recebeu fachada como as outras naves[17]. Escavada a área, iniciou-se sua construção nos primeiros meses de 1971. Em setembro de 1974, ultimavam-se as obras de sua estrutura, alvenaria e telhado, sendo utilizada na festa da Padroeira no dia 12 de outubro daquele ano. É importante ressaltar que a construção dessa nave, e de todo o restante da obra, foram executadas pela própria administração da Basílica sob o comando e direção do seu tesoureiro/administrador Pe. Noé Sotillo.

Até agosto de 1970, a Firma Irmãos Mariutti estava incumbida da construção por contrato, que cessou com o término da Cúpula. Com a formação da equipe de construção pelo Padre Sotillo, não foi mais necessário contratar firma para continuar as obras; fato que possibilitou a construção com grande economia. Com o falecimento repentino do arquiteto Dr. Benedito Calixto de Jesus Neto, ocorrido a 21 de julho de 1972, assumiu a direção técnica o engenheiro Dr. Luiz Alves Coelho. O Dr. Benedito Calixto dirigiu as obras desde 1954, quando assinou o primeiro contrato com a Mitra Arquidiocesana de São Paulo, a 29 de dezembro daquele ano.

---

[17] No projeto original, a nave sul era mais curta, terminando com uma abside.

Naves Leste e Oeste — Em fins de 1973 já se preparava o local da construção da nave leste e, em março de 1974, foram abertos os alicerces. Em 1975, as obras ganharam um impulso acelerado; enquanto se levantava a nave leste, iniciava-se a preparação para a construção da última, a nave oeste. Com a experiência obtida, a administração direta e os meios pecuniários mais abundantes, as obras caminharam mais depressa. Desde 1974, o Pe. Welington Leone Ceva auxiliou nos projetos e na execução artística das obras.

A 12 de outubro de 1976, a nave leste começou a ser utilizada, e a oeste, antes da festa da Padroeira de 1977. A Capela entre a nave norte e oeste, com sua galeria, teve início em 1977, e seu término em 1978. A que fica situada entre a nave norte e leste tinha suas fundações e parte da laje prontas desde 1959. Em setembro de 1979 a capela e a galeria estavam prontas. A Capela, entre a nave sul e oeste, e a galeria correspondente foram iniciadas nos primeiros meses de 1978. A construção da capela e da galeria, situadas entre a nave sul e leste, foi iniciada em dezembro de 1978. Esta é a última parte da estrutura do conjunto geral da nova igreja, ficando tudo concluído em 1980.

23.5. Características e dimensões do edifício

O estilo é neorromânico, em forma de cruz grega. Basicamente consta de 4 naves principais, juntando-se em cruz, em cuja interseção se ergue a cúpula principal. Em 45° com as naves principais há quatro braços de construção, dois menores (nordeste e noroeste) e dois maiores (sudeste e sudoeste). Fechando o conjunto, há uma galeria quadrangular de 152,40 m x 152,40 m. A fachada sul sobressai 16,00 m à galeria. No ângulo noroeste da galeria está a torre; e no ângulo nordeste, a chamada Capela das Velas. Há um subsolo de dimensões idênticas às da planta acima.

1) As dimensões:

a) Galeria circundante tem a dimensão externa 152,40 m x 152,40 m. A galeria, em sua largura, consta de uma escadaria com 14 degraus de 0,32 m x 0,16 m cada; um patamar, com uma parte descoberta adjacente à escadaria com 4,90 m de largura; e uma com coberta sobre arcadas de 8,80 m de largura e 11,00 m de altura. A área coberta interliga os pórticos das 4 naves principais.

b) As quatro naves principais são idênticas em sua estrutura, salvo o prolongamento de 16,00 m da nave sul. Incluindo o pórtico de entrada, as naves têm 56,60 m de comprimento por 38,60 m de largura (a nave sul tem 72,40 m de comprimento). O recinto interior (excluído o pórtico) tem 40,00 m x 38,60 m. Longitudinalmente as naves principais são divididas em dois corredores laterais de 8,60 m cada, e uma área central de 21,40 m de largura. Os corredores (naves laterais) têm cobertura sobre arcadas e a área principal é coberta por uma abóbada em berço. A altura dos corredores é de 11,00 m. A altura da abóbada em berço na nave é de 40,00 m.

c) A cúpula principal, com duas meias-esferas, interna e externa, apoia-se sobre um octógono simétrico mas de lados desiguais, quatro a quatro. Os lados maiores têm 22,00 metros externamente e 20,40 metros internamente. Os lados menores têm 12,60 m externamente e 9,60 m internamente. A espessura da parede deste octógono é de 2,40 metros. O diâmetro interno da cúpula interior é de 32,00 metros; o externo é de 35 metros.

A cúpula é hemisférica. A altura da face interna da cúpula interior até o piso é de 60,00 metros, a altura da face externa da cúpula exterior, sem o lanternim, é de 63,00 m. Na parte mais alta do lanternim é de 67,00 m.

d) A torre e a Capela das Velas são quadriláteros de 20,00 metros de lado. A torre tem 100 m de altura e mais 10,00 m da cruz que a encima. Consta de 17 andares e um subsolo com a altura de 6,00 metros. A Capela das Velas tem 20,00 x 20,00 de lado e 18,00 metros de altura.

e) As Capelas Nordeste e Noroeste têm área de hexágono simétrico, porém, de lados desiguais: há dois lados opostos, de 10,60 m e dois pares opostos de lados adjacentes de 19,50 m; estes lados adjacentes formam 90° entre si. O lado menor, em direção oposta à da cúpula, é ligado às adjacências da torre por um corpo coberto com largura média de 9,00 m e cerca de 25,00 metros de comprimento.

f) Capelas Sudeste e Sudoeste: estendem-se entre a cúpula e os vértices Sudeste e Sudoeste das Galerias. Seu comprimento é de 47,55 m e sua largura 22,35 metros. A extremidade junto ao vértice das galerias (em ambas as capelas) é encimada por uma cúpula de 22,60 m de diâmetro externo. O ponto interno mais alto da cúpula secundária é de 31,00 metros.

2) Área e lotação:

Área construída: 23.200 m2; área coberta 18.000 m2.

Área disponível para o povo: Dentro do recinto limitado pelas portas as naves e a cúpula têm uma área útil de 7.200 m2 e as capelas secundárias, 3.360, num total de 10.640 m2.

Lotação: a normal é de 45 mil pessoas e a máxima de cerca de 70 mil.

23.6. Fontes dos recursos para a construção

Desde o tempo de Dom José Gaspar, o Governo do Estado de São Paulo demonstrou interesse em realizar obras de infraestrutura que beneficiariam o novo templo e a cidade-santuário. O Interventor Dr. José Carlos de Macedo Soares interessou-se pelas obras quando esteve presente na reunião de 12 de junho de 1946, convocada pelo Sr.

Cardeal Motta para tratar do plano da construção do novo templo. Ajuda concreta, porém, só foi dada anos depois, quando em 1953, o governador Dr. Lucas Nogueira Garcez mandou canalizar, às expensas do Estado, o córrego da Ponte Alta. Muita coisa se prometeu, mas, na realidade, quase nada foi cumprido.

Por parte do Governo Federal, a ajuda tem sido mais substancial. Em 1953, a administração da Basílica pediu ao Governo Federal uma verba para auxiliar nas despesas da terraplanagem. O Senado aprovou a mensagem do presidente Dr. Getúlio Vargas, que propunha a verba de cinco milhões de cruzeiros, elevando-a para dez milhões. A soma seria entregue em duas parcelas, das quais a primeira e única foi entregue em agosto do mesmo ano. No ano de 1960, o Dr. Juscelino Kubitschek de Oliveira doou, por parte do Governo Federal, a estrutura metálica da torre. Nos primeiros anos de construção, os governos federal e estadual concederam também desconto especial no frete ferroviário para o transporte do cimento e do ferro. Em 1971/72, o DNER, graças à intervenção do Ministro Mário Andreazza, construiu com recursos daquela autarquia a Passarela ligando as duas igrejas. Prefeito e vereadores de Aparecida não colaboraram, procurando até impedir sua construção.

É verdade que a ajuda direta para a construção do templo não tem o amparo da lei, mas há tantas outras leis e razões que, se aplicadas, favoreceriam os peregrinos, e que poderiam ser realizadas pelas autoridades. O que seria necessário e até uma obrigação é o atendimento social por parte do governo estadual e municipal naquelas áreas que lhe são afetas. Penso que o povo que vem a Aparecida merece tanto quanto aquele que se dirige às estâncias turísticas; o povo é o mesmo e paga os mesmos impostos. E seu atendimento social não entraria em conflito com nenhuma lei.

Quem na realidade construiu o novo templo foi o povo; todos os recursos provieram do generoso e anônimo donativo do peregrino, de tal forma que as obras nunca sofreram paralisação.

23.7. Os responsáveis pela construção da Nova Basílica

Naturalmente o primeiro responsável foi Sua Eminência o Sr. Cardeal Dom Carlos Carmelo de Vasconcellos Motta; ele havia prometido aos romeiros e aos missionários que iria construí-la. Para isso, escolheu como seu Arcebispo Coadjutor a Dom Antônio Ferreira de Macedo, Bispo redentorista, confiando-lhe a difícil tarefa. Depois que se transferiu para Aparecida, em 1964, seu interesse pelas obras foi maior. Quando deixou a direção da Arquidiocese, em fevereiro de 1978, a estrutura de concreto e de alvenaria estava praticamente pronta.

Dom Macedo construiu a nave norte e a torre, sendo a cúpula e as outras três naves, isto é, naves leste, oeste e sul, construídas pelo tesoureiro/administrador Padre Noé Sotillo entre 1967 e 1980. Aqui se aplica plenamente o adágio latino "Caesar pontem fecit"[18], sem demérito para 'César', isto é, para o Sr. Cardeal que decidiu e apoiou a construção, e muito menos para os que efetivamente suportaram as dores de cabeça para construí-la: Dom Antônio Ferreira de Macedo e Padre Noé Sotillo, dois beneméritos redentoristas.

A partir de 19 de fevereiro de 1978, à S. Exª Rev^{ma} Dom Geraldo Maria de Morais Penido, como sucessor do Cardeal Motta, coube a tarefa de continuar o acabamento das obras. Confirmou no cargo o Pe. Noé Sotillo, que continuou moirejando nas obras de construção, deixando todo o conjunto levantado em concreto e alvenaria até 1980. Desde 1988, quando Padre Noé deixou a direção das obras, praticamente nada ou muito pouco se fez na construção, apesar do bom saldo em caixa e do almoxarifado abarrotado que ele deixara. Faltou uma administração competente.

---

[18] Versão do adágio: César, o imperador, fez a ponte, isto é, mandou construir a ponte.

A seguir, mencionamos aqueles redentoristas que empenharam vida e forças para a construção efetiva da Nova Basílica, durante o período em que a administração esteve entregue à Congregação, 1946 a 1988, porque omiti-los seria uma ingratidão inqualificável. Em primeiro lugar, como já vimos, Dom Antônio F. de Macedo e, além dele, os reitores e tesoureiros do Santuário: Pe. Antônio Pinto de Andrade, 1946 a 1950; Pe. Antão Jorge Hechenblaickner, 1950 a 1955; Pe. José Ferreira da Rosa, 1956 a 1958; Pe. Pedro Henrique Flörschinger, 1959 a 1967 e Pe. Noé Sotillo, 1967 a 1988. Da construção efetiva do novo Santuário cabe a Dom Antônio F. de Macedo e Pe. Noé Sotillo, ambos de feliz memória. Estes dois últimos redentoristas mereceriam mais do que um placa de bronze pelo monumento que levantaram, com suor e lágrimas, à excelsa Padroeira do Brasil.

Padre Noé Sotillo, após o término da Cúpula, em 1970, montou escritório e almoxarifado próprios, adquiriu máquinas e guindastes necessários, e formou uma equipe de oficiais carpinteiros, pedreiros e montadores, para poder continuar as obras da construção por conta do Santuário. O que esta medida economizou para o Santuário, só a contabilidade pode colocar números sobre números: o certo é que a soma foi muito grande, conforme acentuava o engenheiro Dr. Luís Alves Coelho em uma das reuniões da Comissão presidida por S. Eminência o Sr. Cardeal Motta. Infelizmente seu sucessor, Dr. João Carlos e sua equipe, não reconheceu seu mérito, chegando mesmo a denegri-lo. Sua atuação, entretanto, foi providencial, pois conseguiu levantar todo o conjunto do templo, mantendo rigorosamente em dia o pagamento dos empregados e funcionários, além de construir para os mais pobres centenas de boas casas de moradia num plano de financiamento compatível com seu poder aquisitivo. Até pobres, que não trabalhavam no Santuário, eram atendidos por ele na medida do possível. Mas os operários e suas famílias lhe são reconhecidos.

Não poderíamos deixar de destacar a atuação do engenheiro Dr. Luís Alves Coelho. De julho de 1972 até 1980, assumiu a supervisão técnica da obra desde a morte do Dr. Calixto, em 1972. Ele foi amigo e benfeitor da Nova Basílica, pois prestou seus serviços profissionais com interesse e gratuitamente.

— Mas, afinal, quem construiu a nova Basílica? Muita gente, admirada, costuma fazer essa pergunta. Sem qualquer perigo de erro, respondemos: foram os romeiros e devotos da Senhora Aparecida, na maioria pobres assalariados. Na sua linguagem típica Dom Macedo costumava comentar, talvez aborrecido com os muitos palpites e as muitas críticas: "O novo Santuário foi construído com o palpite dos ricos, críticas dos padres e dinheiro do povo". Apesar de duras e irreverentes, estas palavras não estão longe da verdade... Nas memórias que escreveu sobre a Construção da Nova Basílica, a meu pedido, com toda a humildade e fé diz: "Quem se atreveria a tomar a peito essa obra faraônica? O Cardeal Motta havia dito a última palavra: 'A Nova Basílica será construída'. Mas, enfim, quem seria o construtor?! Resposta: Nossa Senhora Aparecida! Ela mesma seria a primeira construtora e o foi sempre desde o começo. Os outros, inclusive o Sr. Cardeal, todos foram instrumentos".

Foi admirável a fé, e edificante a devoção, deste velho bispo e intrépido missionário redentorista, que tanto sofreu para levantar o Santuário de Nossa Senhora Aparecida!

23.8. Utilização do recinto da Nova Basílica e do subsolo

A Basílica Velha e a praça, desde a década de 50, não suportavam mais a afluência dos romeiros, sobretudo aos domingos. Já em 1947, os missionários haviam proposto a construção e acabamento do subsolo da nave norte para servir de igreja provisória, mas a sugestão não foi acatada[19] pelas autoridades.

Somente a 21 de junho de 1959, o movimento religioso aos domingos foi transferido para o Santuário. Apesar da precariedade do ambiente de construção, aquele dia foi um dia histórico, porque o povo podia contar com espaço e tranquilidade para sua devoção.

O desconforto, porém, era compensado pela largueza do espaço. Havia um razoável serviço de água potável e sanitários, conforto este que a praça da Basílica Velha não oferecia. Aos poucos os inconvenientes da transferência do movimento foram sendo compensados pelas vantagens que a nova igreja proporcionava. O Livro do Tombo anotou para o dia 21 de junho:

"Hoje, pela primeira vez, o movimento de romeiros se transferiu para a Basílica Nova. Às 4:30 horas, a Imagem de Nossa Senhora foi levada para lá. Missas, batizados, casamentos, confissões e comunhões foram realizados lá. Desafogou bastante o movimento aqui em cima. Os padres acharam que o trabalho se desenvolveu muito melhor. A experiência aprovou cem por cento"[20].

Com exceção dos peregrinos saudosistas, apegados à Basílica Velha, e dos que tinham interesse no comércio rendoso da praça, o ambiente de largueza agradou a todos.

A construção que se levantava, e que o peregrino via crescer sempre, foi a melhor propaganda que se podia fazer, dizia o Padre Sotillo. Com seus próprios olhos os visitantes observavam o caminhar das obras e eram generosos nos seus donativos.

Após alguns anos, a nave norte também se tornou acanhada para suportar o grande número de peregrinos, mas a situação melhorou com a ocupação sucessiva do espaço da cúpula e das outras três alas do prédio. O conforto oferecido e a construção que prosseguia em ritmo constante agradavam os peregrinos.

---

[19] Interessante: o Padre Noé, como cronista da casa, registrava em 1947 que os padres da comunidade apresentaram o plano de se preparar o subsolo da Nave Norte, a fim de que fosse utilizado como igreja nos dias de maior movimento.

[20] III Livro do Tombo, fl. 283.

Entre 1970 e 1977, a utilização do espaço da cúpula era precário por causa do vento e da chuva. Outro grande inconveniente foi a falta de limitação do espaço sagrado. Foi o preço pago pela utilização da igreja ainda em construção. Hoje, porém, após um período de 38 anos de sua utilização, 1959 — 1997, podemos dar graças a Deus que isso foi possível.

A utilização do subsolo foi a mais útil e abençoada ideia do Padre Sotillo[21]; esta foi sua melhor realização social porque engloba: saúde, higiene, bem-estar, conforto enfim. Um peregrino me disse uma vez: "Em todo o Estado de São Paulo não se encontram sanitários públicos tão limpos e higiênicos como estes do novo Santuário".

O Salão dos Romeiros do subsolo da nave norte foi inaugurado e passou a ser utilizado a partir de 6 de setembro de 1970, sendo ampliado com a utilização dos subsolos da cúpula e das outras naves. No referido Salão, os peregrinos podiam finalmente encontrar um ambiente tranquilo para descansar e tomar seu lanche, tendo, à sua disposição, sanitários higiênicos e água potável em abundância. O bosque, ao lado, que também foi melhorado com mesas e bancos, oferecia um local agreste para os que preferiam o contato com a natureza. Todo o conjunto de atendimento social: Parque, Pronto-Socorro, Berçário, Serviços higiênicos e de informação foram montados e são mantidos exclusivamente às expensas do Santuário.

---

[21] Dizemos do Pe. Sotillo porque o Sr. Cardeal Motta era contra sua utilização e foi preciso muita diplomacia para convencê-lo.

24
ADMINISTRAÇÃO ECLESIÁSTICA DO COFRE E DOS BENS DO SANTUÁRIO, 1890-1997

Em janeiro de 1890, depois de 85 anos de administração do governo, Dom Lino D. Rodrigues de Carvalho, Bispo de S. Paulo, assumia a responsabilidade da administração dos bens do Santuário em nome da diocese. Pela Portaria de 17 de janeiro daquele ano, ele comunicava ao Juiz de Direito da Comarca de Guaratinguetá, Dr. Miguel de Godoy Moreira Costa, que cessava a função da Mesa Administrativa nomeada por ele, assumindo por esse ato novamente a direção integral do Santuário, que fora perdida, em 1805, pela incorporação dos bens da Capela à Fazenda Nacional.

24.1. Administração da Diocese de São Paulo, 1890 a 1908

Após a publicação do Decreto 119A do Governo Provisório, a 7 de janeiro de 1890, que separou a Igreja do Estado, o Santuário voltou à plena jurisdição do Bispo de São Paulo.

Este decreto e a Constituição de 1892 deram às igrejas e associações religiosas a possibilidade de personalidade jurídica com direito de possuir e gerir seus bens[1].

Depois de assumir a administração financeira do Santuário, Dom Lino nomeou uma Comissão Administrativa Provisória para substituir a antiga Mesa Administrativa. A Comissão era composta dos seguintes membros: Cônego Homero B. Ottoni, Pároco de Guaratinguetá como presidente; Frei Joaquim do Monte Carmelo, Capelão do Santuário como secretário e o Major Antônio Martiniano de Oliveira, como tesoureiro.

Seu trabalho na renovação da administração foi penoso, caminhando lenta, mas progressivamente. Arbitrariedades e desmandos administrativos de muitos anos não se erradicam facilmente. Como aconteceu por diversas vezes durante a administração do governo, os membros da Mesa, quando demitidos, relutavam em apresentar o balanço de sua administração com o respectivo saldo e entregar os livros competentes para os novos administradores. Às vezes foi preciso mover até processo judicial, como consta dos Autos Civis do Cartório de Guaratinguetá. O mesmo aconteceu em 1890, com a passagem da administração secular para a eclesiástica[2]. Diante disso, a solução foi abrir novos livros, o que foi feito pela Cúria Diocesana de São Paulo, a 16 de outubro de 1890[3].

A última sessão daquela Mesa, nomeada pelo governo, foi realizada a 3 de janeiro de 1890. Como era costume e lei, fizeram-se os 'Autos de prestação de contas' da administração, que aparecem autenticados e rubricados em cartório pelo Juiz de Direito da Comarca, Dr. Miguel de Godoy Moreira Costa.

---

[1] Durante o regime do Padroado era vedado à Igreja e associações possuir bens.

[2] Era tesoureiro na época o Pe. Luiz Antônio de França Reis.

[3] Processos, Embargos, Autos de Prestação de Contas e Auditorias sobre a administração encontram-se no Arquivo do Fórum da Comarca de Guaratinguetá.

Com a criação do Curato, com todos os direitos paroquiais, a 28 de novembro de 1893, Dom Lino constituiu a Comissão Administrativa definitiva, sendo seus membros: Padre Claro Monteiro do Amaral, Cura do Santuário como presidente; João M. de Oliveira Cezar, como tesoureiro; e o Sr. Artur Alves Marques, como secretário.

Dom Joaquim Arcoverde de Albuquerque Cavalcanti, que sucedeu a Dom Lino na Sé de São Paulo, confirmou-o no cargo em setembro de 1894, dando-lhe todo o apoio moral. Com a chegada dos redentoristas em outubro daquele mesmo ano, os destinos do Santuário estavam traçados: os missionários se ocupariam da pastoral dos peregrinos e o Capitão João Maria, da administração e finanças. Dois campos distintos da administração do Santuário que passaram a funcionar harmoniosamente em favor dos romeiros.

Oposição à nova administração — Os primeiros missionários alemães confiavam na sua probidade e deviam muito a ele pela generosa acolhida e caridosa solicitude quanto a seu bem-estar. Embora tesoureiro e capelães trabalhassem em plena harmonia, tiveram que suportar o fel das críticas e a amargura da oposição de muitos aparecidenses, e mesmo da calúnia que lhes moviam aqueles que, mal habituados com as benesses da antiga administração governamental, não se conformavam com o correto e competente sistema do novo tesoureiro. Seu maior opositor foi o Cônego Antônio Marques Henriques[4], que liderava um grupo de inconformados com a nova administração. Intrometendo-se na administração do Santuário, desorientava os romeiros pelos dois jornais de sua propriedade. Chegou a negar a autoridade do Bispo sobre o Santuário, sua competência para nomear tesoureiro, escolher

---

[4] Cônego Antônio Marques Henriques era um sacerdote português, emigrado de Angola em 1888.

capelães e dar normas administrativas sendo-lhe, por isso, negada a renovação do uso de ordens, a 25 de junho de 1900[5]. Os capelães, embora aceitos pelo povo e pelos romeiros, também foram alvo de suas críticas.

Consolidação da administração — Essas dificuldades ainda se prolongaram por algum tempo. Mas, em 1904, por ocasião da Coroação da Imagem, o panorama administrativo da Capela já estava bem orientado e consolidado. Algum inconformismo ainda havia, mas não prejudicava mais o clima de paz e religiosidade, tanto dos peregrinos como do povo de Aparecida. Contribuíram muito para esse clima: a fundação pelo Reitor Pe. Gebardo Wiggermann do jornal 'Santuário de Aparecida', a 10 de novembro de 1900, e a Santa Missão pregada na Capela, em junho de 1901. O povo começou a ter outra visão da realidade do Santuário. Foi valioso também o apoio que o tesoureiro e os capelães receberam dos Bispos de São Paulo: Dom Joaquim Arcoverde (1894-1897, Dom Antônio Cândido de Alvarenga (1899-1903) e Dom José de Camargo Barros (1903-1906).

Nessas crises, foi admirável a prudência e virtude do Superior Pe. Gebardo Wiggermann, que soube consolidar a obra da renovação temporal e espiritual do Santuário. Por ocasião de sua morte, o Cardeal Arcoverde, referindo-se à situação calamitosa da administração anterior do Santuário, escrevia na carta de pêsames, de 24 de outubro de 1920, ao Superior Vice-Provincial, Padre Kiermeier:

"Ligaram-me ao Padre Gebardo laços muitos e muito estreitos pelas circunstâncias em que tive de achar-me para dar andamento regular, estável e frutuoso ao Santuário de Aparecida, que então era um campo quase conquistado por

---

[5] Cf. Crônicas da Comunidade Redentorista de Aparecida, Doc. n° 01, anos 1898 a 1900.

exploradores e espertalhões. Foi nesse tempo que tive que ir à Europa à procura de uma Ordem Religiosa a cujos cuidados e a cujo zelo era mister confiar o Santuário de Aparecida, com o fim não só de impulsionar o movimento religioso do Santuário senão também defendê-lo dos desacatos e profanações a que estava sujeito continuamente. Fui então procurar na Alemanha os elementos protetores de que havia mister aquele Santuário. São eles hoje o antemural da Aparecida, dos quais foi então o Chefe e Superior, o sempre lembrado, o virtuoso, o bom Padre Gebardo. Que Deus o tenha no céu, a ele que tanto fez na terra, para conquistar o céu.

E Aparecida foi, sem dúvida, um campo de suas glórias e dos seus triunfos, alcançados pelo seu zelo e pela santa energia com que trabalhava para a glória da Virgem Santíssima, chamando ao seu Santuário os fiéis e os pecadores que ali se convertiam e adquiriam o diploma para a entrada no céu! A sua missão de fundador continuará a produzir seus frutos pela ação de seus Irmãos, os quais, por sua vez, continuarão a honrar o lugar e as obras que ele fundou, que ele inaugurou, que ele impulsionou com seu zelo, com seu exemplo e com suas virtudes"[6].

O Capitão João Maria faleceu a 29 de setembro de 1900. Sua morte trouxe muita preocupação para os novos capelães, que temiam a volta da situação anterior se não fosse nomeado um tesoureiro competente e afinado com eles. O Superior indicou o Sr. Augusto Marcondes Salgado, que foi confirmado no dia 14 de outubro de 1900.

Primeiro contrato com os Missionários Redentoristas, 1897 — Quando chegaram a Aparecida, em outubro de 1894, os redentoristas alemães não fizeram nenhuma exigência quanto ao salário e à moradia. Nem sequer exigiram um contrato.

---

[6] COPRESP-A, Vol. VI, carta nº 1642, p. 642.

Como apóstolos zelosos e desapegados, não exigiram papel assinado e carimbado, pois confiavam plenamente na palavra de Dom Joaquim Arcoverde, que se declarara 'amigo e irmão', quando, no dia 28 de outubro de 1894, os despedia e os enviava para o Santuário de Aparecida[7].

Somente depois de dois anos e dois meses da chegada foi celebrado o primeiro contrato entre a Diocese e a Congregação. Elaborado pelo Padre Gebardo e corrigido por Dom Joaquim, o Contrato foi enviado a Roma para a apreciação do Superior Geral da Congregação, tendo sido antes estudado pela Sagrada Congregação dos Bispos e Regulares, que o aprovou a 17 de março de 1897. O texto final foi assinado em Roma pelo Pe. Matias Raus, por parte da Congregação, a 22 de março, e a 3 de maio por Dom Joaquim Arcoverde de Albuquerque Cavalcanti, por parte da Diocese, em São Paulo. O contrato visava apenas o trabalho pastoral no Santuário, não estipulava salário. Previa a construção de moradia própria para a comunidade religiosa. Foi firmado por tempo indeterminado e, conforme o texto, só seria rescindido por parte da Congregação e, nesse caso, ela devia participar ao bispo com um ano de antecedência.

Moradia dos padres — Logo que chegaram, os missionários aceitaram generosamente a moradia que constava de duas velhas casas, ou antes de dois grandes salões que foram adaptados às pressas como moradia provisória. O plano de Dom Joaquim era construir na praça do Santuário um convento para a comunidade que iria trabalhar na pastoral dos peregrinos e outra casa maior, junto do futuro Seminário Central dos Missionários Diocesanos de São Francisco Xavier, que ele desejava instituir no prédio em construção (*Colegião*). Mas nem o prédio com dois pisos da praça, com exceção de uma

---

[7] Cf. Doc. nº 01, p. 21 — Os missionários ao chegar ao Brasil se apresentaram a S. Exª em São Paulo e, na despedida, receberam essa profissão de amizade, que nunca foi desmentida. Sua palavra, de fato, valia mais que um contrato assinado.

pequena parte que foi construída e ocupada na festa do Natal de 1896[8], nem o convento junto do Colegião se tornaram realidade; a realidade que, de fato, os redentoristas alemães tiveram de enfrentar foi de residir naqueles dois pardieiros úmidos e mal ventilados até 1912.

Somente em 1910, quando da visita do Superior Provincial da Alemanha Pe. João Batista Schmidt ao Brasil, e a seu pedido, o Arcebispo de São Paulo, Dom Duarte Leopoldo e Silva, prontificou-se em construir uma casa decente para os missionários. Mas, tal decisão só foi possível porque o Padre Schmidt ofereceu-lhe o empréstimo de 100 mil marcos alemães (DM), que seriam amortizados em 20 anos pelo Santuário, sem juros ou outro encargo qualquer. Como se vê, a Província Redentorista da Baviera foi benemérita não só porque cedeu seus missionários para o Santuário, mas também porque possibilitou a construção do convento.

O novo convento da praça foi inaugurado a 16 de dezembro de 1912[9], servindo de moradia para a comunidade do Santuário até o dia 2 de outubro de 1982, quando, a 3 daquele mês e ano, a comunidade se transferiu para o novo convento, construído junto do Santuário novo, onde iniciou a novena solene de N. Senhora Aparecida daquele ano.

Salário — Quando os missionários chegaram, em 1894, Dom Joaquim Arcoverde havia determinado que o tesoureiro pagasse a cada um dos dois missionários da casa 100$000Rs. (cem mil réis), salário igual ao do secretário da administração leiga do Santuário. Mesmo depois que a comunidade aumentou, a partir de julho de 1895, ela recebia mensalmente o mesmo salário de 200$000Rs, mas Dom Joaquim Arcoverde mostrou-se sempre generoso, como prova este trecho de uma

---

[8] Ibidem, p. 39. Deste sobrado restam apenas as grossas paredes que foram aproveitadas para o prédio anexo, onde funciona a Livraria Santuário.

[9] Cf. Doc. n° 02, p. 122.

carta sua, dirigida ao tesoureiro João Maria, a 5 de junho de 1895: "Recomendo-lhe instantemente que não se esqueça de passar todos os meses (e comece desde que esta receber), ao padre superior, duzentos mil réis, sem querer indagar em que serão eles empregados; isto quer dizer que continue a assisti-lo em tudo como até hoje tem feito, com grande consolação para meu coração. O serviço que esses missionários nos prestam no Santuário só nós podemos avaliar, tendo passado pelo que já passamos"[10].

Na chácara, situada atrás do Colegião e cedida para usufruto da Congregação, o tesoureiro instalou uma estrebaria, adquirindo para os padres os primeiros animais vacum e cavalar, estes últimos necessários para as viagens de atendimento das capelas e dos doentes.

Seus sucessores, porém, não foram tão generosos quanto ele. Somente em 1902 o Regulamento da Administração do Santuário, redigido e publicado naquele ano, determinava o salário de 500$000Rs mensais para a comunidade, incluindo o trabalho dos padres e dos irmãos. Na época, o tesoureiro leigo recebia oito por cento das entradas do Santuário, que somou naquele ano a quantia de 9:000$000Rs (nove *contos de réis*) e o secretário da Administração, também um leigo, percebia o salário de 100$000Rs mensais.

Em 1920, o salário dos padres, ou melhor, da comunidade, subiu para 1:000$000Rs (um conto de réis), depois de 1930, 1:500$000Rs, salário que persistiu até maio de 1946, quando a Congregação passou a receber os oito por cento das rendas pelo trabalho pastoral e pelo encargo de tesoureiro, que S. Eminência o Sr. Cardeal-Arcebispo de São Paulo, Dom Carlos Carmelo de Vasconcellos Motta, confiou à mesma na pessoa do Reitor do Santuário[11].

---

[10] COPRESP-B, Vol. I, carta nº 140, p. 269.

O Regulamento de 1902 — A 14 de maio de 1902, após 12 anos de experiência administrativa, foi elaborado e aprovado por Dom Antônio Cândido de Alvarenga, Bispo de São Paulo, o Regulamento Administrativo do Episcopal Santuário. Consta de 11 parágrafos, sendo o primeiro referente à composição da Mesa com três membros: o Reitor do Santuário, como presidente, e mais dois membros nomeados pelo Sr. Bispo: um como tesoureiro e outro como secretário. O 2º parágrafo estabelecia a competência da Mesa na administração dos bens, como: nomeação e demissão de empregados necessários e seus respectivos salários. O parágrafo 3º atribuía a convocação das reuniões da Mesa ao presidente sob cuja orientação ela deveria tratar dos assuntos administrativos duas vezes por mês, recolhendo nessas ocasiões os donativos do cofre. Lavrada a ata pelo secretário, estes ficavam sob a administração do tesoureiro leigo. É interessante observar que foi conservado o antiquíssimo costume das 3 chaves do cofre e que, na abertura quinzenal, cada um dos membros devia utilizar sua própria chave para abri-lo conjuntamente.

O tesoureiro devia enviar mensalmente o saldo do cofre à Mitra Diocesana de São Paulo, e a Mesa devia prestar contas ao bispo anualmente da receita e da despesa. A remuneração dos capelães, do tesoureiro e secretário foi prevista no parágrafo nono como segue:

"O tesoureiro fornecerá mensalmente ao superior da Comunidade redentorista a quantia de 500$000 como gratificação dos serviços que a Comunidade presta ao Santuário. O tesoureiro receberá oito por cento sobre as quantias que forem arrecadadas para o Santuário. O secretário receberá 100$000 mensais como gratificação de seu trabalho"[12]. Os redentoristas alemães nunca pleitearam para si as rendas do cofre[13].

---

[11] Como é desagradável para os capelães saber que muitos bispos, padres e religiosos estão mal informados a respeito desse assunto, julgando que os redentoristas são donos do cofre...

24.2. Administração da Arquidiocese de São Paulo, 1908 a 1958

Quando da criação da Arquidiocese de São Paulo, em 1908, e da criação da Diocese de Taubaté no mesmo ano, era lógico que o Santuário de Aparecida pertencesse a essa última Diocese, pois estava dentro de seus limites geográficos. Entretanto, a título de prover uma pastoral eficiente para o Santuário e, especialmente, para fundar e manter um Seminário Central para toda a Província eclesiástica, Dom Duarte Leopoldo e Silva, Bispo de São Paulo, e Dom Joaquim Arcoverde, Cardeal-Arcebispo do Rio de Janeiro, fizeram o jogo diplomático para reter para a Arquidiocese de São Paulo o rendoso Santuário de Aparecida. Assim a administração do Santuário continuou a pertencer a São Paulo até o dia 8 de dezembro de 1958, quando foi criada a Arquidiocese de Aparecida.

Em 1908, o tesoureiro Augusto Marcondes Salgado foi confirmado nas suas funções e o saldo continuou sendo enviado para a Cúria Metropolitana de São Paulo. Consta que foi aplicado na manutenção do Seminário do Ipiranga, na construção da Catedral da Sé, na criação da Universidade Católica. Depois de 1946, uma parte foi sendo aplicada nos preparativos da construção do novo Santuário. Em 1955, quando se deu o início efetivo das obras de construção do novo Santuário e, estando à frente das obras, Dom Antônio Ferreira de Macedo, o Sr. Cardeal-Arcebispo de S. Paulo, Dom Carlos Carmelo de Vasconcellos Motta, determinou que todas as rendas do Santuário fossem contabilizadas em conta própria para a construção da nova igreja.

---

[12] Cf. ACMA — I Livro do Tombo da Paróquia de Aparecida, 1893-1913, fl. 11. - *Regulamento do Episcopal Santuário de N. Senhora da Conceição Aparecida.*

[13] Sabemos, pelas crônicas e correspondência que possuímos, que outras congregações aceitariam a direção do Santuário sob a condição de usar das rendas do cofre para suas obras apostólicas.

Após a morte do Sr. Marcondes Salgado, ocorrida em maio de 1946, o encargo de tesoureiro foi confiado à Congregação Redentorista na pessoa do reitor do Santuário, a pedido do Superior Vice-Provincial Pe. Geraldo Pires de Souza.

Renovação do Contrato de 1952[14] — Depois de 55 anos de vigência pacífica do primeiro contrato (1897-1952), interessava à Congregação a atualização do mesmo para que tivesse força de lei a remuneração de 8% que o Sr. Cardeal Motta concordara em passar para a Congregação, em 1946. Por preferência dos redentoristas consultados pelo Superior Provincial, a atualização do contrato não passou, na verdade, da repetição do texto de 1897, com o acréscimo de 5 adendas.

A respeito da nomeação do tesoureiro, a Adenda 4, §2º da renovação diz: "Fica ainda ao arbítrio do Superior da Congregação indicar à Mitra Arquidiocesana outro sacerdote da mesma Congregação para o ofício de administrador ou 'Fabriqueiro'. Sua obrigação era cuidar dos bens imóveis, abrir o cofre e fazer uma ata assinada por dois padres e leigos assistentes, registrando nela as somas em dinheiro. Depois de saldar os débitos de manutenção do Santuário, o tesoureiro devia enviar à Cúria Metropolitana de São Paulo o saldo registrado.

E a Adenda nº 5, depois de historiar todo o crescimento do Santuário e o consequente aumento de peregrinos e de padres para o trabalho diz: "a) concede-se à comunidade religiosa e ao Fabriqueiro, que antigamente não era exercido por um padre redentorista, oito por cento das rendas do Santuário no qual trabalham; b) a cada um dos outros padres (com exceção do pároco que goza do jus stolae), que trabalham no Santuário, concede-se uma quantia diária, equivalente a Cr$ 30,00 a ser

---

[14] Cf. Brustoloni, J. J. *Contratos e remuneração no Santuário de Aparecida,* Aparecida, 1990, p. 24 in APR.

paga pelo Santuário, conforme a mente do Concílio Plenário Brasileiro nº 104, e Cânon 476, §1º".

A vigência desse contrato era de 10 anos, completados os quais seria prorrogado por mais 10 anos, a não ser que fosse denunciado um ano antes do término de sua vigência.

24.3. Administração da Arquidiocese de Aparecida, 1958-1997

Assumindo a administração da nova Arquidiocese como Administrador Apostólico em dezembro de 1958, e como seu primeiro Arcebispo, a 18 de abril de 1964, Dom Carlos Carmelo assumiu também a administração financeira do Santuário. Entregou a administração das obras da construção da nova igreja a seu Arcebispo Coadjutor, Dom Antônio F. de Macedo. O cargo de tesoureiro continuou nas mãos da Congregação. Ao tesoureiro redentorista competia apenas recolher os donativos, pagar as contas da manutenção do Santuário, cuidar dos bens imóveis e entregar o saldo mensal à Cúria Metropolitana de Aparecida.

Em 1960, a Santa Sé determinou que a administração dos bens do Santuário fosse separada da administração dos bens da Arquidiocese, criando o Conselho Pró-Santuário Nacional. O Sr. Cardeal-Arcebispo, Dom Carlos Carmelo, acatou a ordem e as administrações foram separadas. Em maio de 1967, Padre Sotillo instalou na Torre Brasília da nova Basílica escritório próprio para administrar o Santuário, sob a razão social: "Obras Sociais do Santuário Nacional de N. Senhora Aparecida".

Novo Contrato com a Congregação, 1962[15] — Decorridos os 10 anos da renovação do contrato de 1952, novas circunstâncias como: a criação da Arquidiocese, em 1958; a instituição do Conselho Pró-Santuário Nacional, em 1960, e a situação da Rádio Aparecida exigiam a redação de um novo contrato. Em fins de 1961, o Superior Provincial, Pe. José Ribolla, apresentou ao Sr. Cardeal-Arcebispo uma minuta de contrato composta pelo governo provincial dos redentoristas, que, por sua vez, o apresentou ao Conselho Pró-Santuário. Este, em reunião ordinária a 12 de janeiro de 1962, apreciou o texto apresentado, e, após fazer algumas alterações, o aprovou. O texto foi também aprovado pelo Superior Geral da Congregação, Pe. Guilherme Gaudreau, que se encontrava no Brasil, a 20 de novembro de 1961.

O novo contrato, com vigência de 30 anos, foi assinado em nome do Conselho Pró-Santuário pelo Sr. Cardeal-Arcebispo de Aparecida, Dom Carlos Carmelo de Vasconcellos Motta e, em nome do Padre Geral, pelo Superior Provincial, Padre José Ribolla, a 1º de maio de 1962.

Como sucessor do Cardeal Motta, assumiu o governo da Arquidiocese, Dom Geraldo Maria de Morais Penido, que tomou posse a 19 de fevereiro de 1978. Ele confirmou Padre Sotillo no cargo de tesoureiro-administrador do Santuário que assim pôde concluir as obras de estrutura do novo Santuário que ainda faltavam.

Entretanto, em agosto de 1987, Dom Geraldo decidiu unificar novamente as administrações, o que foi realizado a partir de 1988. Em 1989, ele nomeou uma Comissão administrativa Arquidiocesana, e como ecônomo engenheiro Dr. João Carlos da Silveira Barbosa. A partir de julho de 1988, os redentoristas foram afastados da administração por Dom Geraldo.

Contrato de 1992[16] — Desta vez a renovação do contrato, cuja vigência terminava a 31 de abril de 1992, não foi realizada entre o Conselho Pró-Santuário e a Congregação, mas sim

---

[15] Idem, p. 31.

entre esta e a Arquidiocese de Aparecida. Dom Geraldo nomeou uma Comissão própria para elaborar o texto de um novo contrato, enquanto o governo provincial redigiu uma minuta que lhe foi apresentada. Como, porém, o projeto apresentado pela Comissão da Arquidiocese era inaceitável por parte da Congregação[17], houve uma longa e difícil troca de papéis e argumentos. Levado pela evidência dos fatos, Dom Geraldo deixou de lado o texto da Comissão, e assinou, a 1º de julho de 1992, com algumas alterações, o contrato apresentado anteriormente pela Congregação, com validade até o ano 2000.

Após ter completado a idade limite, Dom Geraldo pediu afastamento, sendo aceito pelo papa. A 4 de maio de 1995, foi nomeado para sucedê-lo o Arcebispo de Fortaleza, Dom Aloísio Lorcheider, OFM, que tomou posse no dia 18 de agosto daquele mesmo ano. Demonstrou seu interesse pela causa dos peregrinos e do Santuário, especialmente em continuar as obras de acabamento do templo e, sobretudo, em estabelecer um ambiente sagrado à volta do Santuário[18]. Para isso tomou medidas importantes, como: restabelecer a separação entre os bens da Arquidiocese e do Santuário com administradores próprios, administrar e dirigir o Santuário de comum acordo com o Conselho Pró-Santuário, instituído para esse fim pela Santa Sé, em 1960. Elaborou os Estatutos do Santuário, aprovados pela CNBB, que entraram em vigor a 8 de dezembro de 1996. Demonstrou ainda confiança na Congregação Redentorista,

---

[16] Cf. documentação pertinente in APR e ACMA.

[17] Conforme a Minuta da Comissão, os redentoristas teriam menos autoridade no Santuário do que qualquer sacristão de nossas paróquias...

[18] O Cardeal Arcebispo conseguiu firmar um convênio entre o Santuário e a Prefeitura Municipal, a 2 de dezembro de 1996, disciplinando o comércio de ambulantes nos pátios do Santuário. Vendedores de todo o tipo e de toda a parte fizeram dos pátios um campo de comércio sem eira nem beira... agredindo os peregrinos.

[19] Os redentoristas foram generosos em aceitá-la em tais circunstâncias, para colaborar no restabelecimento de uma administração correta.

[20] ACMA — Cf. I Livro do Tombo da Arquidiocese de Aparecida, fls. 35 e ss.

quebrada no período anterior, confiando-lhe novamente o encargo da administração financeira do Santuário[19].

24.4. Conselho Pró-Santuário Nacional[20]

Já em 1908, quando foi criada a Arquidiocese de São Paulo e o Santuário continuou sob sua jurisdição, a Santa Sé determinava que o Sr. Arcebispo de São Paulo prestasse contas da administração do Santuário aos bispos sufragâneos da Arquidiocese de São Paulo[21].

A Bula da criação da Arquidiocese de Aparecida, de 19 de abril de 1958, estabelecia que fosse criado, oportunamente, um Conselho composto de 5 varões para administrar os bens do Santuário[22]. Entretanto, em 1959, por influência da CNBB, a Nunciatura preparou um projeto de decreto criando o Conselho Nacional Pró-Santuário de Nossa Senhora Aparecida, a ser composto pelo Arcebispo de Aparecida, como presidente, e de mais dois metropolitas escolhidos pela Assembleia da CNBB. Dom Helder Câmara, Arcebispo Auxiliar do Rio e Secretário Geral da CNBB, enviou cópia do mesmo ao Sr. Cardeal Dom Carlos Carmelo de Vasconcellos Motta, Arcebispo de São Paulo e Administrador Apostólico da Arquidiocese de Aparecida, para receber seu parecer. Este, depois de dialogar com o Sr. Núncio, concordou[23].

A 15 de julho de 1960 foi publicado pela Sagrada Congregação do Concílio o Decreto Pontifício, criando o Conselho Pró-Santuário Nacional de Nossa Senhora Aparecida, constando de cinco artigos. O artigo II do projeto da Nunciatura,

---

[21] COPRESP-B, carta nº 587, 594.
[22] ACMA, cf. Decreto executorial da Bula "Sacrorum Antistitum" do Senhor Núncio Apostólico no Brasil, Dom Armando Lombardi. O terceiro item desse documento diz: "Para a administração dos bens do Santuário de Aparecida, determinamos que haja uma comissão de varões, à qual presidirá o próprio Arcebispo, conforme as normas dadas pela S. Congregação do Concílio".

que previa a formação de um Conselho de três membros, foi alterado por outro Decreto Pontifício. Neste segundo, o Conselho seria composto pelo Arcebispo de Aparecida e três metropolitas (arcebispos) eleitos pela Conferência Nacional dos Bispos do Brasil, e mais o Presidente 'pro tempore' da mesma Conferência (CNBB), que também presidiria o Conselho[24]. Essa alteração da composição do Conselho foi comunicada ao Sr. Administrador Apostólico da Arquidiocese de Aparecida, Dom Carlos Carmelo, por S. Exª o Sr. Núncio Apostólico, Dom Armando Lombardi, por carta de 8 de setembro de 1960. A 6 de maio de 1960 foram eleitos pela Assembleia dos Bispos o membros do Conselho, a saber: os Srs. Arcebispos de Ribeirão Preto, Curitiba e Campinas.

Em 1967, o Sr. Cardeal Motta pediu, o Conselho concordou e a S. Congregação do Concílio aprovou que o prédio do Colegião e seu terreno passasse para propriedade da Arquidiocese.

Peritos em Direito Canônico afirmam que o Decreto que instituiu o Conselho pró-Santuário é definitivo, ad experimentum são seus estatutos, isto é: a composição do Conselho e a maneira de sua escolha, com o Presidente da CNBB presidindo o Conselho. A cada cinco anos a CNBB deve fazer um relatório sobre o Conselho e pedir a prorrogação.

Percentagem das rendas para a CNBB — O artigo 5º do Decreto estabelecia que, das rendas líquidas do Santuário, 10% fossem destinadas para a formação do patrimônio da Arquidiocese, 70% para a construção da nova igreja, e

---

[23] Os documentos dessa negociação foram registrados no Livro do Tombo da Arquidiocese pelo Arcebispo Coadjutor, Dom Antônio Ferreira de Macedo, C.Ss.R. Toda a história da criação do Conselho foi registrada pelo meticuloso Arcebispo Coadjutor Dom Macedo.

[24] O estatuto dessa modificação é que é "ad experimentum" e não a existência do Conselho como tal.

20% ficariam à disposição da CNBB para manutenção de obras de apostolado. A razão que a CNBB deu para essa percentagem foi a de que os peregrinos acodem ao Santuário de todas as partes do Brasil e, por isso, seria justo que parte de seus donativos revertessem em benefício da entidade[25].

A percentagem de 20% para a CNBB, proposta inicialmente por Dom Helder, e constante do Decreto Pontifício, era muito alta e estava acarretando grande atraso na construção da nova Basílica. Por isso, na reunião de 6 de abril de 1965, o Conselho decidiu pedir à Santa Sé que alterasse a percentagem para 5%. Naquela reunião, o Secretário do Conselho e responsável pela construção do Santuário, Dom Antônio F. de Macedo, apresentou estas razões:

"Quanto à experiência da vigência do decreto nos cinco primeiros anos — 1960 a 1965 — pode-se dizer que a subtração de 20% da renda líquida em favor das 'obras de religião', a critério da CNBB, acarretou um atraso na construção pelo menos de 20 meses, durante esses cinco anos de vigência. Haja em vista que em cinco anos 20% perfazem 12 meses do total. Deve-se acrescentar a isto o constante encarecimento da obra com o aumento do preço do material e da mão de obra. Dadas essas considerações e a necessidade de se acelerarem as obras da nova Basílica, o Conselho achou justo e razoável que a Basílica de Nossa Senhora Aparecida contribua só com 5% de suas rendas, conforme está estabelecido nos novos Estatutos da CNBB para todos os santuários do Brasil. Ficou também estabelecido que esta disposição entre em vigor no dia 15 de julho próximo"[26].

Assim foi confirmada a percentagem de 5 % e Dom Macedo respirou aliviado, pois naquele ano de 1965 ele

---

[25] A título de esclarecimento foi feita uma pesquisa constatando que, na época do Decreto, a procedência dos romeiros era distribuída da seguinte maneira: 75% de São Paulo, 12% de Minas Gerais e 6% do resto do Brasil.

concluía a Torre Brasília e iniciava a construção da Cúpula, que por ser única no gênero na construção civil trouxe muita preocupação e gastos.

24.5. Tesoureiros do Santuário

O primeiro tesoureiro da administração eclesiástica foi o Sr. Martiniano de Oliveira Borges (1890 a 1892), sucedendo-o o Capitão João Maria de Oliveira Cezar, que exerceu o cargo entre 1892 e 1900.

O novo tesoureiro João Maria, pessoa correta e dedicada, foi muito fiel no desempenho de seu cargo. Tratou da reintegração de posse por parte do Santuário, em 1894, da Chácara das Pitas, onde seria construído o Seminário Central (Colegião), e da Chácara da Ponte Alta (situada em frente do atual Santuário novo), ambas deixadas à Capela por testamento do Pe. Lourenço Marcondes de Sá, em 1838. Após o lançamento da primeira pedra do Grande Seminário (Colegião), a 6 de agosto daquele ano, o tesoureiro dedicou-se incansavelmente na execução daquela obra.

Em 1900, assumiu o cargo o terceiro tesoureiro desse período, o Sr. Marcondes Salgado, genro de João Maria. Salgado administrou os bens móveis e imóveis do Santuário até sua morte, ocorrida a 17 de maio de 1946. Embora tenha sido muito correto na administração, lamentamos que não tenha feito o registro dos poucos lotes e seus respectivos prédios, que haviam sobrado do grande patrimônio da Capela, pois toda a cidade fora construída sobre o patrimônio de terras do

---

[26] Cf. Ata da reunião do Conselho Pró-Santuário de 6 de abril de 1965, in I Livro de Ata do Conselho Pró-Santuário Nacional, fl. 42 e também in Doc. nº 119, p. 47.

Santuário. Conforme determinação do Código Civil de 1917, os imóveis deviam ser registrados, o que ele não fez. E não lhe seria difícil, apesar da imprecisão das escrituras existentes, pois ele exercia a função de tabelião do 2º Ofício da Comarca de Guaratinguetá. Mais tarde foi necessário recorrer ao recurso do usucapião.

Em fins de abril de 1946, pela grave doença do tesoureiro Marcondes Salgado, o Sr. Cardeal Motta nomeou o Reitor do Santuário, Pe. Antônio Pinto de Andrade, como tesoureiro[27].

Desde então, ocuparam o cargo de tesoureiro os padres:
Antônio Pinto de Andrade (1946 a 1950),
Antão Jorge Hechenblaickner (1950 a 1956),
José Ferreira da Rosa (1956 a 1958),
Pedro Henrique Flörschinger (1959 a 1966).

Esses tesoureiros repassavam o saldo para a Cúria Metropolitana de São Paulo e depois de 1955 para a administração da construção da nova Basílica.

Pe. Noé Sotillo, nomeado primeiramente tesoureiro passou a exercer, em 1967, também o cargo de administrador da construção da nova igreja (1967 a 1988) e Administrador Geral da Arquidiocese (1978 a 1988).

Pe. Jadir Teixeira da Silva foi somente tesoureiro dentro da nova administração implantada por Dom Geraldo entre 1988 e 1996, cuja função consistia apenas em fazer a abertura do cofre, contar o dinheiro, descontar a percentagem devida à Congregação e fazer a ata, entregando o saldo ao Dr. João Carlos, coordenador geral da administração da Arquidiocese de Aparecida.

---

[27] As razões da entrega do cargo e da percentagem para a Congregação foram: o trabalho do reitor do Santuário na manutenção dos bens do Santuário (o tesoureiro só ajudava contar o dinheiro do cofre e repassava-o para a Cúria) e a necessidade de manter as vocações para garantir a equipe missionária no trabalho do Santuário.

A partir de agosto de 1988, os Redentoristas ficaram somente com a pastoral, não tendo nenhuma responsabilidade na administração, pois nem sequer o Reitor do Santuário fazia parte do conselho econômico nomeado por Dom Geraldo.

Em 1996, o Sr. Cardeal Arcebispo, Dom Aloísio Lorscheider, apresentou à CNBB os Estatutos do Santuário Nacional, que foram aprovados e publicados a 8 de dezembro de 1996. Por eles, a administração dos bens passou a ser novamente confiada ao reitor do Santuário, que também passou a fazer parte ex-officio do Conselho Econômico.

TERCEIRA PARTE

PASTORAL DO SANTUÁRIO

Depois da primeira, esta é a parte mais importante desta História. Ela nos apresenta a ação pastoral da Igreja que se utilizou da profunda devoção mariana e do grande carinho de nosso povo para com Nossa Senhora Aparecida para evangelizá-lo. Se, como disseram alguns bispos no final do século passado, a devoção a Nossa Senhora da Conceição Aparecida salvou a fé católica de nosso povo no passado, conservando-o unido a Cristo e à sua Igreja, hoje ainda esse amor do povo para com Maria o ajuda a permanecer fiel a Jesus Cristo.

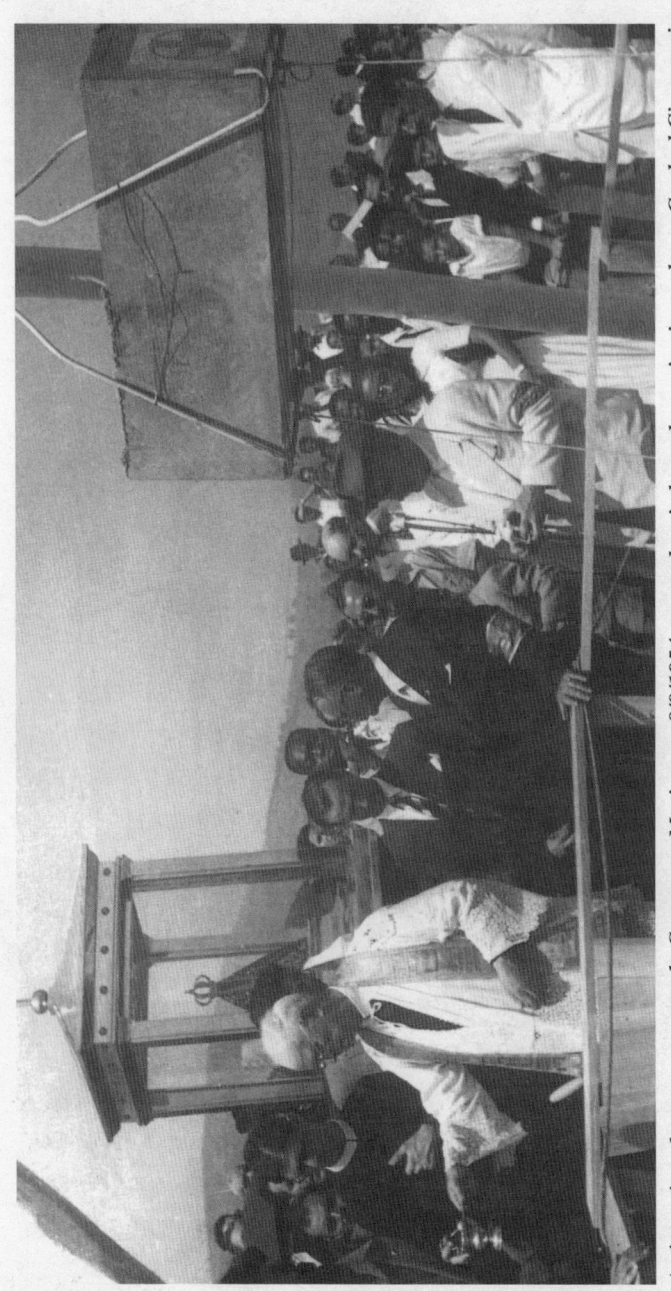

Após a missa do encerramento do Congresso Mariano, a 8/9/1954, na qual seria lançada a primeira pedra, o Cardeal Cicognani sentiu-se mal. Padre Antão Jorge procedeu ao rito da bênção e colocação da primeira pedra. Bem que Pe. Antão mereceu esta honra pelo amor e interesse que tinha pela Nova Basílica

25
BISPOS E ARCEBISPOS DO SANTUÁRIO DE APARECIDA

Vou enumerar neste capítulo as dioceses e arquidioceses às quais pertenceu o Santuário de Aparecida, e quais foram os bispos e arcebispos que exerceram jurisdição sobre o mesmo e o que realizaram em seu benefício.

Quando a Imagem foi encontrada, em 1717, a Paróquia de Santo Antônio de Guaratinguetá pertencia à Diocese do Rio de Janeiro. Como Santuário, Aparecida pertenceu à mesma diocese de 26 de julho até dezembro de 1745.

25.1. Diocese de São Paulo — 1745 a 1908[1]

A diocese de São Paulo foi criada por Dom João V, rei de Portugal, a 22 de abril de 1745, e confirmada pelo Papa Bento

---

[1] Consultamos, para efeito deste capítulo, a obra: *A Igreja de São Paulo nos Quatro Séculos de São Paulo, 1554 a 1954*. Ed. Edonal, São Paulo, 1955.

XIV, a 6 de dezembro daquele mesmo ano de 1745. O primeiro bispo a ocupar a sede paulopolitana foi Dom Bernardo Rodrigues Nogueira, nomeado pelo rei Dom João V e confirmado pelo Papa Bento XIV, a 15 de dezembro de 1745. Ele tomou posse a 7 de agosto de 1746.

— Dom Bernardo Rodrigues Nogueira — 1746 a 1748

A Diocese de São Paulo começou bem com este prelado. Homem de Deus, ele se tornou benemérito do Santuário pelo fato de ter enviado dois missionários jesuítas para pregar a primeira Santa Missão no povoado de Aparecida, em 1748. Eles nos deixaram uma valiosa crônica da Missão, na qual narram o achado da Imagem e a visível intercessão de Maria em favor de seu povo. Eles constataram essa graça e a colocaram em evidência. Possuímos uma fotocópia deste documento, cujo original se encontra no Arquivo Geral dos Padres Jesuítas, de Roma.

— Dom Frei Antônio da Madre de Deus Galvão — 1750 a 1764

Este prelado teve grande cuidado pastoral com o Santuário, enviando Visitadores Diocesanos que deram normas para o culto de Nossa Senhora Aparecida e para a administração de seus bens. Aprovou, a 28 de fevereiro de 1752, a Irmandade de Nossa Senhora Aparecida. Seu grande mérito, foi determinar que os párocos abrissem o Livro do Tombo e nele registrassem a história da origem da paróquia e de suas capelas. A determinação foi executada pelo Visitador Pe. Antônio de Medeiros Pereira, na Visita Pastoral que fez à Paróquia de Guaratinguetá, no segundo semestre de 1757, abrindo o primeiro Livro do Tombo. Nele, o Pároco Pe. Dr. João de Moraes e Aguiar escreveu a narrativa do encontro da imagem, o início do culto e a construção da primeira igreja em louvor de Nossa Senhora Aparecida.

— **Dom Frei Manuel da Ressurreição** — **1771 a 1789**
Este prelado enviou diversos Visitadores e escreveu cartas pastorais que trouxeram grandes vantagens para o Santuário na catequese das crianças e dos adultos e no atendimento das confissões.

— **Dom Mateus de Abreu Pereira** — **1794 a 1824**

— **Dom Manuel Joaquim Gonçalves de Andrade** — **1827 a 1847**
Estes dois prelados portugueses, além jansenistas, foram mais políticos que pastores.

— **Dom Antônio Joaquim de Mello** — **1851 a 1861**
Foi o primeiro bispo brasileiro de São Paulo. Ele implantou na diocese normas e princípios para a Reforma Católica, conhecida também como Romanismo. Realizou a Visita Pastoral em toda a sua diocese; visitando também a Capela da Aparecida, em 1854, dando normas para o culto de Nossa Senhora. Mandou imprimir na França estampas artísticas de Nossa Senhora Aparecida. Cortou certos abusos da Sala dos Milagres. Para melhorar a pastoral dos peregrinos, procurou dotar o Santuário de padres preparados e zelosos. Quando o Ministro da Justiça o consultou, em 1857, a respeito da supressão das antigas ordens que estavam decadentes, ele o aconselhou a entregar os mosteiros às novas congregações religiosas, citando os redentoristas.

Seu sucessor foi **Dom Sebastião Pinto Rego**, nomeado pelo Imperador e confirmado pelo Papa Pio IX, a 4 de outubro de 1861, tomou posse no dia 16 de junho de 1863.

— **Dom Lino Deodato Rodrigues de Carvalho** — **1873 a 1894**
Bispo benemérito do Santuário pelo seu grande amor a Nossa Senhora Aparecida e seu interesse de dotar o mesmo

dos meios necessários para renovar sua pastoral. Fazia, anualmente, mais de uma vez sua visita de peregrino e de pastor a Aparecida. Conferiu o título de Santuário Episcopal ao templo, e criou a paróquia (Curato), a 28 de novembro de 1893. Para renovar a pastoral e melhorar o atendimento dos romeiros, enviou a Roma seu Bispo Coadjutor, Dom Joaquim Arcoverde, com a tarefa de contratar uma congregação missionária para o Santuário, mas faleceu em Aparecida antes de poder vê-la, a 19 de agosto de 1894.

— Dom Joaquim Arcoverde de Albuquerque Cavalcanti — 1894 a 1897

Como Bispo Coadjutor de Dom Lino, Dom Joaquim Arcoverde viajou para Roma no mês de maio de 1894 e conseguiu contratar os Missionários Redentoristas para cuidar do Santuário e para pregar as Santas Missões na diocese. Com a morte de Dom Lino, teve de voltar apressadamente para São Paulo, sem poder visitá-los na Alemanha e tratar dos pormenores da viagem. Assumindo o governo da diocese, a 30 de setembro de 1894, pôs em prática o plano, já arquitetado juntamente com Dom Lino, a respeito do Santuário de Aparecida. Sua atuação foi a mais benéfica possível e as medidas tomadas em conjunto com o Pe. Gebardo Wiggermann, Superior da comunidade redentorista de Aparecida, transformaram o ambiente do Santuário. Dom Joaquim Arcoverde foi sem dúvida o maior benfeitor e amigo tanto do Santuário como dos Missionários Redentoristas.

— Dom Antônio Cândido de Alvarenga — 1899 a 1903

Este prelado determinou que se pregassem as Santas Missões em toda a Diocese de São Paulo, de 5 em 5 anos. Foi grande amigo dos redentoristas, reconhecendo em público seus méritos na transformação tanto da Paróquia quanto do Santuário de Aparecida. Publicou, em 1902, o Regulamento para a administração dos bens do Santuário.

— **Dom José de Camargo Barros — 1904 a 1906**
Coube a ele a insigne honra de coroar a Imagem de Nossa Senhora Aparecida, a 8 de setembro de 1904. Faleceu, em 1906, vítima do naufrágio do navio 'Sírio', na costa da Espanha, quando fez seu último gesto de caridade cristã, oferecendo seu salva-vidas a uma mãe de família.

— **Dom Duarte Leopoldo e Silva — 1907 a 1908**
Durante seu primeiro ano de governo que foi estudada e efetivada a elevação da diocese à categoria de Arquidiocese, sendo nomeado em 1908 seu primeiro Arcebispo.

25.2. Arquidiocese de São Paulo — 1908 a 1958

A Arquidiocese de São Paulo foi criada pelo Papa Pio X, a 7 de julho de 1908.

— **Dom Duarte Leopoldo e Silva — 1907 a 1939**
Dom Duarte, apoiado pelo Cardeal-Arcebispo do Rio de Janeiro, conseguiu da Santa Sé que o Santuário e a Paróquia continuassem pertencendo à nova Arquidiocese. Consta da correspondência, que se encontra no Arquivo Secreto do Vaticano[2], que a motivação dessa resolução foram a pastoral e o saldo do cofre do Santuário que era necessário para se fundar e sustentar o Seminário Central do Ipiranga. Este prelado pediu e conseguiu o privilégio de Basílica Menor para a igreja do Santuário; organizou ainda o jubileu dos 200 anos do encontro da Imagem, em 1917, e o Congresso Mariano de 1929.

---

[2] Veja cópia da correspondência in COPRESP-B, cartas nº 550, nº 551 e nº 570.

— Dom José Gaspar de Afonseca e Silva — 1939 a 1943

Depois de Dom Joaquim Arcoverde, este foi o maior e melhor amigo do Santuário, dos peregrinos e dos missionários redentoristas. Costumava frequentar o Santuário como peregrino desde seu tempo de professor e reitor do Seminário Central do Ipiranga. Feito Arcebispo de São Paulo, em 1939, já na sua primeira visita ao Santuário como pastor, a 23 de novembro daquele ano, prometeu aos peregrinos e aos padres redentoristas que iria construir quanto antes o novo santuário. Ele chegou a dar os primeiros passos para a construção da nova igreja, mas sua morte prematura, ocorrida a 27 de agosto de 1943, quando o avião que o conduzia ao Rio se chocou contra a Escola Naval da baía de Guanabara, interrompeu vida e planos do grande e querido Arcebispo de São Paulo.

— Dom Carlos Carmelo de Vasconcellos Motta — 1944 a 1958

Sua Eminência o Sr. Cardal Motta dirigiu os destinos do Santuário de Aparecida, ainda como Arcebispo de São Paulo, entre os anos de 1944 e 1964.

Realizou, em 1954, o Congresso Mariano de São Paulo, de 5 a 8 de setembro, levando a Imagem para aquele congresso, fato que muito contribuiu para o crescimento da devoção na capital paulista. Dom Carlos assumiu o compromisso de construir a nova Basílica. Aceitou e confirmou o plano de Dom José Gaspar de construí-la no Morro das Pitas. Lançou com grande solenidade a pedra fundamental do novo Santuário, a 10 de setembro de 1946, escolhendo o engenheiro-arquiteto Dr. Benedito Calixto de Jesus Neto, para elaborar o projeto. Como a primeira pedra fosse violada e roubada, foi lançada uma segunda, na esplanada da futura igreja, a 8 de setembro de 1954, como último ato do Congresso Mariano, celebrado em São Paulo, e efetivo início da construção do futuro Santuário Nacional de Nossa Senhora Aparecida. Para esse fim, contudo, escolheu para seu bispo auxiliar o Superior Provincial dos Missionários Redentoristas, Padre Antônio Ferreira de Macedo, que, sagrado em julho de 1955, pôs logo mãos à obra, iniciando sua construção.

25.3. Arquidiocese de Aparecida

Ainda como Cardeal-Arcebispo de São Paulo, Dom Carlos Carmelo, concordou com o plano da CNBB de criar a Arquidiocese de Aparecida, valorizando desta forma o prestígio do Santuário. A Arquidiocese foi criada a 19 de abril de 1958, por Pio XII, e instalada pelo Sr. Núncio Apostólico Dom Armando Lombardi, a 8 de dezembro de 1958.

— **Dom Carlos Carmelo de Vasconcellos, Cardeal Motta — 1964 a 1978**

Como Arcebispo de São Paulo, ele governou a Arquidiocese de Aparecida como Administrador Apostólico entre 1958 e 1964. Em 1960, concordou com a criação pela Santa Sé do Conselho dos Bispos Pró-Santuário. Em 1964, foi nomeado seu primeiro Arcebispo, tomando posse a 18 de abril de 1964. Trouxe consigo, como Arcebispo Coadjutor, Dom Antônio Ferreira de Macedo, que continuou à frente da construção da nova Basílica. Mostrou sempre grande interesse pelo Santuário de Aparecida. Superado o incidente de 1948[3], quando seu relacionamento com a Congregação Redentorista ficou tenso, voltou a demonstrar amizade e confiança nos redentoristas. Assinou, em 1962, em nome do Conselho Pró-Santuário Nacio-

---

[3] Naquele ano o Sr. Salomão Boueri, auxiliar direto do Pe. Andrade, se candidatou para prefeito no partido do Sr. Ademar de Barros, que estava sendo apoiado pelo partido comunista de São Paulo. O prefeito local, Sr. Américo Alves, sentindo-se prejudicado no seu candidato, acusou o vigário e o Sr. Salomão Boueri, junto do Sr. Cardeal, de apoiar os comunistas. O Sr. Cardeal, que foi contra o Sr. Ademar de Barros, magoado, pediu a remoção do Pe. Andrade da paróquia.

nal, a renovação do contrato com a Congregação Redentorista por mais 30 anos.

— Dom Geraldo Maria de Morais Penido — 1978 a 1995

Como sucessor do Cardeal Motta, foi nomeado pela Santa Sé, o Arcebispo de Juiz de Fora, Dom Geraldo Maria de Morais Penido, que tomou posse a 19 de fevereiro de 1978. Dom Geraldo convocou, e os redentoristas organizaram, o Congresso Eucarístico Nacional de 1985. Foi ainda sob sua jurisdição que o Pe. Noé Sotillo, confirmado por ele no cargo de tesoureiro-administrador, pôde concluir as obras de estrutura do novo Santuário que ainda faltavam.

Em julho de 1988, S. Exª Rev^{ma}, remodelando o quadro administrativo da Arquidiocese e do Santuário, chamou a si o cargo de administrador e nomeou um coordenador leigo na pessoa do engenheiro Dr. João Carlos da Silveira Barbosa. Unificou a administração dos bens do Santuário com os da Arquidiocese[4], separação introduzida anteriormente pelo Cardeal Motta por determinação da Santa Sé. Desconhecendo a existência do Conselho Pró-Santuário, Dom Geraldo constituiu uma comissão administrativa de cinco membros leigos, relegando à margem das decisões administrativas do Santuário o Conselho Nacional Pró-Santuário Nacional, instituído também pela Santa Sé, em 1960[5], e os missionários redentoristas que sustentavam o peso do trabalho pastoral do Santuário.

Em 1991, depois de consultar outras congregações religiosas sobre a possibilidade de assumirem a direção do Santuário, Dom Geraldo iniciou as tratativas para a renovação do contrato entre a Congregação Redentorista e a Arquidiocese. Depois de algumas dificuldades, foi assinado a 1º de julho de

---

[4] A unificação dos bens foi iniciada em agosto de 1987.

[5] Cf. Documentos no ACMA. Cópia dos mesmos in Coletânea II Vol. fls. 148 e ss. Agora, em 1998, pode-se avaliar melhor o desacerto que a administração incompetente e desleal, introduzida por Dom Penido, causou para o Santuário.

1992. Renovado o contrato até o ano 2000, os missionários redentoristas puderam celebrar, em 1994, o primeiro centenário de sua presença e trabalho no Santuário. Os redentoristas ocuparam o cargo de tesoureiro entre 1946 e 1988, e a administração das obras da nova Basílica de 1967 a 1988, ocupando-se, depois, até janeiro de 1997, somente da pastoral.

— **Dom Aloísio, Cardeal Lorscheider, 1995...**

Após completar a idade limite de 75 anos, Dom Geraldo pediu renúncia, que foi aceita pelo Papa. Houve uma demora no jogo político-diplomático para a nomeação de seu sucessor. Esta, enfim, saiu na pessoa do Cardeal-Arcebispo de Fortaleza, Dom Aloísio Lorscheider, sendo publicada, a 4 de maio de 1995, e tomando posse no dia 18 de agosto.

Dom Aloísio já conhecia o trabalho pastoral dos missionários redentoristas no Santuário, pois fora presidente do Conselho Pró-Santuário. Demonstrou logo seu interesse pela causa dos peregrinos e do Santuário, especialmente em continuar as obras de acabamento do templo e, sobretudo, em estabelecer um ambiente sagrado à volta do Santuário[6]. Para isso tomou medidas importantes, como: restabelecer a separação entre os bens da Arquidiocese e do Santuário com administradores próprios, administrar e dirigir o Santuário de comum acordo com o Conselho Pró-Santuário, instituído para essa finalidade pela Santa Sé, em 1960. Elaborou os Estatutos do Santuário, aprovados pela CNBB, que entraram em vigor a 8 de dezembro de 1996. Demonstrou confiança na Congregação Redentorista, quebrada no período anterior, confiando-lhe novamente o encargo da administração financeira do Santuário.

---

[6] O Cardeal Arcebispo conseguiu firmar um convênio entre o Santuário e a Prefeitura Municipal, a 2 de dezembro de 1996, proibindo o comércio de ambulantes nos pátios do Santuário. Vendedores de todo o tipo e de toda a parte fizeram dos pátios um campo de comércio sem eira nem beira... agredindo os peregrinos.

Pela primeira vez na história deste Santuário, grande multidão está junto da Imagem. Festa da Coroação, 8/9/1904

26
ATUAÇÃO PASTORAL DA IGREJA NO SANTUÁRIO ENTRE 1745 E 1890

É difícil hoje alguém poder imaginar que o Santuário de Aparecida, que sempre foi uma força religiosa no meio do povo e um Santuário tão querido, não estivesse sujeito, durante 85 anos (1805-1890), à plena orientação e jurisdição da Igreja. Ela não tinha a liberdade de poder tomar as medidas pastorais necessárias para o bem dos romeiros. Aliás essa foi a condição de toda a Igreja no Brasil, durante o regime do Padroado dos imperadores católicos. Mas o Santuário começou em 1745 sob sua benéfica influência pastoral. Vejamos qual foi a atuação da Igreja no Santuário desde seu início até o advento do regime republicano e o fim do regime do Padroado, em 1890.

26.1. Período 1745 a 1805

Nesse período, o pároco e a irmandade zelavam da administração tanto espiritual quanto temporal da Capela. A maioria dos párocos era dotada de zelo e de boa formação teológica, recebida na Universidade de Coimbra, em Portugal, ou nos Colégios dos Jesuítas, no Brasil. Com sua expulsão, em 1759, fecharam-se os colégios e seminários; a formação eclesiástica do clero ficou seriamente prejudicada. O analfabetismo crônico de nosso país originou-se desse fato e nessa época.

No relatório de 1777 da Diocese de S. Paulo, elaborado pelo terceiro Bispo de São Paulo, Dom Frei Manoel da Ressurreição, figuravam diversos sacerdotes que se recomendavam pela sua formação e zelo pastoral. Da lista dos sacerdotes que foram párocos em Guaratinguetá ressaltamos estes: "Gaspar de Souza Leal, morigerado e exemplar; Firmiano Dias Xavier, filósofo, teólogo e bom pregador; João de Morais e Aguiar, mestre de Teologia (*foi este que escreveu no segundo semestre de 1757 a notícia do achado da Imagem*)"[1].

Conforme podemos constatar pelo Livro do Tombo, esse período foi o mais rico de orientação pastoral por parte dos bispos. Muitas são as Cartas e Visitas Pastorais que objetivavam a orientação pastoral do clero, lembrando-lhe e exigindo o cumprimento de seus deveres de pregar a palavra de Deus, a catequese tanto das crianças livres como das escravas, de adultos de ambas as categorias e o atendimento das confissões por ocasião da Páscoa. Reuniões semanais do clero eram previstas para o estudo da Teologia Dogmática e da Moral[2].

A ação pastoral e administrativa dos bispos ou de seus Visitadores foi muito frequente no Santuário até 1782, cessando quase que por completo depois, no longo espaço de 72 anos. Depois da Visita Pastoral de Dom Frei Manuel da Ressurreição, em 1782, somente em 1854, Dom Antônio Joaquim de Mello voltará a visitar a Capela e se interessará

---

[1] Camargo, Mons. Paulo Florêncio da Silveira, *A Igreja na História de São Paulo*, Vol. V, p. 352.

[2] Cf. Cartas Pastorais, avisos e termos de Visitas Pastorais no I Livro do Tombo, op. cit., fls. 4 a 10.

pela sua pastoral, dando normas e exigindo mais disciplina no culto.

Além das frequentes Cartas Pastorais, seis Visitas foram registradas, a saber: em 1750, 1761, 1768, 1770, 1773 e 1782. Todas elas trataram de temas pastorais da paróquia e de sua Capela filial de Aparecida. Também normas para a administração de seus bens foram deixadas pelos Visitadores Diocesanos nos provimentos das visitas por eles transcritas no Livro do Tombo. Mas nenhuma delas tinha como objetivo "divulgar os milagres de Nossa Senhora Aparecida", como afirmou em sua tese, publicada em 1948, a socióloga Lucila Hermann, citando erradamente o provimento da Visita Pastoral de 1773. Na citada passagem do Visitador Pe. Firmiano Dias Xavier, lemos: "Mando que se acabem as obras da Capela de Nossa Senhora da Conceição Aparecida"[3], e não: "Ordeno que se divulguem os milagres de Nossa Senhora Aparecida", como a socióloga Lucila Hermann leu e interpretou. Constatando o desenvolvimento econômico e social de Guaratinguetá, ela afirma que a Igreja, não querendo perder a influência sobre seus fiéis, e desejando-os submissos, mandava divulgar os milagres de Nossa Senhora Aparecida[4].

O último bispo que marcou sua presença no Santuário foi Dom Frei Manuel da Ressurreição (1772 a 1789). O livro do Tombo registra esta norma pastoral deixada por ele: "Exortamos ao Revdo. Vigário que explique aos fregueses os mistérios de nossa Sagrada religião e fará com eles atos de fé, esperança e caridade, principalmente aos domingos e dias santificados"[5].

---

[3] Cf. I Livro do Tombo, op. cit., fl. 16v.
[4] Hermann, Lucila, *Evolução da Estrutura Social de Guaratinguetá num Período de Trezentos Anos*, in Revista de Administração, ano II, 1948, n. 5/6, p. 47.
[5] Livro do Tombo de Guaratinguetá, op. cit., fl. 21.

26.2. Período de 1805 a 1890

Nesse tempo a Igreja não tinha voz ativa nenhuma na administração dos bens e, mesmo na pastoral, sua ação foi muito limitada pelo regime regalista dos imperadores católicos. Sem clero, os bispos não podiam providenciar uma pastoral condizente com as necessidades dos peregrinos, que, em grande número, continuaram a procurar o Santuário. Dom Antônio Joaquim de Mello, em 1854, e Dom Lino Deodato Rodrigues de Carvalho, a partir de 1873, farão visitas pastorais no Santuário e se interessarão pela sua vida religiosa. A ação de ambos, porém, foi sempre dificultada pelos membros da Mesa Administrativa.

Dom Antônio (1851 a 1861) tomou a peito as Visitas Pastorais e as fez pessoalmente, iniciando-as pelo Vale do Paraíba, em 1854. Esteve na matriz de Guaratinguetá, de 23 de junho a 17 de julho daquele ano, visitando o Santuário pessoalmente e ditando normas para a sua boa administração pastoral[6]. Entre elas salientamos estas: conservar-se-á sempre o Santíssimo Sacramento no tabernáculo com a lâmpada acesa; o sacristão deve ser provisionado para ajudar na santa missa e outros atos religiosos sempre com veste talar; deve cantar as ladainhas (*reza*) antes das ave-marias, isto é, antes das 18 horas; às quintas-feiras haverá bênção do Santíssimo, após a missa do Santíssimo, com indulgência de 40 dias para os que participarem devotamente[7]; o capelão deve abrir um livro especial para anotar as intenções de missas para serem celebradas sem dia marcado e só ele poderia recebê-las[8]; nenhum sacer-

---

[6] ACMA — *Provimento da Visita à Capela*, Livro do Tombo, op. cit., fl.150.

[7] Esta norma criou ou reforçou o costume de se celebrar, às quintas-feiras, a missa do Santíssimo com procissão interna.

[8] A razão dessa determinação foi o abuso que havia a respeito. Um desses livros estava no Cartório do Fórum de Guaratinguetá, e nos foi entregue pelo pesquisador Dr. Helvécio.

dote, sob pena de suspensão 'ipso facto incurrenda', poderia assumir o cargo de capelão e tomar posse, sem antes ser aprovado pelo bispo; as confissões deviam ser atendidas somente na igreja.

Determinou ainda que somente os ex-votos de cera ou madeira podem ser conservados na Sala dos Milagres; proibiu que se conservassem pinturas em papel para representar graças alcançadas por encontrar muitas inconveniências, além de grosseiras. Outras normas versavam sobre enterros, taxas, festeiros, irmandades. Deixou as ofertas das crismas para a igreja matriz e para o cemitério.

Dom Antônio foi o primeiro bispo a impor seu direito de Pastor, exigindo que nenhum sacerdote assumisse a capelania sem ser antes aprovado por ele; pois a Mesa indicava sacerdotes que não se recomendavam por seus costumes e ciência. Até onde chegou a exorbitância da Mesa ficou claro no caso do pequeno cofre mandado colocar no recinto do Santuário por ele, e que se destinava a recolher donativos para a construção do Seminário[9]. A Mesa se opôs e duvidou da reta aplicação dos mesmos por parte do bispo. O caso chegou ao conhecimento do Presidente da Província, Dr. José Antônio Saraiva, que advertiu os membros da Mesa sobre sua posição ridícula. "Cumpre-me, escrevia ele, significar-lhes que nenhum inconveniente se dá ao alvitre tomado pelo mesmo Exmo. Sr. Bispo, e nenhum direito assiste à Mesa Administrativa da Capela para impugnar, sendo que parecia melhor que ela, em respeito ao prelado, procurasse até interessar-se por uma medida que tem um fim tão justo[10]."

Quando, em 1855, a Mesa demitiu o capelão provisionado por ele, Dom Antônio foi intransigente escrevendo-lhes: "Se VV. SS. não se resolverem a acomodar-se com o antigo ca-

---

[9] No regime do Padroado, era dever do Estado construir os seminário e mantê-los.

[10] Jornal 'Correio Paulistano', nº 70, citado por Mons. Paulo Fl. de Abreu in Igreja de São Paulo.

pelão, assevero-lhes que ficarão sem nenhum; porque mesmo fraco, mesmo acusado perante o Governo Imperial, sou Bispo, e conheço a autoridade de que Jesus Cristo me revestiu. Sinto sobremaneira os choques; mas não podendo evitá-los sem quebra da autoridade, irei até onde Deus for servido".

Tentativas de criação da Paróquia — Depois de ser criada a capelania, em 1790, o passo seguinte para a emancipação do povoado seria a criação da freguesia que, no regime do Padroado, importava na independência de Guaratinguetá como município. Entretanto, a criação da freguesia foi barrada duas vezes e a criação do município, já no regime republicano, foi impedida por diversas vezes pela oposição dos políticos da família Rodrigues Alves.

A distância da sede da freguesia era uma boa razão para se criar outra. A importância da Capela, como centro de peregrinação, supria, sem dúvida, a razão da pouca distância entre Aparecida e Guaratinguetá; e suas rendas o permitiam sem ônus para o governo, que, naquele tempo, devia criar e sustentar as paróquias; mas havia desvantagem política para os coronéis de Guaratinguetá. E quem perdeu com isso foi o Santuário.

As lutas pelos direitos de freguesia começaram em 1840 e se prolongaram até 1880. Em 1842, na sessão de 7 de fevereiro, a Assembleia Provincial de São Paulo apreciou o requerimento dos habitantes da Capela de Nossa Senhora da Conceição Aparecida suplicando a ereção em freguesia[11]. O projeto de criação de freguesia entrou em discussão e foi aprovado a 17 de fevereiro daquele ano, mas não foi sancionado pelo Presidente da Província. Quando o executivo devolveu à Assembleia, houve forte discussão entre os deputados em torno das razões apostas pelo Presidente para não sancioná-lo. Na sessão de 28

---

[11] Anais da Assembleia Provincial de São Paulo, fl. 86. As citações seguintes também se encontram nos mesmos Anais.

do mesmo mês, as razões passaram pelo crivo da crítica dos deputados. É interessante conhecer alguns pontos que foram refutados, como este que ressalta a importância do Santuário: o grande concurso de peregrinos. Diziam os deputados: "Do ofício do Superintendente, pessoa de bastante probidade, da confiança do Governo, se depreendem as grandes vantagens, que resultam de ser a mesma Capela ereta em freguesia, já por sua população, indústria e riqueza, como pela concorrência de povo, que diariamente a ela acode, o que bastante a tem aumentado e tornado florente".

Outros argumentos apresentados ao Presidente da Província pela Câmara de Guaratinguetá eram: a insignificância do povoado e a falta de recursos financeiros não eram verdadeiros, que foram refutados pelos deputados da Assembleia, pois interessados haviam omitido alguns bairros que deveriam pertencer à nova freguesia ou município. Quanto aos recursos disseram: "Não é exato que sua indústria seja ali quase nenhuma, ainda mais quando o seu distrito contém as maiores plantações de café, cuja exportação já excede de 30 mil arrobas, o que torna assaz importante o mesmo lugar, bem como seu comércio e casas de negócios ali existentes, não faltando por ora seu templo majestoso e assaz rico, e por isso muito em circunstâncias de ser matriz, sendo então menor o dispêndio do Cofre Provincial".

Deste debate resultou a aprovação da lei nº 19, de 4 de março de 1842, pela qual foi criada a nova freguesia de Aparecida. Esta, entretanto, não chegou a ser instalada oficialmente. Nenhum documento da Mesa Administrativa faz referência à sua instalação; apenas consta o nome do Pe. Joaquim Pereira Ramos assinando as atas como vigário e capelão. É certo que também à Mesa não interessava a criação de freguesia, pois se o fosse, ela perderia sua função, já que a Capela deixaria de ser "Capela de jurisdição civil", passando a ser igreja matriz de uma paróquia que tinha tratamento diverso das capelas. A política partidária de Guaratinguetá, evidentemente, não tinha interesse em perder seu poder político sobre o cofre da Capela, que não deixava de ser bom 'cabide de emprego' para seus apaniguados... Por fim, a lei nº 19, de 4 de março de 1842, foi revogada por outra de 15 de março de 1844. Por estranho que pareça, também o Bispo Diocesano, Dom Manuel Joaquim Gonçalves de Andrade, deu seu voto em favor da extinção da freguesia[12].

Outra tentativa aconteceu em março de 1853, quando Dom Antônio Joaquim de Mello enviou à Assembleia uma representação pedindo que a Capela (Santuário) fosse elevada à categoria de freguesia, a fim de poder com mais liberdade prover suas necessidades pastorais[13]. Seu pedido foi simplesmente arquivado pela Assembleia.

Novo projeto de criação da freguesia foi apresentado para a Assembleia em 1868, sendo rejeitado em 1870. Voltou, porém, a ser discutido na tribuna daquela casa em janeiro de 1880 pelo empenho dos Deputados Pe. Antônio Luís Reis França e Dr. Oliveira Braga. A 25 de abril do mesmo ano, a lei que restabelecia a freguesia foi promulgada. Sem que fosse instalada e provido o cargo de pároco, foi revogada por outra de 15 de fevereiro de 1882. Desta vez, os Anais da Assembleia refletem muita confusão e se percebe claramente que a freguesia foi criada por interesse puramente político-partidário do padre--deputado Reis França[14], conhecido pelo seu procedimento moral negativo. Estes debates sobre a criação da Paróquia de Aparecida, que equivalia à sua emancipação política, foram os últimos do regime imperial; não se gastando mais nem papel nem tinta nem palavra...

---

[12] Cf. Anais da Assembleia Provincial de São Paulo, 1842 a 1844. O Livro do Tombo de Guaratinguetá não faz referência alguma à criação da freguesia.

[13] Tornando-se matriz, a igreja de Aparecida estaria mais sujeita à jurisdição do bispo.

[14] Cf. Anais da Assembleia Provincial de São Paulo, ano de 1882, sessão de fevereiro, fls. 150/152.

Até o ano de 1928, por diversas vezes se pleiteou a emancipação política de Aparecida. Um de seus líderes mais destacados foi o Cônego Antônio Marques Henriques. Somente em 1927, depois de vencido o grande obstáculo da oposição dos Rodrigues Alves, de Guaratinguetá, é que o Distrito de Aparecida teve efetiva esperança de emancipação. Para isso contribuíram ativamente os redentoristas, especialmente os Padres Antão Jorge Hechenblaickner e João B. Kiermeier. Este último acompanhou a Comissão de cidadãos aparecidenses até o Palácio do Governo de São Paulo, para pedir ao Dr. Júlio Prestes a emancipação política do Município, que foi, afinal, sancionada a 17 de dezembro de 1928.

De fato, nas últimas décadas do século dezenove, havia outro assunto que preocupava o novo Bispo reformador, Dom Lino D. Rodrigues de Carvalho (1873-1894): o saneamento da administração das finanças da Capela e a renovação da ação pastoral em favor dos peregrinos. Isso só iria acontecer a partir de 28 de novembro de 1893, quando ele criaria o Curato e, em 1894, quando chamaria os missionários redentoristas para conduzir a pastoral do Santuário.

27
DECRETO 119A SALVA O SANTUÁRIO

Entre o Império e a República surgiu um novo caminho para a Igreja no Brasil. Embora a República nascesse e se orientasse sob inspiração liberal-maçônica e positivista, a Igreja ganhou uma liberdade que antes nunca havia gozado sob o regime do Padroado dos imperadores católicos. Com essa liberdade ela pôde voltar a ser missionária.

A 7 de janeiro de 1890, antes portanto da primeira Constituição Republicana de 1891, o Governo Provisório, presidido pelo Marechal Manuel Deodoro da Fonseca, publicou o Decreto 119A sobre a liberdade religiosa. O objetivo principal desse Decreto foi separar a Igreja do Estado, extinguindo o Padroado e conseqüentemente decretar a liberdade de culto, uma vez que naquele regime de governo só a religião católica era oficialmente reconhecida pelo Estado. Isto consta do preâmbulo do Decreto: "Este Decreto proíbe a intervenção da autoridade federal e dos Estados federados em matéria religiosa, consagra a plena liberdade religiosa, extingue o Padroado e estabelece outras providências"[1].

---

[1] Cf. Introdução do Decreto 119A in Coletânea, p. 366.

Os bispos brasileiros, depois de lamentar que a Igreja Católica tinha sido equiparada pelo referido decreto às outras igrejas e seitas, reconheceram a liberdade adquirida, quando afirmavam, na Carta Pastoral Coletiva de 19 de março de 1890: "Cumpre reconhecer, todavia, que, tal qual está redigido o Decreto sobre a liberdade de culto, assegura à Igreja Católica no Brasil certa soma de liberdade como ela nunca logrou no tempo da monarquia". E, aliviados, reconheceram o grande benefício da total independência no governo pastoral de suas dioceses concedida pelo Decreto. Não temeriam mais a ingerência do Estado em assuntos internos da Igreja, tais como: criação de dioceses e paróquias, nomeação de bispos e párocos, controle do ensino nos seminários etc. Na citada Carta Pastoral afirmavam: "D'ora em diante, pois, arrimados no 2º e 3º artigos do Decreto, poderemos entrar francamente na prática de nossa santa religião, regendo-nos segundo a nossa fé e a nossa disciplina, sem recear a mínima intervenção do antigo Estado regalista, pombalino e jansenista, que tantas peias trazia à livre ação da autoridade eclesiástica"[2].

Para a Igreja no Brasil, isso significava que, a partir desse Decreto, livre das peias do governo, ela podia retomar sua ação missionária, que, por força do regime do Padroado, estava, no dizer do missionário redentorista Padre Júlio Maria, "confinada na sacristia". Ela podia reorganizar-se e renovar a disciplina dos seminários e do clero, da vida cristã nas paróquias e dioceses, conforme as normas do Concílio de Trento, pois este não tinha sido ainda plenamente aplicado no Brasil pelo veto dos imperadores católicos.

Por esse Decreto, o Santuário de Aparecida deixou de ser "uma capela de jurisdição secular", e seus bens não pertenciam mais à Fazenda Nacional. A partir de então quem tinha o direito de orientar os destinos do Santuário seria o Bispo Diocesano e seus bens administrados por ele.

---

[2] Cf. Pastoral Coletiva do Episcopado Brasileiro de 1890.

Por força do Decreto supramencionado, o Bispo de São Paulo foi automaticamente reintegrado no seu direito divino de dirigir a pastoral e as finanças do Santuário de Aparecida. Entretanto, é bom conhecer o penoso caminho percorrido.

Nas últimas décadas do regime imperial, havia na Assembleia Provincial de São Paulo um movimento conduzido por um bom número de deputados católicos mais conscientes que não se conformavam com a situação administrativa das assim ditas 'capelas de jurisdição secular'. Vejamos o que ocorria em seus bastidores.

A partir de 1854, vez por outra, algum deputado se preocupava com a administração financeira da Capela de Aparecida, que estava sendo malbaratada por funcionários do governo, e expunha da tribuna seus planos para melhorar seu atendimento pastoral e dar um destino mais digno a seus rendimentos e oferendas[3]. A discussão mais calorosa se deu na sessão de 22 de novembro de 1872, quando os Deputados Abranches e Bicudo afirmavam da tribuna da Assembleia Provincial de São Paulo que o bispo deveria dar seu parecer sobre a aplicação dos donativos. "Sendo, diziam eles, as esmolas dos romeiros que acodem à Capela de Nossa Senhora Aparecida, oblatas à mesma Senhora, o Ordinário (*bispo diocesano*) é o único competente para dar parecer[4]." Na mesma sessão o deputado Joaquim A. Ferreira Alves, que como Magistrado havia fiscalizado a administração de uma Capela importante de romeiros, dizia que "o Juiz de Capelas (= *Juiz Municipal e Provedor de Capelas, cargo equivalente ao de prefeito de hoje*) não é competente para autorizar despesas, e sim o ordinário (*bispo diocesano*). O administrador pede autorização para fazer uma despesa necessária e Sr. Bispo passa o alvará dando autorização".

---

[3] Cf. Anais da Assembleia Provincial de São Paulo desde 1842.
[4] Ibidem, fl. 180.

A Assembleia aprovou para o Santuário do Bom Jesus de Pirapora, SP, a 20 de março de 1879, uma lei muito mais favorável e justa ao criar a Mesa Administrativa daquele Santuário do que a do Santuário de Aparecida, de 30 de março de 1844. Na de Pirapora, seus membros, tesoureiro e secretário, além do pároco como membro nato, eram de "livre nomeação e demissão do bispo diocesano"[5]; na de Aparecida eram de livre escolha e demissão do prefeito municipal (Juiz Municipal e Provedor de Capelas). Imagine o que a política partidária aprontou...

A situação só foi resolvida, porém, com a promulgação do Decreto 119A, que devolvia à Igreja plena jurisdição sobre o Santuário e pela nova Constituição da República, de 24 de fevereiro de 1891[6], que concedia personalidade jurídica às dioceses com suas igrejas e associações religiosas ou beneficentes. No caso de Aparecida, o Decreto devolvia à Igreja plena jurisdição sobre o Santuário, cessando assim a ingerência do Estado sobre ele.

27.1. O Santuário e o plano de Renovação Católica

O Decreto 119A trouxe para a Igreja no Brasil não apenas o benefício da liberdade de ação, mas também preocupação, pois ela devia reestruturar as dioceses e paróquias, enquadrando-as dentro das normas do Concílio de Trento, e renovar a vida cristã dos fiéis, conforme o Movimento de Renovação Católica. O problema não era apenas a administração dos bens, mas outros de consequências muito mais profundas, como: a ação missionária da Igreja, a formação do clero, a catequese popular, o ensino religioso nas escolas, a continuação da Reforma Católica iniciada em meados do século, enfim.

---

[5] Ibidem, Sessão de 20 de março de 1879, fl. 179.
[6] Alves, Joaquim A. Ferreira, *Consolidação das Leis relativas ao Juízo da Provedoria* — Parecer do Dr. Prudente de Morais, p. 350.

O Brasil vivia o catolicismo luso-brasileiro e os bispos reformadores estavam empenhados na restauração da vida católica ou do catolicismo romano. Para isso os bispos tinham agora uma vantagem: o Decreto lhes dava plena liberdade para redigir suas cartas pastorais e fazer suas assembleias de estudo e planejamento, enfim, estudar conjuntamente os planos de sua ação pastoral e introduzi-la sem pedir a permissão para o Ministro do Culto. Entre os assuntos estudados na Assembleia dos Bispos, reunidos no mês de agosto de 1890, na cidade de São Paulo, sob a liderança do Bispo Primaz da Bahia, Dom Antônio de Macedo, sobressai o da consolidação da Reforma Católica, iniciada em meados do século dezenove pelo santo Bispo de Mariana, MG, Dom Antônio Ferreira Viçoso. Para consolidá-la, além de outros meios, os bispos brasileiros tinham resolvido aproveitar o movimento de peregrinos nos santuários populares[7].

Sentindo a força da religiosidade popular, manifestada intensamente nos santuários, e a oportunidade que neles se oferecia de se atingirem os peregrinos, os bispos se propuseram a aproveitá-la. A catequese popular e a vida sacramental seriam os meios principais. Eles propunham fazer dos santuários de devoção popular centros de renovação da vida cristã do povo. Para isso estudaram a possibilidade de entregá-los aos cuidados de congregações missionárias com experiência no setor.

Especialmente em Aparecida, onde as peregrinações existiam durante o ano inteiro, e procediam de todas as partes, era preciso utilizá-las para a evangelização e renovação da vida cristã. Dom Lino conhecia, por experiência própria, as possibilidades do Santuário de Aparecida de se tornar um centro de irradiação do evangelho e o quanto os peregrinos apreciavam sua palavra simples e apostólica que lhes dirigia no Santuário.

---

[7] Azzi, Riolando — *A vinda dos Redentoristas para o Brasil na última década do século dezenove* in Convergência (revista dos Religiosos), ano 1977, p. 367.

27.2. Dois decretos e três medidas

Para renovar o Santuário de Aparecida e fazer dele um centro de renovação da vida cristã, concorreram dois decretos e três medidas. Um dos decretos foi o que comentamos até aqui: o Decreto 119A, do Governo Provisório da República, que, devolvendo o Santuário à plena jurisdição do bispo diocesano, tornou possível sua renovação. O outro foi um decreto repressivo, editado também por inspiração liberal-maçônica na Alemanha pelo Chanceler Oto von Bismarck, que expulsou os Missionários Redentoristas da Prússia, em 1872, e do Santuário de Altötting, na Baviera, em 1873. Na Alemanha, por um decreto, as portas foram fechadas para a ação missionária dos redentoristas alemães e aqui, por outro, se lhes abriram as portas da evangelização. Eles viriam em 1894 para auxiliar os bispos nesse mister.

As três medidas importantes para a renovação do Santuário de Aparecida, tomadas por Dom Lino D. R. de Carvalho, foram: moralizar e sanear as finanças, elevar a Capela à dignidade de Santuário Episcopal e contratar uma congregação missionária para conduzir sua pastoral.

a) **Moralização e saneamento das finanças** — Deste assunto já tratamos em parte. Em 1892, S. Exª escolheu para o cargo de tesoureiro o Capitão João Maria de Oliveira Cezar. Cristão convicto, bom pai de família e esposo fiel, administrador competente e honesto, João Maria conduziu as finanças de tal modo que Dom Lino pôde pensar em melhorar também as condições pastorais do Santuário. Quanto à sua competência, só quero lembrar que anteriormente, como Juiz Municipal de Pindamonhangaba, ele conseguiu duplicar a arrecadação daquele município.

b) **Santuário Episcopal e Paróquia** — Dom Lino criou o curato (paróquia) a 28 de novembro de 1893, para dar independência pastoral ao Santuário, pois antes (1745-1893) era capela da Paróquia de Santo Antônio de Guaratinguetá, dependendo do pároco na restrita ação pastoral que o regime regalista permitia. Na mesma data elevou a Capela à dignidade de Santuário Episcopal. Seu objetivo principal não era dar apenas um título à igreja, mas reconhecer a sua importância como lugar de peregrinação no contexto de Igreja do tempo. Para reitor e pároco do Santuário nomeou um padre da geração nova, e de nova mentalidade e comportamento, na pessoa do Padre Claro Monteiro do Amaral.

c) **Uma congregação missionária na pastoral** — A herança deixada pelo regime do Padroado para a Igreja no Brasil foi uma das piores: uma Igreja totalmente defasada quanto ao tempo e quanto à missão evangelizadora. Faltava, pois, a presença da Igreja, isto é, a ação de seus sacerdotes na instrução e evangelização dos peregrinos. Presença física deles, havia sim, e até bastante numerosa, pois cerca de seis padres, além do capelão contratado pela Mesa Administrativa, sempre viveram à sombra do Santuário.

A solução que Dom Lino encontrou para reverter tal situação foi seguir a orientação do líder do Episcopado Brasileiro e Primaz do Brasil, Arcebispo da Bahia, Dom Antônio de Macedo Costa. Durante a Assembleia do Episcopado, por ele convocada e realizada em agosto de 1890 na cidade de São Paulo, havia sugerido e proposto aos bispos que convocassem congregações missionárias da Europa para as Santas Missões e para o cuidado dos santuários. Para esse fim, Dom Lino enviou a Roma, em maio de 1894, Dom Joaquim Arcoverde de Albuquerque Cavalcanti. Em Roma, ele conseguiu, em julho daquele mesmo ano, a vinda dos Missionários Redentoristas alemães.

28
DOM JOAQUIM ARCOVERDE CONTRATA OS MISSIONÁRIOS REDENTORISTAS

Depois de sanar as finanças do Santuário com a nomeação do tesoureiro João Maria de Oliveira Cezar, em 1892, Dom Lino resolveu chamar missionários para conduzir sua pastoral. Em 1891, ele pediu a intercessão do Papa Leão XIII junto do Superior Geral dos PP. Passionistas para que eles assumissem a pastoral do Santuário[1]. Depois de não ter acertado a contratação dos PP. Salesianos, enviou para Roma, em maio de 1894, seu bispo coadjutor com essa incumbência, mas

---

[1] Archivio Storico della Segretaria di Stato, Sezione per i Rapporti con gli Stati (seção Nunciatura do Brasil), fasc. 112, Cidade do Vaticano, Carta de Dom Lino ao Papa Leão XIII, dizendo que intencionava entregar o Santuário de Aparecida aos missionários passionistas e pedia a S.S. intercedesse junto do Superior Geral daquela Congregação. Na resposta, o Padre Geral dos passionistas respondeu não poder aceitar o encargo porque não estava dentro do espírito da Congregação. Outras congregações também foram convidadas: os padres salesianos, que já atuavam na vizinha cidade de Lorena, e os padres ressurrecionistas, convidados por Dom Joaquim Arcoverde, quando esteve em Roma, antes de obter os missionários redentoristas.

não teve a felicidade de instalá-los em Aparecida, pois faleceu aqui a 15 de agosto daquele ano.

Dom Joaquim Arcoverde, porém, não foi apenas como emissário de Dom Lino, pois como bispo coadjutor com direito à sucessão na sede de São Paulo, estava convencido de sua necessidade e empenhado pessoalmente em trazê-los para o Santuário de Aparecida. Isso fica evidente pela leitura deste trecho de uma carta enviada por ele ao tesoureiro João Maria, a 5 de setembro de 1893: "Estimo que vá aumentando a concorrência dos devotos ao Santuário de Aparecida, isto nos estimulará sempre mais para trazermos, logo que for possível, o *pessoal de nossas esperanças, os apóstolos que, animados pelo patrocínio de Maria, hão de encher esta diocese de bênçãos de vida eterna.* Vá tendo paciência, virá o dia de nossas consolações, surgirá a aurora de nossas esperanças. Coragem, João Maria! Levantemos nossos corações para o céu e deixemos bramirem a nossos pés as ondas encapeladas do oceano do mundo"[2].

Em Roma, não foi fácil encontrar missionários disponíveis, pois todas as congregações já estavam comprometidas com missões no estrangeiro. Depois de bater à porta de diversas, e sempre com resposta negativa, quase chegou a desanimar. Entretanto, incentivado pelo sucesso obtido pelo Bispo de Goiás, Dom Eduardo Duarte da Silva, que obtivera missionários redentoristas alemães do Estado da Baviera para o Santuário de Trindade, dirigiu-se, em meados do mês de julho de 1894, ao Superior Geral dos Missionários Redentoristas, Pe. Matias Raus, com o mesmo pedido para o Santuário de Aparecida. Este transmitiu o pedido ao Superior Provincial dos redentoristas da Baviera, Pe. Antônio Schöpf, aconselhando-o a incluir também o Santuário de Aparecida na Missão que iria fundar em Goiás. Infelizmente, o pedido de Dom Joaquim chegou depois do dia 9 de julho de 1894,

---

[2] COPRESP-B, Vol. I, carta nº 74, p. 145.

quando o governo da Baviera havia revogado a lei de 1873 que proibia aos redentoristas viver e trabalhar na sua pátria, podendo eles retornar a seus antigos conventos e retomar suas atividades missionárias. Mesmo assim, Padre Schöpf fez questão de manter o compromisso com o Santuário de Trindade, em Goiás, mas recusou-se a aceitar o Santuário de Aparecida, pois necessitava de pessoal para repovoar as casas na Baviera.

Não tenho dúvida que foi uma graça de Nossa Senhora Aparecida, obtida pelas orações de Dom Joaquim Arcoverde, e, especialmente, do Pe. Gebardo Wiggermann, que chefiaria a primeira turma de missionários e que muito se empenhou para que o Santuário de Aparecida também fosse aceito. Ela, a Senhora e Mãe do povo brasileiro, desejava os missionários redentoristas junto de seu Santuário.

Escolhidos os missionários que formariam a primeira equipe, eles embarcaram no navio 'Brésil', saindo do porto de Bordéus, na França, a 5 de outubro de 1894, chegaram ao Rio de Janeiro a 20 do mesmo mês. Viajaram diretamente para São Paulo no dia 24, acompanhados pelo Reitor do Santuário, Pe. Claro Monteiro, que fora encontrar-se com eles. No dia 26, Dom Joaquim Arcoverde antecipou-se indo pessoalmente visitá-los no Seminário da Luz, onde estavam hospedados; atitude que encantou aqueles alemães. E no domingo, dia 28 de outubro, visitaram Dom Joaquim para receber o mandato da Missão que iam fundar. O Sr. Bispo, apesar de sua personalidade nobre e autoritária, recebeu-os com muita cordialidade, declarando-se amigo com estas palavras: "sou seu amigo e irmão", que nunca desmentiu, enviando-os para o Santuário de Aparecida[3]. Apanharam, depois, às 16 horas, na Estação

---

[3] Dom Joaquim Arcoverde de Albuquerque Cavalcanti era filho de nobre e importante família do Estado de Pernambuco. Formado na Universidade Gregoriana de Roma, assumiu o governo da Diocese de São Paulo, após a morte de Dom Lino, a 30 de setembro de 1894. Sua atenção e familiaridade para com os missionários e a visita pessoal que lhes fizera antes de se apresentarem a ele, o que não aconteceria com bispos e autoridades na Europa, cativou os missionários alemães.

do Norte, o Expresso da Central, chegando a Aparecida pelas 23 horas.

28.1. Primeiras impressões do povo e do Santuário

Em Aparecida, os missionários foram recebidos pelo tesoureiro e boa porção de aparecidenses. Foguetes, banda de música e discursos foram o sinal daquela recepção carinhosa prestada àqueles sisudos e compenetrados missionários redentoristas alemães. Embora recrutados a toque de caixa, sem conhecer a língua e os costumes, vinham com muita fé, esperança e zelo para iniciar a nova Missão sob o patrocínio da Mãe de Deus.

Como a primeira impressão que temos de alguém ou de alguma coisa determina muitas vezes nosso comportamento favorável ou desfavorável, certamente aqueles missionários alemães foram favoráveis ao Santuário e aos peregrinos, pois eles ficaram muito bem impressionados pelo que viram e sentiram em Aparecida. Como consta de sua correspondência e das crônicas da comunidade, eles foram muito sensíveis e abertos às necessidades sociais e religiosas do povo. Valorizaram seus gestos de piedade e seu sentimento religioso.

Os missionários sentiram grande satisfação quando souberam que viriam trabalhar em Aparecida. Reagiram com gratidão, alegria e esperança. Ainda com saudades do Santuário de Nossa Senhora de Altötting, de sua querida pátria, chegaram a comparar Aparecida com aquele Santuário, o maior da Alemanha, onde trabalharam por mais de 30 anos, e onde ganharam especial experiência no trato com romeiros. Escrevendo aos clérigos alemães, Pe. Miguel Siebler dizia em novembro de 1894: "Aparecida tornar-se-á uma 'Altötting brasileira' quando o número de padres for maior no Santuário"[4].

---

[4] COPRESP-A, Vol. I, carta nº 53, p. 70.
[5] COPRESP-B, Vol. I, carta nº 118, p. 220.

Como se edificaram com o comportamento dos peregrinos! Admiraram o procedimento piedoso do Ministro da Guerra que, no dia 23 de novembro de 1894, acompanhado de um cônego do Rio, permaneceu por uma hora em oração diante da Imagem em cumprimento de uma promessa pela cura de um de seus filhos menores. Como tocavam seus corações os cânticos, as ladainhas cantadas durante as rezas, as antigas melodias das antífonas marianas, cantadas durante a missa de Nossa Senhora aos sábados. Sensibilizaram-se diante dos gestos de penitências duras dos peregrinos que cumpriam suas promessas, como subir de joelhos a rua Monte Carmelo quando estes começavam a sangrar...

Na carta de Natal de 1894, escreviam ao Padre Geral, Matias Raus: "Realmente é motivo de grande alegria e satisfação pensar que Vossa Paternidade nos enviou para este Santuário de Aparecida, tão grande e célebre, para o qual se dirigem diariamente centenas de peregrinos. Esses piedosos romeiros vêm para cá a fim de poder desabafar suas mágoas junto da Imagem da Mãe de Jesus e pedir-lhe graças que precisam, levando-as em seguida para casa"[5].

E o Ir. Rafael, que atendia os romeiros na portaria, escrevia satisfeito, a 26 de dezembro de 1894: "Alegro-me por poder trabalhar aqui em Aparecida para a glória de Deus e da Santíssima Virgem Maria. Que o bom Deus faça prosperar esta obra redentorista que será a felicidade dos habitantes de Aparecida e dos romeiros, que andam a pé ou a cavalo centenas de horas até este Santuário, podendo agora ouvir a palavra de Deus e receber os sacramentos"[6].

Para aqueles redentoristas alemães, que estavam acostumados aos mesmos gestos e às mesmas manifestações de fé e piedade nos seus santuários — nisso o povo bávaro se assemelha muito ao povo brasileiro — o Santuário de Aparecida era um lugar privilegiado, lugar de renovação da fé e da graça de Deus com a consequente paz e alegria da alma. Eles

---

[6] COPRESP-A, Vol. I, carta nº 69, p. 155.

perceberam como era extraordinário o patrocínio da Mãe de Deus em favor de seu povo que buscava Jesus Cristo no seu Santuário. Foi proclamando *essa mensagem de alegre esperança de salvação aos peregrinos* que eles tiveram sucesso em seu trabalho pastoral.

D. Joaquim Arcoverde, Bispo de São Paulo, que confiou o Santuário aos cuidados dos missionários redentoristas, em 1894

29
OS REDENTORISTAS ASSUMEM A PASTORAL DO SANTUÁRIO

A primeira comunidade redentorista de Aparecida foi acomodada, a 28 de outubro de 1894, em duas velhas casas geminadas de romeiros, que o Cel. Rodrigo Pires do Rio qualificou de "velhos pardieiros".

A primeira comunidade foi formada pelos sacerdotes Lourenço Gahr, como superior, e José Wendl, como vigário substituto do Cura e Reitor do Santuário, Pe. Claro Monteiro; e ainda os irmãos leigos: Simão Veicht, Estanislau Schrafl e Rafael Messner.

Logo em novembro, Padre Claro Monteiro os incumbiu de algumas funções no Santuário, tais como: o terço recitado diariamente pelas 18 horas, missas dos romeiros, atendimento aos doentes e batizados. Nos dias 1º e 2 de novembro, Padre José atendeu também a capela do Potim, não podendo ainda pregar e atender as confissões. Não podemos negar, os missionários redentoristas alemães, embora trouxessem vasta bagagem de experiência pastoral de santuário e conhecessem a psicologia do peregrino, não estavam preparados para assumir logo a direção do maior e mais frequentado Santuário do Brasil, em razão do desconhecimento da língua e dos costumes. Convocados para esta Missão, em agosto de 1894, foram atirados no meio do trabalho logo três dias depois de sua chegada a Aparecida, sem ter tempo de se preparar para a nova missão nem de se familiarizar com a língua e os costumes de nosso povo.

A 15 de novembro tiveram de assumir todo o trabalho do Santuário, pois o Reitor e Cura, Pe. Claro Monteiro, fora até a cidade de Cruzeiro para atender àquela paróquia, onde grassava a epidemia do cólera, e cujo vigário fugira apavorado, abandonando suas ovelhas. Após a assistência dada aos empestados, ele saiu de férias, a 15 de dezembro. Praticamente, desde 15 de novembro de 1894 até 23 de janeiro de 1895, Pe. José Wendl assumiu interinamente a direção da Paróquia e do Santuário. Ele procurou atender algumas confissões e ler durante as missas dominicais algumas reflexões sobre a palavra de Deus.

Dom Joaquim Arcoverde visitou o Santuário e a comunidade redentorista de 1º a 3 de janeiro de 1895. Pregou para o povo, celebrou e cantou a missa de ação de graças pela passagem do ano. A visita do Sr. Bispo foi uma surpresa agradável para os missionários, e o cronista da casa anotou que "ele se mostrou muito interessado e satisfeito com tudo". Sem dúvida, naquelas circunstâncias difíceis, essa atitude de Dom Joaquim foi mais uma demonstração de verdadeira amizade e confiança nos missionários redentoristas alemães, dentre os muitos e generosos sinais de apreço e de amizade sincera que continuará dando como Bispo de São Paulo e depois como Arcebispo do Rio de Janeiro e primeiro Cardeal do Brasil.

Animados com esse apoio, eles trabalharam mais 15 dias com afinco e zelo, quando lhes chegou de São Paulo uma carta do Padre Claro perguntando se eles não poderiam aceitar a direção da Paróquia e do Santuário. Perplexos, não sabiam o que responder, mas incentivados pelo bom tesoureiro João Maria aceitaram, escrevendo ao Superior Provincial da Alemanha, a 21 de janeiro de 1895, pedindo permissão para isso. Padre Gahr dizia na carta: "A 10 de janeiro recebi uma carta do Padre Claro perguntando se nós poderíamos aceitar provisoriamente seu lugar na cura das almas do Santuário. Nosso amigo, o tesoureiro, achou que deveríamos aceitar, trazendo-nos até a resposta já formulada. Nós dois (*Wendl e Gahr*), ponderando o caso, achamos também que poderíamos aceitar, pois, embora ignorando a língua portuguesa, poderíamos atender melhor o povo"[1].

Logo depois, a 23 de janeiro de 1895, os redentoristas recebiam esta carta do Padre Claro, incumbindo-os da direção do Santuário:

"*São Paulo, 23 de janeiro de 1895.*

Revmo. Padre Superior,

De ordem de S. Excia. Revma., o Sr. Bispo Diocesano, comunico a V. R. que, tendo eu obtido a exoneração do cargo de cura desse Episcopal Santuário, o mesmo Senhor resolveu encarregar os Revmos. Padres Redentoristas da administração do dito Episcopal Santuário, até que seja nomeado outro.

Deus Guarde V. Revma.

ass. Pe. Claro Monteiro do Amaral"[2].

Essa carta, apesar de dizer que a entrega seria provisória, é o único documento escrito que temos da entrega da direção pastoral do Santuário e da Paróquia aos missionários redentoristas alemães até a assinatura do contrato entre a Diocese de São Paulo e a Congregação do Santíssimo Redentor, pouco antes da transferência para a sede do Arcebispado do Rio de

---

[1] COPRESP-A, Vol. I, carta nº 73, p. 172.
[2] APR, Documentos avulsos.

Janeiro, em 1897. A entrega do Santuário, a 23 de janeiro de 1895, não deixou de causar surpresa àqueles sistemáticos e organizados alemães pela repentina alteração dos fatos. Tudo foi registrado na crônica da fundação da Missão Redentorista de Aparecida pelo Padre Gahr, nestes termos:

"Por este ato (*recebimento da carta*), havia-nos sido entregue formalmente a administração interina do Episcopal Santuário. Na verdade ficamos assustados por motivo de nosso insuficiente domínio da língua; mas o pensamento do pouco que fora pastoralmente feito até então, de que não se ouviam confissões nem se pregava, de que até o bom Padre Claro se ausentava frequentemente por muito tempo, animamo-nos e refletimos que ao menos tão bem quanto até agora, e melhor ainda, poderíamos cuidar do Santuário. E foi o que de fato aconteceu. Padre Wendl começou a frequentar o confessionário, ler o evangelho aos domingos e festas com uma pequena explicação em língua portuguesa, e, finalmente, pregar livremente"[3].

Como vemos, não lhes faltavam coragem, zelo e interesse, que, acompanhados pela graça de Deus, foram a causa de seu sucesso na pastoral do Santuário.

Entretanto, o passo mais importante para consolidar a fundação e a pastoral dos peregrinos foi a transferência da sede da Missão. Em julho de 1895, seu Superior, Pe. Gebardo Wiggermann, que residia em Campinas de Goiás, transferiu a sede da Missão para Aparecida. Esta transferência foi providencial, pois ela garantiu o futuro e o desenvolvimento tanto da Missão Redentorista de São Paulo e Goiás como do Santuário de Aparecida.

---

[3] Doc. nº 86, p. 40.

30
SITUAÇÃO PASTORAL DO SANTUÁRIO EM 1894

Durante o Império, a Igreja foi tratada como um departamento do Estado, sendo-lhe cerceada a liberdade da atividade missionária. Padre Júlio Maria, célebre Missionário Apostólico do fim do século passado e do início deste, que atraía multidões e o interesse até de políticos e governantes, e que se tornou redentorista em 1905, analisava a situação da Igreja no Brasil nestes termos: "O Catolicismo não teve no período monárquico nenhum desenvolvimento e nenhuma atividade missionária, além da que se traduz nos atos individuais da fé e nas cerimônias de culto, que, aliás, já se viu quão deturpado se nos apresenta na vida das paróquias"[1].

Nos santuários populares, e, especialmente no Santuário de Aparecida, esses atos individuais de fé e de devoção eram muitos e muito diversificados. Os missionários notaram, logo de início, este fato religioso, quando escreviam: "As pessoas,

---
[1] Carneiro, Pe. Júlio Maria de Morais — *O Catolicismo no Brasil,* Editora Agir, 1950, p.175.

apesar de ignorantes em matéria religiosa, orgulham-se de ser católicas". Mas faltava-lhes a presença da Igreja, isto é, de sacerdotes que os evangelizassem, aproveitando sua presença constante no Santuário e seu interesse pela palavra de Deus.

Thomas Bruneau, em sua obra 'O Catolicismo Brasileiro em Época de Transição', afirma que o Brasil era mais um Território de Missão do que uma Igreja atuante e plenamente estruturada. Pelo direito do Padroado, o governo civil deveria criar novas paróquias e dioceses, nomear párocos e bispos, sustentar as dioceses e os seminários com os dízimos recolhidos dos fiéis. Entretanto, não criou dioceses e paróquias na medida necessária, e muito menos amparou os seminários existentes, a maioria foi fechada com a expulsão dos padres jesuítas em 1759.

O território da Diocese de São Paulo, por exemplo, abrangia em 1894, época da chegada dos missionários redentoristas ao Santuário de Aparecida, todo o Estado de São Paulo e o Sul de Minas[2]. Sua área territorial era de 242 mil quilômetros quadrados no Estado de São Paulo, podendo-se acrescentar mais 60 mil do Sul de Minas. A população do Estado de São Paulo era estimada em 1.384.755 habitantes. O número de paróquias era muito inferior ao das necessidades pastorais da população, a mais densa do país, especialmente nos bairros proletários das grandes cidades e nas colônias das fazendas de café.

As antigas ordens religiosas, que foram tão beneméritas na evangelização inicial, estavam em decadência e não tinham nem elementos nem zelo para essa tarefa. E tantos eram os entraves políticos para se fundarem novas casas religiosas que, praticamente, foi impossível às novas congregações missio-

---

[2] Um pouco antes, até 1892, quando foi criada a Diocese de Curitiba, a Diocese de São Paulo se estendia, além de São Paulo e Sul de Minas, até todo o Estado do Paraná. Nestas circunstâncias nenhum bispo, por zeloso que fosse, poderia estar sempre presente junto de seu rebanho, considerando-se, além disso, a dificuldade do transporte daqueles tempos e a imensidão territorial.

nárias, requisitadas pelos bispos, de se instalar no país. O clero nativo era de todo insuficiente, e parte dele mal formado, como aqueles padres 'de dizer missa', dos quais havia alguns em Aparecida que não tinham nenhuma função pastoral, e cuja vida era um contratestemunho.

Em 1898, conforme relatório do Bispo de São Paulo enviado à Nunciatura, a diocese possuía o minguado número de 413 sacerdotes, sendo 328 seculares e 85 religiosos. Grande parte das paróquias estava vaga[3]. A instrução religiosa nas escolas públicas — as católicas eram poucas — era severamente proibida por lei, e a catequese das crianças nas paróquias e capelas ou não havia ou era muito precária. Em fevereiro de 1895, Pe. Lourenço Gahr, Superior da Comunidade de Aparecida, escrevendo ao Padre Geral de Roma, traçava este quadro sombrio da situação da educação religiosa dos peregrinos: "A ignorância do povo é enorme; pessoas de 17, 20 e 30 anos não têm instrução alguma: são católicos só de batismo. Não há ensino religioso nas escolas. Os vigários não dão catecismo na igreja. Os pais nada sabem"[4].

Esta era a situação geral do país.

— E a situação do Santuário?

Em 1896, Pe. Gebardo Wiggermann, fazendo seu primeiro relatório sobre os trabalhos pastorais no Santuário, reconhecia os gestos de fé e de devoção dos peregrinos, mas estranhava seu afastamento dos sacramentos da confissão e da comunhão[5]. E apresentava estas razões: a ignorância religiosa por descuido dos párocos, impossibilidade física pelas grandes

---

[3] Arquivo Secreto do Vaticano, Seção Nunciatura do Brasil — Relatório das Dioceses de 1898.

[4] COPRESP-A, Vol. I, carta nº 82, p. 191 e 83, p. 196.

[5] Vê-se claramente nesta passagem o choque entre o catolicismo romano e o catolicismo luso-brasileiro; aquele centrado na pregação da palavra de Deus e na recepção dos sacramentos, e este na religiosidade popular das devoções e celebrações populares da Semana Santa e das festas dos padroeiros.

distâncias que os fiéis tinham de percorrer para recebê-los, e, finalmente, referindo-se à confissão sacramental, o rigorismo dos confessores.

"É de se admirar, dizia, que aqueles que seguem um extremo laxismo no que respeita suas próprias vidas, insistam num intolerável rigorismo na administração do sacramento da penitência; o que se torna evidente da declaração espontânea daqueles que, procurando nossos padres para se confessar, perguntam: 'quantos dias são necessários para fazer minha confissão?' Muitos são atormentados pelos escrúpulos e pelo rigorismo imposto, e tendo recebido a absolvição num dia, voltam no outro para se reconciliar[6]."

Entretanto, o povo continuava a frequentar o Santuário em grande número, manifestando intensamente sua religiosidade, buscando inconscientemente Jesus Cristo e sua Igreja. Aparecida era um reduto da religiosidade popular. Conforme estatísticas do final do século passado, o número anual de peregrinos chegava a cerca de 130 mil. Era o povo que buscava um contato com Deus, confiando no patrocínio de Maria para suas necessidades temporais e espirituais, fazendo do Santuário um lugar de profunda e constante manifestação de sua religiosidade.

Em 1897, Pe. Lourenço Gahr, descrevendo a intensa religiosidade que os missionários encontraram no Santuário e as falhas pastorais existentes, fazia esta avaliação:

"Nossa Senhora domina verdadeiramente, como Senhora, toda a região. Seus devotos vêm de todas as partes do Brasil; do Norte, Sul, Leste e Oeste, às vezes alguns viajando meses inteiros, não achando demais a caminhada para poderem homenagear Nossa Senhora, agradecer-lhe e pedir-lhe novas graças. São pretos, brancos, pardos; são senhores e damas ricamente trajadas e pobres mal vestidos; ministros de Estado,

---

[6] Doc. nº 107 — Relatório de 1986, p. 6.

funcionários, oficiais militares uniformizados, que se ajoelham junto de um maltrapilho, e, com vela acesa na mão, fazem suas orações e cumprem suas promessas como peregrinos. É comovente verem-se senhores e senhoras distintas assistir de joelhos até três missas em cumprimento de promessa; e, mais comovente ainda, quando estas pessoas se arrastam de joelhos até o trono da Virgem, ou varrem a igreja, levando o lixo para fora, na borda de seus longos vestidos de seda. De fato, é uma fé viva, filial e singela, havendo casos de famílias se privarem de tudo para dar a Nossa Senhora, não tendo, às vezes, depois, o suficiente para a viagem de volta. Vê-se assim uma devoção generosa, um amor pronto para os sacrifícios.

No amor à Mãe de Deus, o povo brasileiro está ainda a procura de um outro que o iguale. Tivesse ele mais padres que o auxiliassem a sair da enorme ignorância! São poucos os que sabem o 'credo', os mandamentos e os sacramentos; da Santíssima Trindade, mal tem noção. Não é sem razão que Nossa Senhora Aparecida é tão amada e invocada; esse amor e essa devoção foram a proteção e salvaguarda contra a infidelidade e se tonaram o filão de ouro de sua perseverança na fé católica. Sem essa devoção o povo teria caído em completa indiferença religiosa. Não há dúvida que a devoção de muitos é apenas externa, mas tudo serve para a Mãe de Deus, pois nasce de uma reta intenção. A Rainha e Senhora vê os corações que a amam e se converte em Mãe de misericórdia para os pobres abandonados espiritualmente, concedendo-lhes favores nas necessidades e chamando-os de modo admirável a virem se confessar e comungar no Santuário, ingressando no caminho da salvação.

Antes de nossa chegada (*em 1894*) não havia culto organizado, não havia missa diariamente; então de confissões nem se fale! Então agradecemos a Deus que já no primeiro ano — 1895 — quando só dois missionários trabalhavam com os peregrinos, o número de comunhões subiu para 2 mil. No ano seguinte, 1896, quando mais um padre veio auxiliar nas pregações e no atendimento das confissões durante a quaresma, as confissões alcançaram o número de 7 mil"[7].

Em outro lugar escrevia: "Aqui residem três padres, só um deles atende confissões, e raramente. Não pregam aos peregrinos. — Aparecida é de fato um campo de trabalho extraordinário; este Santuário será maior que o de Altötting, havendo padres para pregar a Palavra de Deus e instruir o povo"[8]. E concluía que "por pregações e sacramentos levaremos esse povo a interiorizar sua fé e viver a vida cristã".

Confiantes no patrocínio da Mãe de Deus eles iniciaram seu trabalho missionário em favor dos peregrinos.

---

[7] COPRESP-A, Vol. I, carta nº 221, p. 5. Trata-se de uma carta-relatório escrita pelo Pe. Valentim von Riedl e enviada à Alemanha para ser publicada numa revista mariana.

[8] Ibidem, carta nº 63, p. 121. Antes da vinda dos missionários as confissões não passavam de 300 anualmente e nos dias úteis comungavam quatro ou cinco pessoas.

31
O TRABALHO PASTORAL DOS MISSIONÁRIOS REDENTORISTAS

Os missionários redentoristas, discípulos do grande missionário popular italiano do século dezoito, Santo Afonso Maria de Ligório, têm por vocação e carisma pregar a palavra convertedora do evangelho aos mais pobres e destituídos dos socorros espirituais. Estes se encontravam às centenas no Santuário de Aparecida, buscando a Deus com sinceridade e fé. Os redentoristas alemães tinham à sua frente esses ouvintes assíduos e atentos, pessoas de todas as condições sociais que tinham vaga noção do mistério de Cristo e da sua pertença à Igreja, mas que buscavam confiantes a proteção da Senhora Aparecida.

O ano de 1895 foi para eles um ano de estágio, estágio que é sumamente necessário para um missionário em terra estranha para conhecer a índole e os costumes do povo, suas necessidades e aspirações. E foram bem-sucedidos nesse esforço de inculturação, pois procuraram entender a religiosidade de nosso povo e valorizaram sua fé e piedade. Apesar do insuficiente conhecimento da língua, aqueles alemães empenharam-se com amor e zelo no trabalho junto dos peregrinos, tanto assim que

Dom Joaquim Arcoverde escrevia, em março de 1895, ao Internúncio Apostólico no Rio de Janeiro, Dom Jerônimo Gotti, elogiando seu comportamento: "Os padres redentoristas, dizia ele, que coloquei no Santuário de Aparecida, comportam-se como anjos, e fazem grande bem somente com seu exemplo; mas são alemães e falam com dificuldade a língua portuguesa. Ainda não podem pregar nem dar o catecismo"[1].

Em julho daquele ano, porém, a situação melhorou, quando o Superior Vice-Provincial, Pe. Gebardo Wiggermann, e Pe. Miguel Siebler, que já dominavam melhor a língua, vieram de Goiás para residir em Aparecida. Iniciaram então a Missão Redentorista no Santuário, anunciando aos peregrinos a mensagem salvadora e libertadora do Evangelho.

31.1. Organização pastoral e meios empregados

Não é fácil introduzir uma práxis pastoral condizente com as necessidades do povo, como não é fácil a um mestre de Teologia descer até o nível de compreensão das pessoas do povo e saciar-lhes os anseios de Deus. É preciso mais do que uma acurada formação intelectual e teológica; é necessário possuir o carisma da comunicação simples e direta. A exemplo de seu santo fundador e mestre, Santo Afonso, eles não usaram da vã oratória, mas sim da palavra simples e evangélica ao alcance de todos, até dos mais rudes e iletrados. Com este propósito, eles iniciaram seu trabalho pastoral no Santuário. Conforme a boa experiência que tinham adquirido nos santuários populares da Alemanha, especialmente no Santuário de Nossa Senhora de Altötting, onde ainda hoje se verificam os mesmos gestos e a mesma piedade popular[2] como aqui em Aparecida, estabeleceram e cumpriram um horário para as funções religiosas

---

[1] COPRESP-B, Vol. I, carta nº 173, p. 336.

na igreja: missas para os dias úteis e domingos, atendimento das confissões, reza diária do terço, à tarde, tríduos e novenas com bênção do Santíssimo etc. Pregar a palavra de Deus, dar o catecismo às crianças e aos adultos, incentivar a vida cristã pelas associações religiosas, atender às confissões e celebrar com dignidade, fé e respeito à eucaristia diariamente, foram os primeiros atos de seu trabalho pastoral.

O atendimento diário das confissões foi um dos pontos privilegiados, cuja falta era muito reclamada pelos peregrinos que buscavam sua reconciliação com Deus e não encontravam sacerdotes disponíveis. A novidade foi o estabelecimento do expediente diário tanto na portaria do convento como na igreja, onde, respectivamente, um padre e um irmão estavam à disposição dos paroquianos e peregrinos. Se antes era difícil achar e tratar com o padre, agora, além da certeza de encontrá-lo, eram recebidos com atenção e interesse.

Em seguida, instituíram a catequese, muito precária em 1895, mas muito bem organizada em 1896; e melhor ainda nos anos subsequentes. E iniciaram com as crianças. A respeito, Pe. Lourenço Gahr escrevia ao Padre Geral, a 21 de fevereiro de 1895: "Procuramos atrair as crianças com santinhos e medalhas. Adquirimos 400 catecismos para os mais pobres. Ah! realmente estão aqui as almas mais abandonadas para as quais certamente Santo Afonso fundou a nossa Congregação"[3].

A catequese das crianças era dada todos os domingos às 14 horas. Desde 1895, constava no livro de avisos paroquiais o convite insistente para o catecismo. De início eram poucas, depois, mediante o trabalho de conscientização dos pais e filhos, foram aumentando até chegar ao expressivo número de 350, em 1906, quando já estava instituída na paróquia a Congrega-

---

[2] Em 1987, quando estive naquele Santuário, vi e senti nos peregrinos os mesmos gestos de piedade e de penitência, tais como: andar de joelhos ao redor da Gnadecapelle (Capela da graça), carregar uma cruz etc.

[3] COPRESP-A, Vol. I, carta n° 84, p. 195.

ção da Doutrina Cristã (CDC). Esta Associação que agregava catequistas — homens e mulheres —, pais e benfeitores e naturalmente os próprios alunos, foi mandada instituir pelo Papa Pio X e aplicada na Diocese de São Paulo em 1905. No mesmo ano ela foi instituída em Aparecida, sendo a primeira paróquia da Diocese a fazê-lo[4].

Desde o início, a catequese foi dividida em dois centros: um para meninos e outro para meninas, sob a responsabilidade de dois padres jovens da comunidade. Homens e mulheres foram convocados para auxiliar os sacerdotes na catequese das crianças e até senhores importantes, como o Sr. Jaime Teixeira, redator do jornal Santuário de Aparecida, e o Sr. Carlos Wendling faziam parte da equipe de catequistas. Não é sem razão que, em 1905, a revista catequética do Rio de Janeiro 'A União' apresentava Aparecida como modelo da pastoral catequética infanto-juvenil.

Para incentivar e atrair as crianças, eles instituíram o 'ponto de frequência', que, na festa anual do catecismo, era utilizado pelas crianças para arrematar prendas boas e úteis. É interessante esta nota da crônica da Comunidade para o dia 17 de setembro de 1905: "Logo no começo da reunião (*festa do catecismo*), que se acampara à direita da igreja, foram apanhadas duas fotografias. Os Padres Estêvão Maria e José Clemente presidiram à festa e o Sr. Wendling (*também catequista*) foi o leiloeiro. Prendas no valor de 250 a 400 réis foram leiloadas e adquiridas pelos alunos com o 'ponto de frequência' às aulas. Umas 300 crianças tomaram parte"[5].

Depois de bem programada a catequese, os redentoristas alemães introduziram, pela primeira vez no Santuário, a primeira comunhão solene das crianças. Até então, no Vale do Paraíba, esta só existia numa paróquia de Taubaté, sendo ins-

---

[4] Doc. nº 107, p. 194 — Ânuas da Vice-Província de São Paulo, I volume.
[5] Doc. nº 01, p. 219 — Crônica da Comunidade de Aparecida.

tituída depois em quase todas as outras paróquias do Vale do Paraíba pelos missionários durante as Santas Missões. Sobre o assunto, encontramos esta notícia nas Ânuas da Vice-Província Redentorista de São Paulo, de 1901: "Como de costume, há primeira comunhão solene das crianças no domingo 'in albis' (*domingo depois da Páscoa*), solenidade ainda pouco conhecida no Brasil".

Os adolescentes não foram esquecidos. Na Quaresma de 1896, conforme o citado livro de avisos[6], eles foram convocados duas vezes por semana, às terças e sextas-feiras, para participar das aulas de formação religiosa, como preparação para a comunhão pascal geral. Com o aperfeiçoamento da catequese, as crianças passaram a receber uma formação muito boa — uma espécie de retiro infanto-juvenil — com a respectiva confissão dos participantes nos dias que antecediam a comunhão geral. A renovação dos compromissos do batismo foi introduzida na solenidade da primeira comunhão de 1905.

Nem é preciso acentuar que os missionários alemães procuraram chamar os paroquianos e peregrinos para a celebração da eucaristia, na qual nunca faltava o comentário do evangelho. Missa aos domingos, comunhão frequente e devoção a Nossa Senhora eram seu apelo contínuo. Especial ênfase deram à comunhão das primeiras sextas-feiras do mês em louvor ao Sagrado Coração de Jesus. Eles mesmos a tinham em alto conceito, e por seu intermédio, procuraram aprofundar a vida de piedade do povo. Na primeira sexta-feira de janeiro de 1895, Padre Wendl atendeu às confissões das 7 às 10 horas da manhã. Bom começo, sem dúvida!

Os redentoristas receberam como tradição do Santuário dois momentos fortes do culto eucarístico e mariano: a missa do Santíssimo[7], às quintas-feiras; e a de Nossa Senhora, aos

---

[6] Cf. Arquivo da Comunidade Redentorista do Santuário de Aparecida.

sábados, ambas celebradas às 8h30min da manhã, desde o início do Santuário. Eles as conservaram e as incentivaram ainda mais, caprichando na liturgia e nos cantos populares. A celebração mariana dos meses de maio, introduzida no Santuário em 1878[8], e de outubro continuaram a ser realizadas com solenidade.

A Semana Santa[9], que não era celebrada no Santuário, foi introduzida pela primeira vez em 1895. Os padres salesianos de Lorena foram chamados para ajudar nas pregações; naquele ano, os atos se restringiram aos da liturgia oficial e às procissões de costume. No ano de 1896, porém, solenizaram-na, armando um Santo Sepulcro que continha uma tela do Senhor Morto, pintada pelo Ir. Bento Hiebl. Aos poucos, todas as cerimônias tradicionais foram sendo introduzidas.

Para incentivar a vida religiosa na paróquia, os missionários se utilizavam das associações religiosas. Quando de sua chegada a Aparecida, encontraram duas irmandades: a da Sagrada Família e a Guarda de Honra do S. Coração de Jesus. Esta refletia um movimento forte da espiritualidade da época, mas ainda não se tratava do Apostolado da Oração, que, em Aparecida, só foi fundado pelo Padre Jesuíta Bartolomeu Taddei, a 23 de setembro de 1902.

Em 1901, foram fundadas a Confraria do Rosário e a Conferência Vicentina[10]. Vieram em seguida a Associação

---

[7] A missa do Santíssimo é de tradição imemorial no Vale do Paraíba; ainda hoje é muito apreciada nas comunidades da periferia.

[8] Na Paróquia de Guaratinguetá, a devoção do mês de maio foi introduzida em 1872.

[9] Contrariamente ao uso das Capelas das Irmandades de todo o Brasil, que sustentou a religiosidade do nosso povo, a Semana Santa não era celebrada em Aparecida, por desinteresse da Mesa Administrativa.

[10] As Conferências de S. Vicente de Paulo foram introduzidas primeiramente no Rio de Janeiro em 1875, depois em São Paulo, 1878. Em Aparecida foi fundada em dezembro de 1901; "para a fundação compareceram cerca de 20 homens, todos pobres, mas que desejam repartir o pouco que tem com os mais pobres", anotou o Pe. Wiggermann.

de São José (1907) para os rapazes e a Pia União das Filhas de Maria (1907) para as moças. A associação de São José foi substituída, em 1921, pela União de Moços Católicos (UMC); seguindo-se depois a fundação da Liga Católica, em 1910; e da Congregação Mariana, em 1935.

Um dado importante de sua pastoral foi, sem dúvida, a compreensão pelo jeito popular de manifestar a fé e a devoção. Por isso, a respeito da recitação diária do terço, Pe. Wendl dizia: "Rezamos com o povo o terço diariamente, mas, melhor seria se fosse cantado conforme o gosto do povo".

Pela segunda vez reúne-se, junto da Imagem, grande multidão. Festa do Bicentenário do Encontro da Imagem, a 8/9/1917

32
AS ROMARIAS DA PASSAGEM DO SÉCULO

O ano de 1900 foi importantíssimo para o Santuário de Aparecida tanto pela celebração do Ano Santo da Redenção como pelo início das romarias programadas e organizadas pelos bispos e párocos. Os missionários redentoristas alemães sabiam que as romarias a Aparecida eram a expressão mais forte da religiosidade popular brasileira. Entretanto, desde que assumiram a direção do Santuário, em 1894, desejavam também que as romarias fossem organizadas e programadas pelas dioceses e paróquias, a fim de se obterem fruto para a vida cristã. Eles já tinham experiência de seus bons resultados, quando estiveram à frente do Santuário Mariano de Altötting na Alemanha, entre 1841 e 1873, onde as romarias eram organizadas pelas dioceses e paróquias, sendo sempre acompanhadas por um diretor espiritual. O Ano Santo da Redenção de 1900 deu ocasião para isso.

O Ano Santo fora proclamado pelo Papa Leão XIII para comemorar o Jubileu da Redenção na passagem do século, em Roma no ano de 1900, e nas outras regiões do mundo em

1901. O Episcopado Brasileiro propôs na Pastoral Coletiva, de 6 de janeiro de 1900, que os bispos e os párocos promovessem romarias aos principais santuários do país, afirmando que "seriam, quando realizadas com espírito de fé e de penitência, de real proveito para os fiéis". E para promovê-las declaravam: "São de singular efeito como homenagem a Nosso Senhor Jesus Cristo as romarias, quando movidas e executadas com verdadeiro espírito de fé. Desejamos que o clero as promova e as dirija aos principais Santuários do Brasil, e que se incorporem nelas os que não puderem ir a Roma e aos outros Santuários do mundo católico, escolhidos para termo de peregrinação nesta homenagem a Jesus Cristo"[1]. Os bispos de São Paulo e do Rio de Janeiro determinaram que as romarias do Ano Santo de suas respectivas circunscrições eclesiásticas fossem organizadas para o Santuário de Aparecida[2].

Romaria de São Paulo — A romaria de São Paulo foi a primeira a chegar, chefiada por Dom Cândido Alvarenga, a 8 de setembro de 1900, com cerca de 1.500 peregrinos, em dois trens especiais da Central do Brasil. Juntaram-se àqueles comboios, peregrinos de Jundiaí e de Bragança Paulista. Da Diocese de Pouso Alegre, especialmente das cidades servidas pela Rede Sul Mineira de Viação, também vieram romarias para Aparecida com o mesmo intuito de celebrar o Jubileu do Ano Santo da Redenção.

Os peregrinos de São Paulo, como todos os outros, foram solenemente recebidos na estação local e conduzidos ao templo em procissão, com cânticos e preces. Os estandartes das associações religiosas tremulavam ao vento. O ponto alto da romaria foi a celebração da eucaristia e a comunhão geral não só dos fiéis, mas também dos padres e religiosos presentes. À

---

[1] Cf. Pastoral Coletiva do Episcopado Brasileiro de 1900, p. 28.
[2] Doc. 01, p. 138.

tarde, antes da volta, houve procissão na praça com o Santíssimo Sacramento, e novamente os peregrinos foram conduzidos para a estação em piedosa procissão.

No mês de outubro foi a vez da cidade de Lorena, à qual se juntou a peregrinação de Piquete, num total de 800 romeiros. A 3 de novembro vieram cerca de 1.500 romeiros de Taubaté, em trem especial. Ainda no mesmo mês, cerca de 5.000 peregrinos da vizinha cidade de Guaratinguetá fizeram imponente procissão a pé até o Santuário. Pela primeira vez na sua história, foi celebrada missa campal em frente à igreja, uma vez que seria impossível acolher todos dentro do templo.

Romaria do Rio — Notável foi a romaria da cidade do Rio de Janeiro, não tanto pelo número, mas pelas pessoas de elite da sociedade e do laicato católico que vieram em 12 carros da Central, chefiados pelo próprio Sr. Arcebispo, Dom Joaquim Arcoverde, chegando aqui a 16 de dezembro, às 7 horas da manhã. Dom Alvarenga foi recebê-la, na estação de Queluz, divisa entre a Arquidiocese do Rio e a Diocese de São Paulo. Dom Joaquim Arcoverde celebrou a missa e fez belo sermão sobre a missão do Santuário na vida da Igreja. No dia seguinte, 17 de dezembro, seguiram em peregrinação até o Santuário do Bom Jesus de Tremembé.

O cronista da Comunidade Redentorista, Padre Gahr, fez este registro das romarias daquele ano: "Deus nos consolou muitas vezes no decorrer deste ano. Como a humanidade inteira agradeceu ao Divino Redentor com cânticos e orações o término do século dezenove, e, com bons presságios, o início do século vinte; assim também nesta diocese, tanto sacerdotes como fiéis manifestaram e comprovaram seu amor para com o Divino Redentor. Por isso aconteceram coisas inauditas nestas regiões, grupos de peregrinos vieram das grandes cidades para o Santuário de Nossa Senhora Aparecida, acompanhados por sacerdotes e bispos"[3].

32.1. Ritual da chegada e da despedida[4]

Data daquele ano a introdução do cerimonial para se receberem e se despedirem as romarias no Santuário: um missionário revestido de roquete e estola recebia as romarias na estação local, ou então em frente à igreja de São Benedito, acompanhando-as até o Santuário e animando-as com cânticos e preces. Após a recepção, anunciavam-se os horários de missas e confissões, refeições, descanso e bênção dos devocionários. Antes da partida havia reza com bênção do Santíssimo, precedida de procissão ao redor da igreja e da praça. Os padres alemães foram incansáveis em promover esses atos.

Como consta dos programas das romarias daquele ano, e dos subsequentes, as paróquias de onde procediam as romarias organizavam o ritual para a partida das mesmas. Os párocos chamavam muitas vezes um ou dois missionários do Santuário para pregar um tríduo e preparar os peregrinos e o povo para a romaria; igualmente o faziam ainda alguns padres seculares ou de outras congregações.

Após a pregação das Santas Missões do Vale do Paraíba, costumavam-se organizar grandes romarias para acompanhar de volta ao Santuário a Imagem de Nossa Senhora Aparecida e os missionários, renovando solenemente no Santuário os bons propósitos da Santa Missão. Isso aconteceu frequentemente nas Santas Missões de Taubaté, Caçapava, São José dos Campos, Jacareí, Pindamonhangaba, Lorena, Cruzeiro, Cachoeira e Queluz, para não falar da vizinha cidade de Guaratinguetá.

---

[3] Doc. nº 107, p. 48. O cronista fala de consolo porque, desde 1899, os redentoristas alemães tinham sido alvo de ataques de certos elementos de Aparecida, especialmente do Cônego Antônio Marques Henriques, sacerdote português, que vivia em Aparecida e não se conformava com o fato de ter o Sr. Bispo de São Paulo entregue a direção do santuário a padres estrangeiros.

[4] ACMA — Documentos avulsos sobre as Romarias.

Graças ao zelo dos missionários redentoristas, aquelas populações cresceram na adesão à Igreja e nos frutos de vida cristã. Depois das Missões, tanto do Vale como do interior do Estado, o povo missionado costumava vir em romarias para o Santuário, onde recebiam novamente a palavra de estímulo para renovar sua fé e os bons propósitos. O mesmo acontece ainda hoje; trata-se do entrosamento Santas Missões/Santuário.

A grande romaria da capital paulista retornaria ao Santuário em 1904, para a festa da Coroação da Imagem, e, sem interrupção, continuaria até o ano de 1950, quando cessaram por diversas razões. O dia 8 de setembro, festa do Patrocínio de Maria, foi sempre o grande dia das romarias ao Santuário. Esse teria sido o dia mais indicado para se fazer a festa da Padroeira e não em outubro, festa que já era tradicional desde a solenidade da coroação em 1904.

Na Praça das Palmeiras, Dom Macedo faz a consagração com o povo de Aparecida, na Missão de 1965. Naquele ano, após concluir a ala norte e a torre, ele estava empenhado em iniciar a construção da cúpula

33
PRIMEIRA MISSÃO REDENTORISTA EM APARECIDA, 1901

O Jubileu do Ano Santo da Redenção foi celebrado em Aparecida no ano de 1901. Para preparar o povo, os capelães decidiram pregar uma missão em regra. Para esse fim chamaram os missionários redentoristas holandeses da casa de Juiz de Fora, em Minas. Eles pregaram do dia 28 de junho a 10 de julho de 1901. Essa Santa Missão foi a segunda pregada no povoado de que se tem notícia, sendo a primeira a dos missionários jesuítas em 1748, quando o Santuário e o povoado tinham apenas três anos de existência. Tanto naquela, como nesta missão, manifestou-se claramente o valioso patrocínio de Maria, a Mãe de Jesus, em favor dos pecadores.

Foram pregadores os Padres Francisco Xavier Lohmejer e Matias Tulkens. Como bons missionários, e já traquejados na pregação de missões em Minas Gerais, eles souberam entusiasmar os habitantes de Aparecida, que acorreram em massa[1].

---

[1] Doc. nº 01, p. 147.

Eles começaram acordando o povo às 5 horas da manhã, para a missa e instrução catequética às 5h30min. Não faltaram os grandes sermões da noite sobre as verdades eternas próprias a despertar o temor de Deus, que é o início da conversão pessoal, aperfeiçoada depois pela confiança inculcada pelos sermões sobre o amor a Jesus Cristo e a intercessão de Maria. Para essas pregações da noite, a igreja ficava repleta, ultrapassando de longe as expectativas dos capelães. Padre Francisco Xavier conseguiu despertar extraordinário interesse das crianças e adolescentes pela catequese.

O cronista, Padre Gahr, ressaltou a transformação espiritual operada pela graça da Santa Missão nestes termos: "O mais lindo fruto da graça de Deus foi a missão que pregamos no Santuário, de 28 de junho a 10 de julho. Era destinada só para a paróquia, por isso não fizemos propaganda para os romeiros. Apesar disso, a frequência foi grande. Considerando-se a situação do Brasil, pode-se dizer que a Missão foi obra da graça de Deus do começo ao fim; não houve nada que atrapalhasse. Houve cerca de 1.500 confissões; os chamados 'turcos' não participaram, são pouco religiosos. Os resultados da missão foram evidentes; o povo ficou-nos muito mais favorável, frequentando mais as missas aos domingos e os sacramentos. Pessoas que nunca haviam se confessado, procuraram o confessionário durante a missão"[2].

Pelo número de confissões conclui-se que muitos peregrinos também tomaram parte, pois o povoado não tinha atingido ainda os 2 mil habitantes.

A renovação da Santa Missão — A renovação da Santa Missão, desejada e prescrita por Santo Afonso, aconteceu de 28 de fevereiro a 9 de março de 1902, confirmou os bons resultados de 1901. Desta vez foram pregadores os Padres Francisco

---

[2] Doc. nº 107, p. 62.

Xavier Lohmejer e Henrique Brandaw[3]. O primeiro voltou a fazer sucesso com as crianças e adolescentes, chegando a 100 em cada missãozinha, e o Padre Brandaw conquistou os mais renitentes negociantes da cidade, como o redator do jornalzinho 'Tim-Tim por Tim-Tim' e os senhores Jaime Borges Ribeiro, Bernardes, Rosário e Alfredo Guerra Júnior, redator do jornal 'Luz de Aparecida'.

As Ânuas da Vice-Província de São Paulo nos dão esta notícia entusiástica da renovação: "A renovação da missão pelos padres redentoristas holandeses de Juiz de Fora, de 28 de fevereiro a 10 de março de 1902, obteve ótimos frutos. Catequese das crianças, procissão com o Quadro de Nossa Senhora do Perpétuo Socorro todo iluminado, missa e comunhão geral pelos defuntos com grande emoção do povo, foram os atos especiais. Houve 2.300 comunhões, 200 crismas e 10 casamentos legitimados"[4].

Padre Gahr afirma em sua crônica que "as pregações da noite fizeram profunda impressão, mesmo o redator do 'Tim-Tim por Tim-Tim', movido pelo entusiasmo dos que participavam, veio à igreja colocando-se junto da escada do púlpito. No fim da prática, não se contendo, correu de braços abertos ao encontro do Padre Brandaw, que descia do púlpito, dizendo-lhe: 'é assim que se prega, obrigado padre!'"

A despedida dos missionários foi extraordinariamente comovente e carinhosa; todo o povo compareceu e os acompanhou até a estação local em passeata, tendo à frente os dois heróis Lohmejer e Brandaw.

O fruto mais excelente da missão de 1748, e desta de 1901, foi a graça da conversão obtida pela intercessão de Maria. E

---

[3] Pe. Henrique era filho de uma rica família de judeus católicos da Holanda. Seus antepassados de sobrenome Brandão, daí o nome holandizado de Brandaw, emigraram de Portugal para a Holanda pela perseguição movida pela Inquisição Portuguesa contra os judeus.

[4] Doc. nº 107, p. 114.

o resultado é ainda mais admirável quando sabemos que, à sombra dos santuários, existem sempre grande rivalidade e competição por causa do comércio e do cofre. Há sempre os eternos descontentes contra os capelães por causa dos bens e esmolas do Santuário. Como afirmou o cronista Padre Gahr, o povo de Aparecida ficou muito mais afeiçoado aos padres depois da missão. Não há dúvida que a Missão de 1901, e sua renovação em 1902, foram uma bênção do Ano Santo da Redenção de Cristo, alcançada por Nossa Senhora Aparecida, em favor dos habitantes do povoado de Aparecida.

34
A IMAGEM DE NOSSA SENHORA APARECIDA NAS MISSÕES REDENTORISTAS

Como filhos de Santo Afonso Maria de Ligório, os missionários redentoristas não podiam deixar de levar ao povo, durante as Santas Missões, uma grande esperança na Mãe de Deus e uma firme confiança no seu patrocínio. Esse tema nunca faltou em nossas missões, como também um dia especialmente dedicado a Ela: o 'Dia de Nossa Senhora'.

Nas primeiras missões pregadas no Vale do Paraíba e no Litoral Norte[1], os missionários redentoristas utilizavam-se, para a devoção e para as procissões, de imagens ou quadros de Nossa Senhora de títulos já existentes nas paróquias missionadas. São do ano de 1900 estas palavras deixadas nas crônicas pelo Padre

---

[1] Os missionários redentoristas foram chamados por Dom Joaquim Arcoverde, Bispo de São Paulo, para cuidar do Santuário de Aparecida e pregar as Santas Missões na diocese. Eles iniciaram esse trabalho já em 1896, nas cercanias de Aparecida, para agredi-las com entusiasmo em 1897, na cidade de Areias, SP. Daí em diante percorreram o Vale do Paraíba, Litoral Norte e Sul de Minas.

José Wendl a respeito da influência benéfica de Nossa Senhora: "Se em todas as Missões o Dia de Nossa Senhora é decisivo, aqui no Brasil o é de modo especial. Amantes de procissões solenes, no 'Dia de Nossa Senhora' vem gente de todos os cantos para participar da procissão da Mãe de Deus, e daí em diante a missão toma grande impulso, tanto maior quanto o missionário souber imprimir entusiasmo e vida às pregações. Já constatei que muitos, tendo ouvido somente essa pregação sobre Nossa Senhora, se resolveram a mudar de vida"[2].

A devoção a Nossa Senhora Aparecida e o sucesso das missões começaram a ganhar destaque em janeiro de 1902, quando na missão de São José do Barreiro, situada no extremo sudeste do Vale do Paraíba, Pe. Henrique Brandaw, da Vice-Província redentorista de Juiz de Fora, que dirigiu aquela Missão, levou o quadro de Nossa Senhora do Perpétuo Socorro[3], colocando-o num altar preparado e enfeitado especialmente para a Missão. Promoveu a guarda de honra de Nossa Senhora durante o dia, e ao cair da noite, a procissão solene.

Mas, em novembro daquele mesmo ano de 1902, aconteceu um outro fato histórico para as Sagradas Missões Redentoristas de São Paulo. Pela primeira vez, na missão de Queluz, cidade do Vale, os missionários alemães levaram consigo uma cópia da Imagem de Nossa Senhora Aparecida e a entronizaram num altar especialmente preparado para isso na igreja matriz. Este altar de Nossa Senhora Aparecida receberia depois o nome de 'Altar da Graça', nome que conserva até hoje. Todas as pessoas, especialmente as mais chegadas à Igreja, eram convidadas a fazer preces e sacrifí-

---

[2] Doc. nº 107, p.101 e Coletânea...Vol. I, p. 116.

[3] O Papa Pio IX entregou, em 1861, aos cuidados dos Redentoristas, o Quadro de Nossa Senhora do Perpétuo Socorro, para que os missionários divulgassem a devoção entre o povo. A partir daquele ano, em toda a Congregação, o quadro era levado para as Santas Missões. Aqui, os redentoristas alemães acharam conveniente levar em seu lugar uma imagem de Nossa Senhora Aparecida.

cios para conversão dos pecadores junto daquele 'altar da graça'. Durante todo o dia, grupos de pessoas — homens, mulheres e crianças — revezavam-se nas orações e cânticos diante da Imagem. O resultado não se fez esperar; foi surpreendente. É o que escreveu em linguagem típica alemã, o cronista Padre Gahr: "Nesta Santa Missão (*de Queluz*) a graça de Deus caiu como um raio, convertendo os corações. A Imagem de Nossa Senhora Aparecida, que levamos conosco, parece ter uma atração especial, pois muito e piedosamente se rezava diante dela"[4].

O fato mais importante constatado naquela missão não foi propriamente a grande devoção e o carinho que o povo manifestou diante da Imagem, fato conhecido de todos, mas sim a especial atração ou o forte fascínio que a imagem despertou no povo. Evidentemente não é a Imagem que atrai, mas sim Maria de Nazaré, a Mãe de Deus, que, no plano de salvação da humanidade, foi destinada por Deus como intercessora e advogada nossa. Esse dado da Teologia mariana, como já tivemos a oportunidade de ressaltar, é o valioso patrocínio de Maria em favor dos pecadores que desejam voltar-se para Cristo e sua Igreja.

Durante toda a missão, o povo fez sua 'guarda de honra' diante do Altar da Graça. Esse costume criou raízes, pois em todas as missões redentoristas pregadas pelos 'missionários de Nossa Senhora'[5] uma cópia da Imagem de Nossa Senhora Aparecida é levada para as missões e colocada no altar da graça. Este é sempre montado com muita arte e bom gosto, e diante dele desfilam, em todas as cidades, milhares e milhares

---

[4] Doc. nº 01, p. 166.

[5] Desde 1898, quando os missionários percorriam o Litoral Norte, receberam do povo os carinhosos apelidos: "Missionários da Capela" e "Missionários de Nossa Senhora".

de pessoas que procuram a Mãe de Deus para pedir ajuda para suas necessidades temporais e, sobretudo, para a conversão dos amigos e familiares. Quantas conversões aconteceram só Deus sabe. Quanta paz e felicidade a Mãe de Deus concedeu e ainda concede, só os agraciados de Maria poderão revelar...

A imagem é solenemente recebida pelo povo logo no início da Santa Missão e entronizada no altar. Além da procissão no dia de Nossa Senhora, há também a cerimônia da despedida, que sempre é utilizada para mais um apelo e convite para conversão, no final da missão. Entre 1940 e 1960, muitas vezes a imagem era levada diretamente de Aparecida por avião, trem, ônibus ou carro; mas sempre existiu a referência com o Santuário de Aparecida, embora hoje a imagem siga diretamente com os missionários.

Creio ser importante ressaltar aqui a conexão 'Missão/Santuário' e 'Santuário/Missão', pelas consequências que teve e tem no crescimento da devoção e do próprio Santuário, e pelos frutos espirituais obtidos na missão. Desde o início, os redentoristas alemães perceberam que eram bem aceitos, e seu trabalho pastoral mais frutuoso, por causa da presença da Imagem de Nossa Senhora, ou melhor, do valioso patrocínio da Mãe de Deus. Mas a recíproca também é verdadeira: o Santuário obteve mais sucesso e ficou mais conhecido e visitado por causa das Santas Missões.

Com seu trabalho direto no Santuário de Aparecida e por meio das Santas Missões, do Jornal 'Santuário', e da Rádio Aparecida, os redentoristas conseguiram ampliar e consolidar a devoção a Nossa Senhora Aparecida. Entre os muitos depoimentos sobre a proteção especial de Nossa Senhora Aparecida, podemos destacar alguns. Padre João Batista Kiermeier, Superior Vice-Provincial, escrevendo ao Padre Geral, a 26 de fevereiro de 1919, dizia: "Neste ano nos esperam muitos trabalhos, também missões em cidades importantes e populosas. O patrocínio de Nossa Senhora faz com que os missionários do Santuário sejam acolhidos em toda a parte com grande alegria e reverência"[6]. E o Vice-Provincial, Padre Tiago Klinger, escrevia ao mesmo Padre Geral, a 14 de dezembro de 1922, nestes termos: "Para satisfação de V. Paternidade quero comunicar-lhe que a Vice-Província obteve resultados extraordinários neste ano no campo das Santas Missões, trazendo alegria e entusiasmo para este setor de trabalho. Graças sejam dadas a Deus pela bênção extraordinária que dá às nossas missões. Certamente, grande parte dos resultados devemos à intercessão de Nossa Senhora Aparecida, cuja imagem é levada em nossas missões e trabalhos apostólicos. Somos testemunhas da comovente devoção do povo para com Nossa Senhora Aparecida"[7].

Todos os missionários da Província de São Paulo sempre tiveram em alto apreço essa realidade, e agora, tendo celebrado já os 100 anos de pastoral no Santuário de Aparecida (1894-1994), rendem graças ao Senhor por tão grande dádiva que Nossa Senhora Aparecida lhes concede.

---

[6] COPRESP-A, Vol. VI, carta nº 1516, p. 440.
[7] COPRESP-A, Vol. VII, carta nº 2065, p. 640.

Pe. Sotillo faz o sermão de Nossa Senhora na Missão de 1965. Em 1967 ele vai precisar do seu patrocínio para continuar a construção da Basílica Nova: cúpula, naves sul, leste e oeste, capelas e galerias

35
APARECIDA, EXPRESSÃO FORTE DE RELIGIOSIDADE

Especialmente no período de pós-guerra (depois de 1945), novos valores revolucionaram a técnica, a arte e a vida das pessoas. Diante do individualismo personalista, os valores e as estruturas antigas perderam muito de sua força. Os costumes passaram a ser ditados pelo bem imediato do indivíduo, não mais pelos valores do bem comum. Naturalmente, a Igreja foi atingida pela turbulência desses novos valores que, entretanto, devem ser novamente evangelizados.

O Concílio Vaticano II abriu para a Igreja Católica uma nova dimensão, a dimensão do povo de Deus em busca da justiça do Reino. Era preciso atualizar a liturgia, renovar a reflexão teológica a partir das novas necessidades do homem diante da técnica que criou uma nova ética. Uma das consequências do impacto da renovação trazida pelo Concílio foi a desvalorização da religiosidade popular. Esta não era bem vista pelos líderes da nova Teologia. E como os santuários eram, e são, uma das maiores manifestações dessa religiosidade, foram discriminados pela vanguarda da renovação, especialmente pela Teologia da Libertação.

Os santuários passaram por um período de 'recessão', entre 1960 e 1970. E Aparecida também experimentou essa fase, embora não por parte do grande povo, mas sim por parte dos agentes de pastoral da nova linha teológica.

É lugar-comum afirmar que o povo brasileiro, desde suas origens, é profundamente religioso. É pacífico acentuar que sua religiosidade, o catolicismo brasileiro, tem aspectos peculiares. Entre os muitos dados dessa religiosidade está a devoção mariana, especialmente à Senhora da Conceição Aparecida. 'Conceição Aparecida' é nome; é conceito que mescla duas tradições: a lusa, que representa a devoção à Imaculada Conceição da Virgem Maria e a brasileira, que nasceu há 280 anos, em 1717, do culto à mesma Senhora da Conceição, sob o nome de Aparecida.

Cerca de vinte anos atrás, logo após o Concílio Vaticano II, a devoção e as romarias a Aparecida eram malvistas. Havia muita gente contra, especialmente do clero e de agentes leigos engajados. Para exemplificar citamos apenas o título de um artigo, escrito em 1968, por um sacerdote: 'Aparecida Sem Norte', num evidente e chocante desrespeito à religiosidade e dignidade de nosso povo[1].

Depois de um longo período de incertezas, no qual se questionava o valor dos dados da religiosidade popular na pastoral da Igreja, sabe-se hoje que ela deve ser aproveitada para a evangelização do povo. O primeiro Papa a tratar explicitamente do problema foi Paulo VI, na Exortação Apostólica 'A Evangelização no mundo contemporâneo'. "Antes de tudo importa, dizia ele, ser sensível em relação a ela (*religiosidade*), saber aperceber-se das suas dimensões interiores e dos seus inegáveis valores, estar disposto a ajudá-la a superar os seus perigos de desvio."

---

[1] Artigo de Jesus Manuel Martinez na revista Vispera, Ano II, nº 5, abril de 1968, Montevidéu, p. 30.

Depois do papa, foi a vez do Episcopado Latino-americano, nas Conferências de Medellín, na Colômbia, e de Puebla, no México, de reconhecer os valores da religiosidade popular sobre os quais se devem construir a nova sociedade e a nova Igreja. Afinal o povo é a massa que a Igreja deve fermentar para levá-la a se transformar.

Feita essa colocação, vamos pôr em evidência algumas das normas da mesma conferência e do Papa João Paulo II, frequentemente se aplicam a este Santuário.

35.1. Evangelização das multidões

São grandes e contínuas as multidões que acorrem com júbilo e alegria para celebrar sua fé e esperança nos santuários. Esta religiosidade as leva ao encontro com Deus em Jesus Cristo. É uma oportunidade única que a Igreja tem para transmitir-lhes a mensagem evangélica.

O Santuário de Aparecida tem essa capacidade de concentrar multidões, pois nele, desde o começo, Nossa Senhora atrai de um modo maravilhoso nosso povo para junto de si. Dependendo da época e das circunstâncias, além da multidão dos pobres, o Santuário atinge também o homem urbano de maior cultura e bens.

Depois de constatar presentes as diversas faixas sociais, que constituem a universalidade da Igreja, a Conferência de Puebla, ressaltando que "a mensagem do Evangelho não está reservada a um pequeno grupo de iniciados, de privilegiados ou eleitos", afirma que ela "se destina a todos. A Igreja consegue essa ampla convocação das multidões nos santuários e nas festas religiosas. Aí a mensagem evangélica tem oportunidade, nem sempre aproveitada pastoralmente, de chegar ao coração das massas" (Puebla, 449). Não há dúvida que essa concentração é boa para a evangelização porque o peregrino já traz um dos pressupostos necessários para sua evangelização: a religiosidade inata (Puebla nº 450).

Cabe, pois, aos agentes de pastoral criar modos e maneiras de atingi-las. E são tantos os caminhos: romarias, festas, missões e tantos os corações abertos para a verdade: o coração do povo, enfim, em busca de Jesus Cristo... Visitando o Santuário, percorrendo a Sala dos Milagres e sentindo o forte impacto do entusiasmo da fé das multidões, o peregrino se abre para sua própria evangelização. O homem defrontando-se com a dor e a angústia, sente necessidade de voltar-se para Deus. Os testemunhos das muitas graças alcançadas é um apelo de volta e de conversão interior para os peregrinos.

Para a grande maioria do povo, a devoção pessoal a Jesus Cristo, a Nossa Senhora e aos santos é a única manifestação de seu catolicismo que deve ser aproveitada para o aprofundamento da fé, para a cristianização da cultura. O lugar privilegiado para isso são os santuários, pois na igreja local costuma predominar a preocupação com as elites que devem atuar como fermento na massa. Nos santuários pode--se dar ao povo razões "para esperar, viver e superar pecados e opressões", que hoje acometem o povo de todas as partes, e prepará-lo para a viva esperança de salvação integral em Cristo. A palavra de Deus anunciada pode fazer com que o povo tome mais a sério seus compromissos frente ao seu próprio batismo na comunidade e na sociedade, livrando-o da mistificação e alienação coletivas.

Nos santuários, essa massa de cristãos encontra ainda, pela presença das várias igrejas particulares, uma visão da Igreja Universal de Cristo que está presente no mundo para libertar e salvar o homem. É necessário, porém, amparar os que estão dando os primeiros passos, os que ainda estão à margem da vida da Igreja. Estes, creio, têm vez especialmente nos santuários e para eles também existe a mensagem salvadora de Cristo. É o que veremos a seguir.

35.2. Acolhimento dos afastados da Igreja

Os santuários são lugares de refúgio, pois são tantos hoje os que se encontram em angústia e solidão espiritual. Por sua fé, por vezes mesclada de superstição, eles procuram, inconscientemente o Cristo do Evangelho. O mesmo fazem os que estão em situação cristã anormal — os descasados, os unidos só civilmente ou simplesmente juntados — que não têm fácil acesso em suas comunidades locais. Seria injusto negar-lhes essa acolhida cristã, o apoio para aderirem à comunidade religiosa.

O Papa João Paulo II destacou, durante sua visita ao México, em 1979, a importância dos santuários marianos porque neles o povo pode encontrar em Maria um auxílio valioso para viver a identidade de seu ser cristão e católico. "Os santuários, para onde acodem anualmente milhares de peregrinos com um profundo sentido de religiosidade, podem ser lugares privilegiados para o encontro de uma fé cada vez mais purificada que os conduza a Cristo."

E aponta-os como um lugar de graça e de conversão: "Se a consciência do pecado nos oprime, buscamos instintivamente Aquele que possui o poder de perdoar os pecados e o buscamos por meio de Maria, cujos santuários são lugares de conversão, de penitência, de reconciliação com Deus. Ela é o refúgio dos pecadores. Ela desperta em nós a esperança da emenda e da perseverança; permite-nos superar as múltiplas estruturas de pecado, nas quais está envolvida nossa vida pessoal, familiar e social".

Na sociedade pluralista em que vivemos, torna-se cada vez mais frequente o número dessas pessoas que necessitam do apoio e da acolhida nos santuários. Vivendo em situação irregular, sentem-se sem coragem e acanhados de participar da própria comunidade da qual são contratestemunho. Não há dúvida que para eles Deus reserva um apelo de salvação e integração na Igreja. É seu primeiro passo para sua conversão pessoal. Sobre esse assunto o Papa foi explícito na homilia proferida a 30 de janeiro de 1979, no Santuário de Zapopan no México: "Deve-se aproveitar, pastoralmente, estas oportunidades, por vezes esporádicas, do encontro com almas que nem sempre são fiéis a todo programa de uma vida cristã, mas que vêm guiadas por uma visão, às vezes, incompleta da fé, para procurar levá-las ao centro de toda piedade sólida, Cristo Jesus, Filho de Deus Salvador"[2].

Concluindo vemos como é importante acolher bem em nosso Santuário os devotos da Senhora da Conceição Aparecida, que os traz para um apelo de fé e de conversão. É um direito que todo peregrino tem.

---

[2] Revista SEDOC, Vol. 11, nº 119, março de 1979 — Discursos e Exortações do Papa João Paulo II no México.

36
FUNDAÇÃO DO JORNAL E DA RÁDIO APARECIDA
— 1900 e 1951

Santo Afonso foi um hábil escritor, sabendo comunicar em linguagem popular a doutrina do evangelho. Foi um mestre na arte da pena. Seus livros e opúsculos percorreram o mundo. Suas obras que lhe valeram o título de Doutor da Igreja foram os tratados sobre a Moral Cristã e o Amor a Jesus Cristo. Os redentoristas seguem ainda hoje seu exemplo, divulgando pela palavra escrita as verdades da Fé e os preceitos da Moral. Os redentoristas bávaros, que não eram literatos nem peritos em nossa língua, foram, no entanto, apóstolos também da palavra escrita.

36.1. Fundação do Jornal e da Rádio

Na década de 1860, existia em Guaratinguetá o semanário 'O Parayba', que boas notícias trazia sobre o Santuário de Aparecida, ou 'Cappela d'Apparecida', como era conhecido[1].

Na década de 1870 e nas seguintes, o povoado de Aparecida deu mostras de grande importância, sustentando até três jornais semanários. Um, que foi fundado em 1889, sob o título "A Voz d'Apparecida", ao que parece por uma amostra que temos, foi um bom jornal, noticiando assuntos de interesse do Santuário como, por exemplo, a celebração do mês de maio, visita de Dom Lino e a moção do povo pedindo ao Sr. Bispo a criação da paróquia. Os outros dois pertenciam a um Cônego português, Antônio Marques Henriques. Até pessoas de outros Estados assinavam seus jornais, como pudemos constatar pelos exemplares doados à Biblioteca Nacional, do Rio de Janeiro, por um assinante de Pernambuco.

Os jornais do Cônego Henriques, a partir de 1897, quando seu projeto da instalação da luz elétrica no recinto da igreja e na praça fracassou, tornaram-se veículos de desorientação dos devotos. O Cônego começou a atacar os missionários estrangeiros e o próprio Bispo Diocesano, Dom Antônio Alvarenga, usando as páginas de seus dois jornais 'Estrela de Aparecida' e 'Mensageiro'. A situação se agravou quando, em 1899, o Sr. Bispo não lhe renovou a provisão para uso de ordens começando então a confundir os peregrinos publicando notícias falsas ou contraditórias sobre os horários das funções religiosas e festas.

Diante dessa situação, Pe. Gebardo Wiggermann pensava em fundar um jornal próprio para servir de veículo de divulgação dos atos de culto do Santuário, e de instrução para os leitores. Aproveitou a falência do jornal 'Folha d'Apparecida' comprando seu acervo e contratando seu gerente, o Sr. Jaime Teixeira, para dirigir o novo jornal. Grande foi sua visão apostólica missionária, quando, em agosto de

---

[1] Este jornal foi para nós boa fonte de informação, especialmente no assunto das festas de Aparecida, a vinda da Princesa Isabel e seu consorte Conde d'Eu.

1900, publicava, a 10 de novembro daquele mesmo ano, o jornal 'Santuário de Aparecida'. Garantiu assim um jornal para o Santuário. Mas, sua visão não parou aí. Adquiriu, logo em seguida, por conta da comunidade, uma pequena impressora, a fim de imprimir volantes de avisos e pequenos resumos da doutrina da fé, para distribuí-los durante as Santas Missões. Com este gesto, o velho e previdente redentorista lançava uma promissora semente da futura Editora Santuário, o maior meio de comunicação escrita da Província Redentorista de São Paulo, e, atualmente, uma das maiores da Igreja no Brasil, a serviço do Evangelho.

Em 1910, o jornal e a tipografia, que eram propriedade do Santuário, passaram para a Congregação, que, em 1921, foi ampliada e modernizada pelo Pe. João B. Kiermeier e transformada em Editora de Arte Sacra, em 1927, pelo Pe. Valentim Mooser. A partir de 1970, a Editora começou sua caminhada de modernidade até entrar recentemente na informática para agilizar seu parque gráfico que presta serviços a terceiros e mantém sua própria editoração de livros sobre Teologia Dogmática e Moral, estendendo-se à Exegese, à Sociologia, à Catequese e outros assuntos de utilidade para o povo.

A partir de 1930, os missionários do Santuário de Aparecida começaram a se preocupar com a divulgação da mensagem salvadora do Evangelho por outro meio: as ondas da rádio. Em 1935, aconteceu pela primeira vez a divulgação dos atos religiosos do Santuário pela Rádio Difusora de São Paulo, que transmitiu para todo o Brasil a inauguração dos novos sinos da Basílica, a 29 de junho. Diante do sucesso obtido com aquela transmissão, a Rádio Record[2], também de São Paulo, veio e transmitiu naquele mesmo ano, diretamente de Aparecida, toda

---

[2] A Rádio Record de São Paulo pertencia ao Sr. Paulo de Carvalho, que mantinha ligação de veneração e de amizade com o Santuário de Aparecida. Na década de 80, a Rádio e a TV Record foram compradas pelo Sr. Edir Macedo, fundador da Igreja Universal do Reino de Deus.

a festa religiosa do dia 8 de setembro, desde a madrugada, quando chegavam os comboios de peregrinos de São Paulo até o final do dia.

Em 1938, o Reitor do Santuário, Pe. Oscar Chagas, aproveitou a oportunidade oferecida pelo governo do Dr. Getúlio Vargas, que punha em concorrência muitas frequências de rádio, para pleitear uma também para o Santuário. Tudo estava acertado, quando S. Exª o Sr. Arcebispo de São Paulo, Dom Duarte Leopoldo e Silva, negou-lhe a licença para efetivar o empreendimento. Assim o primeiro passo fracassou.

A presença do Pe. Vítor Coelho de Almeida[3] no Santuário, em 1948, foi uma bênção nesse assunto, pois ele, na sua estadia em Campos do Jordão para tratamento da tuberculose, auxiliara os padres franciscanos daquela paróquia e alguns leigos a colocar no ar uma emissora a serviço da Palavra de Deus. Com a experiência lá adquirida, ele sugeriu ao Reitor do Santuário, Pe. Antônio P. de Andrade, que fizesse o mesmo em Aparecida. Foi naquele mesmo ano que o Padre Andrade começou o trabalho penoso e cheio de armadilhas políticas nos bastidores palacianos governamentais para conseguir uma frequência. O Prefeito de Aparecida, Sr. Américo Pereira Alves, também entrou na concorrência e já havia conseguido o apoio do Sr. Cardeal Motta em troca de duas horas gratuitas de transmissão por dia. Como em 1938, desta vez também iria acontecer o mesmo, pois, de início, o Superior Provincial dos Redentoristas, Pe. Geraldo Pires de Souza, e o Cardeal Motta não estavam dispostos a apoiar a obra. Entretanto, o Superior Provincial dos Redentoristas, Pe. Antônio Ferreira de Macedo, que sucedeu ao Padre Pires, se interessou pessoalmente pelo assunto e conseguiu também que o Sr. Cardeal-Arcebispo retirasse seu apoio à pretensão do Sr. Américo Pereira Alves e o

---

[3] Pe. Vítor residiu em Aparecida, desde 1948 até sua morte, a 21 de julho de 1987, tornando-se o Apóstolo da Rádio Aparecida e de Nossa Senhora.

desse à iniciativa dos missionários. A ação do Padre Macedo foi de vital importância para a realização do plano de fundação de uma emissora de rádio para o Santuário de Aparecida[4]. Com o trabalho incansável dos redentoristas: Padres Andrade, Daniel Marti, Humberto Pieroni e do Sr. Gorra Ubaid, a Rádio Aparecida tornou-se uma realidade e foi solenemente inaugurada, a 8 de setembro de 1951, com uma potência reduzida de 100 KW e alcance num raio de 30 quilômetros apenas. Mas era a semente...

Em 1953, os redentoristas toparam o duro trabalho de vencer a burocracia e os entraves políticos, e desta vez com o apoio imediato do Sr. Cardeal Motta, para conseguir do governo e colocar no ar, a 8 de setembro de 1954, a frequência de 31 metros de alcance nacional. A partir de então ela se tornou a Rádio de Nossa Senhora Aparecida, levando a seus devotos instrução e orientação cristãs.

Não é preciso provar que a Rádio foi uma força para a evangelização, instrução e ação social, e também um fator de crescimento do Santuário Nacional de Nossa Senhora Aparecida. É escusado também dizer que os missionários redentoristas detêm o grande mérito da sua fundação.

36.2. Os Redentoristas e a assistência social

Penso que fica melhor falar da preocupação social dos redentoristas do Santuário neste contexto, uma vez que o Jornal e a Rádio foram e são ótimos meios para divulgar a doutrina social da Igreja de que se utilizaram os missionários.

Já em outubro de 1894, os missionários manifestavam a intenção de ajudar nosso povo a partir do Santuário de Aparecida. Pe. Valentim von Riedl escrevia: "Nossa Senhora deve

---

[4] Interessante, o jornal da Arquidiocese de Aparecida, 'Um Só Corpo', em 1991, dizia que o mérito exclusivo da fundação da Rádio cabe só ao Sr. Cardeal Motta.

amar muito os brasileiros, e parece amanhecer já melhores tempos para eles, pois tendo eles tanto amor para com Ela, é impossível que Maria os deixe desamparados". Como se vê, eles não queriam ser apenas 'padres de sacristia', desejavam ser missionários que ajudariam o povo a melhorar sua situação sócio-econômica também. Por isso o Padre Gebardo dizia: "precisamos dar exemplo de trabalho ao povo".

Em todos os santuários existe a classe dos assim chamados 'penitentes', pobres que procuram sensibilizar os peregrinos com suas doenças, defeitos físicos, chagas reais ou artificiais. Hoje, eles existem em toda parte, não só nos santuários, mas no país inteiro como consequência da miséria causada pela falência das instituições políticas e governamentais.

Desde o começo, os missionários se preocuparam com os verdadeiramente necessitados, distribuindo ajuda e alimentos; uma substanciosa sopa era distribuída diariamente pelas 10 horas aos pobres, na portaria do convento de Aparecida. Em dezembro de 1901, eles fundaram a Conferência de São Vicente para dar assistência às famílias carentes. É interessante esta observação do Padre Gebardo: "Todos eles (*os vicentinos*) são pobres, mas sabem tirar algo de sua pobreza para ajudar os mais pobres do que eles"[5].

Em épocas posteriores, eles construíram a Vila Vicentina e Vila Babete para os pobres assistidos respectivamente pelas Damas de Caridade e pelos Vicentinos; Vila dos Hansenianos ou um conjunto de pequenos quartos para abrigar os afetados pela lepra; Asilo para os velhos desamparados, instalado inicialmente no prédio do Colegião, a 11 de maio de 1923 e transferido, em 1929, para o prédio próprio, construído pela Congregação Redentorista; Santa Casa local, construída sob o comando do Reitor Pe. Oscar Chagas e inaugurada a 25 de dezembro de 1935. Padre Antônio P. de Andrade fundou, entre

---

[5] Doc. 01, p. 154.

1946 e 1950, a Vila dos Romeiros, para pernoite de peregrinos pobres; a Cooperativa Popular, a Escola de Corte e Costura, a Gota de Leite, o Centro de Saúde. Hoje, a Congregação Redentorista mantém o serviço social, S.O.S., que atende paroquianos e peregrinos necessitados, investindo uns bons milhares de reais mensalmente.

No campo educacional, os nossos missionários sonhavam com as escolas paroquiais dos redentoristas norte-americanos, introduzidas pelo Bispo Redentorista São João Nepomuceno Neumann. Tentando o mesmo modelo, fundaram em 1910 uma escola de primeiras letras, na sede do Círculo Católico; em 1938, a escola da Vila Vicentina. Em 1921, os redentoristas chamaram as Irmãs Missionárias de São Carlos Borromeu, que abriram uma escola paroquial, Jardim de Infância e ainda uma Escola de Bordado, Pintura e Piano. Em 1956, o Reitor Pe. José F. da Rosa fundou o Colégio Lassale e o Colégio Padroeira[6]. Iniciou a construção da Casa da Criança, onde funciona hoje uma obra social do Santuário e da Arquidiocese.

Todas essas obras de assistência social, e outras cujos nomes não citamos, tiveram sua importância, mas, creio, a ação mais importante, que os missionários redentoristas realizaram foi a conscientização, a partir do Jornal Santuário, da Rádio Aparecida e da pregação aos peregrinos, a respeito da promoção humana e da justiça social. Doutrina e documentos da Igreja sobre o assunto foram publicados e comentados à farta, especialmente na Rádio Aparecida. Padre Vítor Coelho de Almeida foi benemérito no trabalho de conscientizar seus radiouvintes, especialmente das comunidades rurais, nos princípios de higiene e saúde. Como um bom professor,

---

[6] Essas escolas não tiveram sucesso, porque o povo de Aparecida não contribuiu com a mensalidade das mesmas. Existe ainda a ideia paternalista que o Santuário tem de oferecer tudo gratuitamente aos aparecidenses... até serviços que são da competência do poder legislativo e executivo.

ele ensinava a matéria nos seus programas diários, repetia e repisava o assunto, para cobrar depois de seus ouvintes, durante a entrevista com os romeiros.

Concluindo, afirmamos que nestes mais de 100 anos de trabalho com o povo, os missionários pregaram, sim, em primeiro lugar a salvação eterna, mas sem se esquecerem das realidades humanas e sociais dos peregrinos.

QUARTA PARTE

SANTUÁRIO NACIONAL

O Santuário de Aparecida, fundado a 26 de julho de 1745, recebeu uma missão que ultrapassava o âmbito regional do Vale do Paraíba. Em círculos abrangentes, e subsequentes períodos, a devoção chegava ao sul, oeste, centro-sul, nordeste e norte. Hoje os peregrinos vêm de toda a parte e admiramos o quase infinito número de igrejas, paróquias e instituições dedicadas a Nossa Senhora da Conceição Aparecida nas regiões norte e nordeste.

Pela terceira vez a multidão está junto da Imagem, em Aparecida. Missa Pontifical do Congresso Mariano, a 8 de setembro de 1929

37
A FESTA DA COROAÇÃO DA IMAGEM

Fato importante para a história deste Santuário foi a festa da Coroação da Imagem, em 1904, que marcou seu desenvolvimento até se tornar Santuário Nacional. A ideia da Coroação partiu do Exmo. Sr. Arcebispo do Rio de Janeiro, Dom Joaquim Arcoverde, sendo acatada pelos Bispos na Conferência da Província Eclesiástica Meridional do Brasil, reunida em São Paulo, no ano de 1901. "Desde então, afirma Mons. José Marcondes Homem de Mello, essa resolução começou a atuar no meio do povo de um modo extraordinário, e a piedade e a devoção começaram a se desenvolver em novos meios de tornar aquela solenidade a mais aparatosa possível[1]."

O sentido óbvio e imediato deste projeto de Dom Joaquim Arcoverde, grande devoto e admirador do Santuário de Aparecida, era sem dúvida dar glória à Mãe de Deus e lhe prestar uma homenagem especial no quinquagésimo aniversário da declaração do dogma da Imaculada Conceição da Virgem

---
[1] Polianteia da Coroação da Imagem, 1905, p. 11.

Maria (1854-1904). Ele ia ainda ao encontro de uma aspiração do povo, que, aliás, desde o início do culto havia posto coroa e manto sobre aquela imagem machucada e quebrada, num gesto de carinhosa piedade filial.

Além dessas razões, Dom Arcoverde desejava demonstrar ao regime republicano, que havia banido da Constituição e da vida pública do país o nome de Deus e da Senhora da Conceição, a força da fé católica e os sentimentos religiosos do nosso povo. Ele, e todo o Episcopado, perceberam que, depois do sucesso da celebração do Jubileu da Redenção de 1900, poderiam, unidos, concitar o povo para um grande ato público de manifestação de fé católica. Convencer o povo que, embora a religião católica não fosse mais a religião oficial do Estado, era a religião de todos, da grande maioria dos cidadãos, e que todos poderiam, unidos e esperançosos, confessar publicamente sua fé.

Com esse propósito em mente, Dom Joaquim Arcoverde, apoiado pelo Episcopado Nacional e orientado pelo Núncio Apostólico, Dom Júlio Tonti, dirigiu-se ao Cabido da Basílica de São Pedro, em Roma, para alcançar o privilégio da coroação. Para recolher os documentos necessários, Padre Gebardo colaborou em Aparecida; e para mais facilmente encaminhá-los à Santa Sé, Padre Pedro Oomen, Procurador Geral dos redentoristas, ofereceu seus préstimos em Roma. A faculdade do Cabido da Basílica de São Pedro, concedendo o privilégio da coroação da Imagem, assinada pelo papa, chegou a Aparecida em fevereiro de 1904, endereçada ao Reitor do Santuário, Padre Gebardo Wiggermann.

Logo no início daquele ano de 1904, nas cidades do Rio de Janeiro e de São Paulo, foram formadas duas Comissões Preparatórias dos festejos. Em Aparecida, a igreja recebeu nova pintura, realizada pelos irmãos redentoristas, André Speer e Bento Hiebl, conforme projeto do célebre iluminista dos missais da Editora Pustet, de Ratisbona, e pintor redentorista da Baviera, Ir. Max Schmalz. Embora o projeto da pintura fosse belíssimo, descaracterizou a primitiva pintura original da igreja, a saber: a cor branca das paredes internas, o azul e o ouro das molduras das janelas e sacadas, e o marfim e o ouro dos entalhes. A praça do Santuário foi nivelada e, removendo-se o chafariz, foi levantado o monumento de bronze da Imaculada Conceição com pedestal de granito. O monumento foi fundido e cinzelado na cidade de São Paulo.

Para dar maior importância ao ato oficial da Coroação, a Conferência dos Bispos, que estava programada para a cidade de Mariana, em Minas, foi transferida para Aparecida. Como preparação da festa, houve um setenário solene e nunca dantes realizado em nenhuma parte do Brasil com tantos bispos e povo, quando, à noite, todos os bispos e prelados se reuniam na igreja para presidir à celebração com preces e pregações. Com a presença dos bispos, o setenário teve início no dia 1º de setembro de 1904 com a missa em louvor do Divino Espírito Santo, pela manhã, e reza festiva à noite.

As reuniões de estudos dos bispos eram realizadas no período da manhã e da tarde, na sala do Consistório, localizado na tribuna esquerda da igreja. Um dos resultados práticos da Conferência foi a composição final do texto do Pequeno Catecismo da Doutrina Cristã, que possibilitou, a partir de sua publicação, a instrução de milhares e milhões de brasileiros.

Finalmente, chegou o dia 8 de setembro de 1904. O ato foi prestigiado pela presença dos bispos — 14 ao todo — que tomaram parte em todas as cerimônias juntamente com cerca de 15 mil peregrinos. Na véspera, dia 7 de setembro, os bispos, revestidos com suas insígnias, alternando com o coro do Santuário, cantaram o *Te Deum* de ação de graças pela independência do Brasil. No dia 8, desde às 3 horas da madrugada, sucediam-se no altar-mor e nos altares laterais, as missas celebradas pelos bispos e sacerdotes peregrinos. Os romeiros, às centenas e aos milhares, participavam delas, e seus cânticos e preces contagiavam a multidão.

Ao clarear do dia, chegou a grande romaria de São Paulo, juntando-se a ela, as de Cruzeiro, Cachoeira Paulista e outras cidades do Vale e de Minas Gerais. Às 8 horas, a praça já estava lotada além da sua meia parte, e, a cada momento, os espaços vazios eram preenchidos pelos peregrinos e pelo povo de Aparecida. Às 9 horas, sai do convento dos padres o longo cortejo dos bispos e presbíteros que precedia o Núncio Apostólico, Dom Júlio Tonti, que iria oficiar o solene Pontifical da Coroação. Junto do Sr. Núncio caminhavam Dom Joaquim Arcoverde e Dom José de Camargo Barros, respectivamente Arcebispo do Rio e Bispo de São Paulo. À frente de ambos ia o Padre Gebardo levando, sobre rica almofada, a coroa de ouro cravejada de diamantes e rubis. Era a mesma que tinha sido doada a Nossa Senhora Aparecida pela princesa dona Isabel, em 1888.

A missa foi celebrada no adro da igreja sobre um estrado e sob um docel enfeitado com bandeiras que pendiam desde o alto das torres. Nem chuva nem sol forte foi o que Deus concedeu para aquele dia, quando a multidão de povo, que lotava a praça, foi protegida por um imenso docel de nuvens diáfanas, que filtravam a luz para iluminar o ambiente e proteger o povo dos raios do sol.

Ao evangelho, Dom Joaquim Arcoverde fez um longo discurso em latim, decantando a história da Imagem e as graças de Nossa Senhora Aparecida e, ao término da missa, Dom João Batista Braga, Bispo de Petrópolis, dirigiu a palavra ao povo, preparando-o para o ato. Fez em seguida, com sua voz forte e penetrante, a consagração do povo a Nossa Senhora. Após o que Mons. Benedito Alves de Sousa leu o documento oficial do Cabido da Basílica de S. Pedro do Vaticano, relativo à coroação, anunciando o cerimoniário, em seguida, o ato solene da Coroação.

Um silêncio profundo caiu sobre a multidão, enquanto Dom José de Camargo Barros subia passo a passo os degraus do trono da Imagem, e, tendo recebido do Padre Gebardo a preciosa coroa, com ela coroou a Imagem de Nossa Senhora Aparecida[2]. Só então o povo quebrou o silêncio com estrondosa salva de palmas e aclamando em uníssono "Viva Nossa Senhora Aparecida". O relógio da torre, anotou meticulosamente o cronista, marcava exatamente onze horas e quarenta e dois minutos. Seguiu-se o canto solene do *Te Deum* pronunciado por todos os bispos presentes que se alternavam com o coral do Santuário. Em seguida, houve a inauguração do monumento à Imaculada.

Para a tarde daquele dia foi programada uma grandiosa procissão, na qual tomaram parte o Sr. Núncio Apostólico, Dom Júlio Tonti, e todos os bispos revestidos de mitra e sobrepeliz, portando cada um o seu báculo. "Isto aconteceu pela primeira vez na história da Igreja no Brasil", escrevia Padre Gebardo ao Procurador Pe. Pedro Oomen. De fato, nunca o clero se unira com o povo em tão grande multidão, e tão estreitamente unidos pelo mesmo sentimento de piedade. O tempo continuou favorecendo a solenidade: nem sol nem chuva, mas uma temperatura agradável que favoreceu o ajuntamento de povo de perto e de longe.

A festa teve repercussão tanto entre o povo como entre as mais altas camadas da sociedade, influenciando beneficamente até alguns membros do governo republicano. Foi grande a satisfação do povo, vendo sua querida imagem coroada e proclamada Rainha do Brasil. Num pequeno povoado com cerca de 2.000 habitantes, realizava-se a maior concentração de povo e de clero jamais vista no Brasil. Era o povo e a Igreja que reconheciam a misericordiosa intercessão de Maria de Nazaré, a Mãe de Deus. Estava certo Dom Joaquim Arcoverde quan-

---

[2] Consta dos documentos do Santuário que a Imagem já possuía manto e coroa desde o primeiro inventário de 1750, que se conservou. Manto e coroa foram expressão do afeto e devoção do povo brasileiro à sua querida Imagem. A coroação de 1904 foi um ato da Igreja, de sua hierarquia, mas que teve ampla repercussão no meio do povo.

do propôs utilizar-se do Santuário para firmar o prestígio da Igreja no meio do povo e entre as autoridades do novo regime republicano. O prestígio político-externo da Igreja fora abalado pelo Decreto 119A, de 7 de janeiro de 1890, que colocava a Igreja Católica em pé de igualdade com outras igrejas ou seitas, perdendo também a proteção do Estado. Se, de fato, a Igreja perdera seu prestígio político, que gozava quando unida ao Estado, a partir de então, ela conquistava o prestígio popular e os bispos, em vez do apoio do governo, já podiam contar com o apoio do povo...

37.1. A festa da Coroação projetou o Santuário e o nome redentorista

A festa da Coroação projetou o Santuário de Aparecida para todo o Brasil. Aquele dia 8 de setembro de 1904 foi um marco na história do desenvolvimento do Santuário, e se tornou a data da maior festa do mesmo até 1950 mais ou menos[3]. Cada ano, no aniversário da Coroação, vinham as grandes romarias de São Paulo, Rio de Janeiro, Jundiaí, Juiz de Fora e muitas outras cidades importantes do país. Hoje, o entusiasmo continua o mesmo, e sempre mais ardoroso, embora o nosso povo não possa vir mais no dia 8 de setembro, por não ser feriado. Em compensação, a multidão de peregrinos está sempre presente aos sábados e domingos no Santuário, vinda das capitais, cidades do interior e da zona rural para lhe prestar sua homenagem.

Mas não foi somente o Santuário que lucrou com a festa da Coroação; ganharam também os missionários redentoristas alemães porque seu nome e seu trabalho foram projetados para o

---

[3] Por mais de 30 anos, a festa da Coroação foi a mais concorrida pelo povo, depois declinou, por força das exigências das leis trabalhistas, pois não era feriado.

Brasil todo. Seu zelo pastoral e sua dedicação para com o povo ficaram conhecidos e reconhecidos por clérigos e leigos. Nem é preciso dizer que os redentoristas cresceram ainda mais no conceito do grande amigo Cardeal Arcoverde, que os chamara para o Santuário, em 1894, e que sempre fora seu conselheiro, orientador, pai e amigo. Ele afirmava no discurso proferido em latim durante a Missa Pontifical: "Vossa dedicação para com a Sé Apostólica, vossa assiduidade ao confessionário, vossa prontidão para administrar os outros sacramentos, enfim, toda vossa salutar cooperação, a quem devem estas felizes regiões e o nosso Brasil senão à Virgem Aparecida[4]?"

Os bispos, de modo geral, também manifestaram sua benevolência para com os redentoristas, desejando diversos deles a fundação de uma casa missionária em suas dioceses. A respeito, o cronista anotou: "Como consta, não deixaram os bispos, reunidos em São Paulo, de manifestar seu respeito e benevolência para com nossa congregação, desejando muitos, senão todos, uma fundação nossa em suas respectivas dioceses"[5]. E o próprio Padre Provincial da Alemanha, Antônio Schöpf, que enviara a primeira turma de missionários para o Brasil, exortava-os a se mostrarem dignos de sua missão no Santuário de Aparecida: "O Santuário projetou-se com brilho para todo o Brasil, e em toda a Igreja, na solene Coroação do dia 8 de setembro. Empenhem-se os padres e irmãos, seriamente, para se tornarem cada vez mais dignos guardiães desse grande Santuário Mariano"[6].

A consequência imediata foram os diversos pedidos de fundação e de missões no interior do Estado de São Paulo. Entre eles enumeramos alguns de dioceses longínquas como Diamantina e Porto Alegre, ambos de 1905. O pedido de fundação na capital de São Paulo, no Santuário de Nossa Senhora

---

[4] Cf. Discurso de Dom Joaquim Arcoverde in Polianteia.
[5] Doc. nº 01, p. 151.
[6] COPRESP-A, Vol. III, carta nº 692, de 23/09/1904, p. 494.

da Penha, foi feito durante a festa por Dom José de Camargo Barros. Sua intenção era, a exemplo de Aparecida, dinamizar aquele Santuário da capital paulista. Aquela fundação, que marcou o início da expansão da Vice-Província de São Paulo, teve começo no dia 15 de março de 1905, festa de São Clemente Maria Hofbauer, sendo seu primeiro superior o Pe. Lourenço Hubbauer.

O trabalho pastoral das Santas Missões, que até 1904 praticamente esteve confinado no Vale do Paraíba, expandiu-se para o interior de São Paulo, Sul de Minas e Rio de Janeiro. O primeiro pedido de missão veio de Araraquara, SP, onde os missionários Lourenço Hubbauer e Francisco Hahn iniciaram a Santa Missão no dia 24 de dezembro de 1905, que se prolongou até o dia 7 de janeiro de 1906. A segunda missão, também como consequência da Coroação, foi pedida para a cidade de Tietê, SP. A fé e os costumes cristãos daquela cidade, plantada à margem do lendário rio Tietê, intensificados pelos imigrantes italianos, que começaram a se estabelecer em grande escala na região a partir de 1890, agradaram aos missionários. A Santa Missão aconteceu de 25 de março a 7 de abril de 1906. Todos os bairros, que possuíam capela, foram missionados, encantando-se os missionários com a religiosidade do povo e a formação cristã das famílias. Depois dessas duas, as missões se estenderam para todo o Estado.

Como é gratificante para nós, que suportamos 'o peso e o calor do dia' na pastoral do Santuário, perceber hoje que, depois de cada missão pregada, o povo vem a Aparecida para renovar seus bons propósitos, participando dos sacramentos da penitência e da eucaristia e ouvindo a palavra de Deus. Para muitos a conversão só se completa, ou melhor, só se inicia aqui junto da Imagem da Senhora Aparecida, depois de terem sido tocados pelo anúncio da palavra de conversão durante a Santa Missão.

38
OUTROS EVENTOS QUE MARCARAM O SANTUÁRIO

Entre 1904 e 1917, os trens da Central do Brasil continuaram a transportar anualmente milhares e milhares de peregrinos para o Santuário. As tropas e os cargueiros, porém, ainda não tinham sido aposentados; muita gente continuava a chegar até Aparecida em caravanas de 10, 15, 20 e até 30 animais e demoravam nas 'casas da santa'. Os peregrinos já podiam contar com hotéis, que em cada década que passava, cresciam em número, mas nem sempre em qualidade[1]. Assim, num misto de progresso e de parada no tempo e no espaço, chegamos até o ano de 1917, quando se festejou o bicentenário do encontro da Imagem Milagrosa de Nossa Senhora Aparecida, e, em 1919, os vinte e cinco anos da chegada dos missionários redentoristas alemães à cidade.

---

[1] É muito grande o descaso das autoridades do município em relação à qualidade de hospedagem, à agressividade e à invasão do comércio até mesmo na praça da Basílica Velha, centro da cidade, que poderia ser um mimo aconchegante tanto para romeiros como para aparecidenses. É muita a agressividade visual do espaço pela feiura de barracas e quiosques...

38.1. Jubileu de 1917

O jubileu dos duzentos anos do encontro da Imagem (1717-1917) foi decretado pelo Sr. Arcebispo de São Paulo, Dom Duarte Leopoldo e Silva, para toda a Arquidiocese, sendo comemorado nas dioceses sufragâneas e nas paróquias pelos respectivos bispos e párocos. Em Aparecida, os responsáveis pelas festividades foram o Reitor do Santuário, e o Superior Vice-Provincial, respectivamente, Padres José Sebastião Schwarzmeier e João Batista Kiermeier. Este pediu e obteve da Santa Sé as indulgências em forma de Jubileu, que foram concedidas em maio de 1917[2]. Durante aquele ano, foi grande o concurso de povo ao Santuário com o propósito de lucrar as indulgências, como Padre Kiermeier comunicava a seu Superior Geral, em Roma, Patrício Murray: "Temos muito trabalho no Santuário de Aparecida pela afluência de muitos peregrinos que vêm para lucrar as indulgências do Jubileu; muitas são as ovelhas que voltam ao redil por intercessão da Virgem Santíssima"[3].

O ponto alto do Jubileu do Bicentenário aconteceu no dia 8 de setembro de 1917. Esta é a descrição em nossa crônica:

"A festa foi precedida por uma novena pregada pelo padre jesuíta José Rossi. Na frente da Basílica foi levantado um belo altar para a Missa Pontifical. Às 3 horas da madrugada começaram as missas. Às 3:40 horas chegou o primeiro trem da romaria de São Paulo, composta por 13 carros de primeira classe; e o segundo trem, às 5 horas, com mais 13 carros de segunda classe. O número de comunhões durante a novena e a festa foi de 5.000. Vieram com as romarias de São Paulo, 4

---

[2] APR — COPRESP-A, Vol. VI, carta nº 1426, de 21/05/1917. Comunica ter obtido da Santa Sé indulgência plenária em forma de Jubileu e acrescenta: "São muitos os peregrinos vindo de toda a parte, sendo grande e consolador o nosso trabalho na igreja".

[3] Ibidem, carta nº 1441, p. 355.

bispos, 24 sacerdotes e muitos seminaristas. A Missa Pontifical foi iniciada na praça às 8:30 horas"[4].

O Ano Jubilar foi de muito trabalho no confessionário e no púlpito, conforme escrevia Padre Kiermeier ao mesmo Padre Murray: "Diariamente chegam muitos romeiros, e é grande nosso trabalho no confessionário: muitos são os homens que se confessam contritos, após longos anos de esquecimento dos sacramentos".

Naquele ano de 1917 foi fundada a Confraria de Nossa Senhora Aparecida com a finalidade de desenvolver nos fiéis uma piedade mariana autêntica e incentivar as vocações religiosas e sacerdotais. A associação ficou, porém, sem muita vida até 1929, quando o então Reitor do Santuário Padre Antão Jorge Hechenblaickner lhe imprimiu novo entusiasmo e lhe deu expansão.

38.2. Congresso Mariano de 1929

Para comemorar o Jubileu de Prata da Coroação — 1904 a 1929 — Dom Duarte Leopoldo e Silva, Arcebispo de São Paulo, propôs e organizou um Congresso Mariano em Aparecida, que foi celebrado de 5 a 7 de setembro de 1929. Estiveram presentes: 27 bispos e prelados, centenas e milhares de romeiros, muitos sacerdotes e religiosos. Durante o Congresso houve sessões de estudos tanto no recinto da Basílica como no da igreja de São Benedito, sobre temas religiosos e sociais. Usaram da palavra bispos, padres e leigos. Dentre os leigos destacamos o Dr. Wenceslau Braz, ex-presidente da República, Dr. Altino Arantes, ex-Presidente de São Paulo; Dr. José Pires do Rio, ex-Ministro da Viação; Dr. Armando Prado, Dr. Vicente Melillo, ilustre confrade vicentino e as senhoritas Idathy de Azevedo e Stella Faro, da sociedade de São Paulo.

---

[4] APR — Doc. nº 02, p. 198.

A crônica da comunidade redentorista fez uma belíssima descrição da festa do dia 8 de setembro de 1929, da qual destacamos estes tópicos: "O dia de hoje é um dia que jamais se apagará da memória dos que o presenciaram. Foi hoje o desfecho do que vinha acontecendo durante a novena: júbilo por toda a parte; em todos os corações alegria sem fim. Ontem à tarde era enorme a afluência de peregrinos ao encerrar-se o Congresso Mariano, que decorreu animadíssimo e esplêndido, deixando profunda impressão nos que dele participaram"[5].

O cronista ressalta o extraordinário movimento de conversão de milhares e milhares de pessoas que reassumiram seus compromissos batismais com grandíssimo assédio ao confessionário e busca da mesa da sagrada comunhão. Naqueles dias foram distribuídas 15 mil comunhões.

Os bispos, presentes no Congresso, decidiram enviar um pedido ao Papa para que ele declarasse Nossa Senhora Aparecida Padroeira de toda a nação, assinando para tal fim um Memorândum. À frente do movimento estava o Cardeal-Arcebispo do Rio de Janeiro, Dom Sebastião Leme, e o Reitor do Santuário, Pe. Antão Jorge Hechenblaickner. A princípio, Roma negou o indulto, pois a Imaculada Conceição já era padroeira da América Latina e São Pedro de Alcântara, Padroeiro do Brasil. Além disso, havia a oposição dos bispos do Norte e Nordeste. Mas, afinal, a 16 de julho de 1930, o Papa Pio XI declarava Nossa Senhora Aparecida como Padroeira do Brasil. "Nada mais oportuno, dizia o Santo Padre no 'Motu Proprio', do que atender o pedido não só dos bispos, mas de todos os católicos do Brasil, que veneram a Imaculada Conceição da Virgem Maria com zelo e piedade desde o descobrimento até nosso tempo. Essa nossa declaração servirá para o aumento, cada vez maior, de sua devoção para com a Mãe de Deus"[6].

---

[5] APR — Doc. nº 04, p. 24.

A notícia favorável da Santa Sé chegou ao conhecimento de Dom Duarte, por telegrama, no dia 1º de maio de 1930. O fato auspicioso foi comunicado aos peregrinos durante a festa oficial de Nossa Senhora Aparecida, celebrada a 11 de maio daquele ano. Naquele dia, após a missa solene das 8h30min, foi realizada na praça, junto ao Monumento da Imaculada, uma manifestação de regozijo pela declaração de Roma. Discursou para os presentes, o professor André Álkimin, discorrendo sobre o significado e a importância da declaração de Nossa Senhora como Padroeira do povo brasileiro[7].

38.3. A proclamação de Padroeira do Brasil em 1931

A proclamação oficial de Nossa Senhora Aparecida como Padroeira do Brasil, porém, estava reservada para o dia 31 de maio de 1931, na capital federal do Rio de Janeiro. E foi organizada pelo Cardeal-Arcebispo Dom Sebastião Leme. Ele iniciou os preparativos em outubro de 1930, programando uma grande manifestação popular no Rio de Janeiro, perante autoridades civis, militares e eclesiásticas. Acertou com os bispos a celebração de um Congresso Mariano, convocando clero e povo de todo o Brasil.

O Congresso teve início no dia 24 de maio de 1931, no Rio. Celebrações, conferências e preces foram organizadas em todas as paróquias. Fato notável foi o comparecimento não só do povo, mas também de intelectuais, autoridades e líderes católicos. O clima religioso do Congresso era envolvente, atingindo todas as classes sociais e transformando o ambiente da cidade. Os jornais estampavam os acontecimentos

---

[6] ACMA e APR — Motu Proprio in Coletânea da Capela, Vol. II, fl. 76.

[7] Ibidem, telegrama, p. 58, e celebração junto do monumento da Imaculada, p. 59 e 60.

com ênfase e noticiavam em grandes manchetes a apoteose da proclamação na Esplanada do Castelo. Dom Leme conseguiu de Dom Duarte e do Cabido Metropolitano da Sé de S. Paulo a licença, que a princípio lhe foi negada, para levar à capital da República a Imagem Milagrosa de Nossa Senhora Aparecida.

Em trem especial, e ricamente enfeitado, a Imagem foi conduzida, saindo de Aparecida no dia 30 de maio, um sábado, às 22 horas. Às 20h30, no silêncio da noite, a Imagem deixou seu nicho e foi conduzida pelo povo de Aparecida até a Estação local. Preces, lágrimas e emoção acompanharam essa peregrinação histórica desde que saiu de Aparecida e para cá voltou. Era a primeira vez, depois de 1889, que a Imagem saía para longe de seu Santuário[8].

Colocada no carro-capela, começou a viagem da Santa Imagem. À medida que o comboio avançava na escuridão da noite, acendiam-se as luzes dos casebres e das casas que, ao longo do percurso da estrada de ferro, iluminavam a caminhada da Peregrina de Deus. No altar do carro-capela ardiam os círios e velas, elevavam-se preces e cânticos da comitiva que acompanhava a Imagem. Todas as cidades do trajeto prepararam festiva recepção nas estações locais. Na estação de Deodoro, o comboio se detém por mais tempo; o povo quer saudar sua Rainha com discursos e preces. Além de Deodoro, já na baixada fluminense, o leito da Central mais se parecia com uma grande passarela pela qual desfilava a Dama dos corações brasileiros, sua Rainha e Mãe, aplaudida e ovacionada pelos seus devotos.

Às seis horas do dia 31, após dez horas de peregrinação, a Imagem chegou à Estação de D. Pedro II. "Logo que se avistou o trem, descreve o cronista, toda a Estação retumbou de gritos e vivas de entusiasmo. Quase não se ouviam mais os sons da grande banda militar que estava tocando.

---

[8] Naquele ano a Imagem fora levada duas vezes a Guaratinguetá, permanecendo depois no Santuário.

Os vivas a Nossa Senhora Aparecida, Padroeira do Brasil, acompanhados de vibrantes salvas de palmas, revezavam-se com fervorosas invocações. Lia-se em todos os rostos, além de vivo entusiasmo, profunda emoção e, em muitos olhos brilhavam lágrimas, quando a veneranda Imagem deixou o trem, e muito devagar, rompeu a densa multidão em direção à saída[9]."

Dom Sebastião Leme recebeu, comovido, a Imagem das mãos de Dom Duarte, conduzindo-a até a igreja de São Francisco de Paula, num trajeto solene das 7h15min às 9 horas. Durante todo o dia, até às 14 horas, a Imagem foi alvo da veneração e devoção do povo carioca e dos congressistas na igreja de São Francisco de Paula.

A Pátria aos pés da Padroeira — "É difícil, escreveu um jornal carioca, é difícil relatar a grandiosidade da manifestação prestada por todas as classes sociais da cidade à Padroeira do Brasil. Foi simplesmente uma afirmação eloquente do espírito católico de nosso povo." Cerca de um milhão de pessoas acorreu para prestar suas homenagens à Padroeira naquele dia 31 de maio de 1931. De manhã, o ponto alto foi a Missa Campal celebrada diante da igreja de São Francisco de Paula, onde uma multidão compacta cantou e rezou, participando da eucaristia. Ao concluir a missa, o Cardeal Leme renovou com a multidão a profissão de fé católica.

À tarde, às 14 horas, saiu da Catedral provisória a procissão conduzindo a Imagem para a Praça da Esplanada do Castelo, onde se realizaria, perante o povo e autoridades, a Consagração do Brasil a Nossa Senhora Aparecida. Pelas ruas Primeiro de Maio, Visconde de Inhaúma e pelas avenidas Rio Branco e das Nações, grande massa de povo acompanhou a Imagem e nas calçadas postavam-se cordões

---

[9] Ecos Marianos, ano de 1932, p. 35.

contínuos de devotos. O espetáculo era grandioso: símbolos, faixas, enfeites, saudavam a Rainha e Padroeira. Dos prédios caía continuamente belíssima chuva de pétalas de rosas e de papel picado, refletindo todas as cores do arco-íris em suas evoluções por sobre o carro-andor da Imagem. Preces e cânticos enchiam as avenidas.

Na Esplanada do Castelo, outra multidão aguardava a chegada da Imagem Milagrosa. No grande estrado, junto do altar da Padroeira, encontravam-se o Presidente da República, Dr. Getúlio Dornelles Vargas, Ministros de Estado, membros do Corpo Diplomático credenciados junto do nosso governo, e outras autoridades civis, militares e eclesiásticas. O Sr. Núncio Apostólico, Dom Aloísio Masella, estava ao lado do Presidente e sua família. Na Esplanada, a Imagem percorreu as diversas quadras para que o povo pudesse vê-la de perto, e, ao chegar ao altar, Dom Leme deu-a a beijar ao Presidente e sua família.

Um silêncio profundo invadiu a Esplanada, quando a Imagem foi colocada no altar. Após o discurso de saudação, Dom Leme iniciou o solene ato da proclamação de Nossa Senhora Aparecida como Padroeira do Brasil. A imensa multidão de mais de um milhão de pessoas, conforme notícia dos jornais, repetiu com entusiasmo as palavras da consagração da nação e do povo a Nossa Senhora, proferidas por Dom Leme. A pátria estava ali representada pelas autoridades civis, militares e eclesiásticas e pelo povo que superlotava a Esplanada do Castelo. Era o Brasil que se consagrava à sua Senhora e Mãe, que suplicava o patrocínio valioso da sua Padroeira junto de seu Filho Jesus. E a voz do povo brasileiro aclamava em uníssono com Dom Leme:

"Senhora Aparecida, o Brasil é vosso!
Rainha do Brasil, abençoai a nossa gente.
Paz ao nosso povo! Salvação para a nossa Pátria!
Senhora Aparecida, o Brasil vos ama,
o Brasil, em vós confia!
Senhora Aparecida, o Brasil vos aclama,
Salve, Rainha!"

Após os atos de consagração e prece, Dom Duarte levou a Imagem para o carro-capela, estacionado na Estação Dom Pedro II, partindo às 21h15min com destino a Aparecida. Novamente um espetáculo de fé e de devoção para com Nossa Senhora Aparecida; em todas as estações repetiram-se com mais intensidade os cânticos e preces da multidão que aguardava sua passagem. Com duas horas de atraso, o comboio chegou a Aparecida às 7 horas da manhã do dia 1º de junho.

Como fecho desta descrição, transcrevo as notas do Superior Vice-Provincial, Pe. José Francisco Wand, escritas no Livro do Tombo da paróquia. "É absolutamente certo que o dia 31 de maio será sempre um dos mais memoráveis na História Eclesiástica da Terra de Santa Cruz. É o penhor de uma era de paz, ordem e tranqüilidade. Certo é também, como disse-o S. Emª o Sr. Cardeal Leme, que o dia 31 de maio significa para Aparecida o desenvolvimento grandioso das romarias."

Pela quarta vez, no Rio de Janeiro, a 31 de maio de 1931, outra grande multidão se reúne junto da Imagem. Na Esplanada do Castelo, Nossa Senhora é proclamada Padroeira do Brasil

39
TÍTULOS E FESTAS DO SANTUÁRIO

A maioria dos santuários só tem grande movimento por ocasião da novena e da festa anual. O Santuário de Aparecida difere deles, pois é procurado durante o ano inteiro; poucos são os fins de semana com menos de 40 mil peregrinos, a maioria ultrapassa os 80 mil. Nos meses de férias — janeiro e julho — o Santuário é muito procurado pelas famílias das grandes cidades que chegam até o Santuário em seus automóveis, e nos meses de maio a novembro, pelo povo do interior. Ainda são numerosos os grupos que vêm a pé ou a cavalo. Ultimamente os domingos do mês de dezembro são os mais concorridos, reflexo do poder aquisitivo do povo que aumenta com o décimo terceiro salário. Desde 1967, a maior parte dos domingos é 'dia de festa', tal o número de peregrinos que vêm cantar e rezar junto de sua Padroeira.

39.1. As festas da Padroeira

Desde a oficialização do culto, em 1745, a festa de Nossa Senhora Aparecida era celebrada no dia 8 de dezembro, festa da Imaculada Conceição de Maria no calendário universal da Igreja Católica. Em 1878, foi introduzida mais uma festa simples e piedosa para encerrar a celebração do mês de maio, que teve início naquele ano[1]. Havia missa festiva e procissão à tarde com a Imagem milagrosa. Em 1894, Dom Joaquim Arcoverde obteve a faculdade da Santa Sé para celebrar uma festa própria em louvor a Nossa Senhora Aparecida, estabelecida para o quinto domingo depois da Páscoa[2]. Somavam-se então, em 1895, três festas: 8 de dezembro, quinto domingo depois da páscoa e no encerramento do mês de maio.

De 1904 a 1911, a festa oficial da Padroeira passou a ser celebrada com ofício e missa próprios no primeiro domingo do mês de maio[3]. Depois da reforma litúrgica de 1911, que privilegiava a celebração litúrgica do domingo, Dom Duarte transferiu a festa oficial para a data fixa de 11 de maio de cada ano, que teve início em 1916, e que perdurou até o ano de 1940[4].

O Concílio Plenário Brasileiro, celebrado no Rio de Janeiro, em 1939[5], determinou que, para dar maior solenidade à festa e implorar suas bênçãos para nossa pátria, ela fosse celebrada no dia 7 de setembro. Essa data, porém, não foi favorável por causa das solenidades do Dia da Pátria, que ab-

---

[1] ACMA — Jornal 'Voz d'Apparecida', ed. de 1º de junho de 1889. Na reportagem sobre a celebração do mês de maio, afirma-se que o mês começou a ser celebrado há cerca de 10 anos. E Livro de Recibos da Capela, fl. 3, nº 12. Na matriz de Guaratinguetá, iniciou-se a celebração do mês de maio no ano de 1872. Cf. 'O Parayba', ed. 27 de abril de 1873.

[2] Cf. Doc. nº 01, p. 31. Para a festa, Dom Arcoverde havia alcançado de Roma indulgência especial. Cf. Doc. 107, p. 91.

[3] Doc. nº 01, p. 188: Pela primeira vez, em 1904, a festa própria de Nossa Senhora Aparecida foi celebrada no primeiro domingo de maio. Em fins de 1906, chegava a Aparecida o texto próprio do Ofício e da Missa, concedido pela Santa Sé a 20/03/1906, a pedido de Dom Joaquim Arcoverde. Cf. Livro do Tombo de Aparecida, fl. 51v.

[4] Cf. Livro do Tombo, fl. 12. Ver crônica da comunidade de Aparecida, dia 11 de maio de 1916 (Doc. nº 02, p. 179).

[5] Coletânea, I Vol. p. 238.

sorvem a atenção do povo. Por isso, a Conferência Nacional dos Bispos do Brasil — CNBB —, em sua assembleia geral de 1953[6], determinou que a festa fosse celebrada definitivamente no dia 12 de outubro de cada ano. Essa data se mostrou mais prática, e é sempre celebrada com muita participação de povo.

Desde o ano de 1980, o dia 12 de outubro passou a ser feriado nacional, decretado pelo então Presidente da República, Gal. João Batista Figueiredo, por ocasião da visita do Papa João Paulo II ao Brasil. O Presidente da República, promulgou a lei nº 6.802, de 30 de junho de 1980, "declarando feriado federal o dia 12 de outubro para o culto público e oficial a Nossa Senhora Aparecida", conforme consta do Diário Oficial de 1º de julho de 1980[7]. Atualmente prevalece somente essa data para a celebração da festa da Padroeira do Brasil.

39.2. Títulos e privilégios

Os santuários fazem parte da cultura e da civilização dos povos. Os pagãos do ocidente, sobretudo os gregos e romanos, tinham seus santuários ou lugares sagrados; os judeus igualmente tinham no templo de Jerusalém o Santuário do 'Santo dos Santos'. Os cristãos convencionaram chamar santuários as igrejas da Terra Santa, de Roma e outras, por especial carinho e devoção do povo. Na cristandade misturavam-se os santuários de instituição da Igreja com os de proclamação do povo.

O Santuário de Aparecida é de proclamação do povo desde o século dezoito, e também por declaração da Igreja no Brasil, desde 1893 e 1984. O título de Santuário Episcopal foi conferido à igreja de Aparecida, a 28 de novembro de 1893, pelo Bispo de São Paulo, Dom Lino D. Rodrigues de Carvalho;

---

[6] Ibidem, p. 238.
[7] Cf. Diário Oficial da República de 1º julho de 1980, lei nº 6.802, de 30 de junho do mesmo ano.

e, a 12 de outubro de 1984, a CNBB decretou oficialmente a igreja de Aparecida como Santuário Nacional, para cumprir uma determinação do novo Código de Direito Canônico.

Basílica Menor — As duas igrejas, a velha e a nova, receberam o título de Basílica Menor. Em 1908, Dom Duarte Leopoldo e Silva pediu e conseguiu o título e o privilégio de Basílica Menor para a igreja do centro da cidade, mais conhecida como Basílica Velha. A dignidade foi concedida por Pio X, a 29 de abril de 1908[8], e executada com a sagração do templo por Dom Duarte, a 5 de setembro de 1909[9]. A Basílica Nova também recebeu o título de Basílica Menor no dia 4 de julho de 1980.

Padroeira do Brasil — Logo após a realização do Congresso Mariano de 1929, por empenho de Dom Sebastião Leme, Arcebispo do Rio de Janeiro, e o Reitor do Santuário, Pe. Antão Jorge Hechenblaickner, os bispos presentes no Congresso pediram, e obtiveram do mesmo Papa Pio X, a graça de Nossa Senhora Aparecida ser declarada Padroeira do Brasil. O decreto foi assinado pelo papa a 16 de julho daquele ano e a proclamação oficial se deu na capital do Rio de Janeiro, a 31 de maio de 1931.

Arquidiocese de Aparecida — A Paróquia de Aparecida, criada a 28 de novembro de 1893, foi elevada à dignidade de Arquidiocese pelo Papa Pio XII, a 19 de abril de 1958[10], e instalada solenemente pelo Sr. Núncio Apostólico, Dom Armando Lombardi, a 8 de dezembro daquele mesmo ano, no recinto do novo Santuário, ainda em construção. No discurso

---

[8] Cf. Decreto de Pio X, I Livro do Tombo, fl. 56.

[9] Doc. nº 02, p. 48. Com a finalidade de ser elevada à categoria de Basílica, a igreja foi sagrada por Dom Duarte a 5 de setembro de 1909.

[10] ACMA — Textos originais. Cf. Fotocópias do Decreto do Papa Pio XII, Ata da instalação etc. in Coletânea, fl. 78.

de instalação da Arquidiocese, Dom Armando Lombardi afirmou: "Caso único na história da Igreja, Aparecida de simples paróquia foi elevada à dignidade de Arquidiocese".

39.3. Papa João Paulo II em Aparecida

O Papa João Paulo II visitou Aparecida no dia 4 de julho de 1980, consagrando a nova igreja e conferindo-lhe o título de Basílica Menor. Temos assim duas Basílicas em Aparecida: a velha e a nova.

Esperava-se há mais tempo uma visita do Papa a Aparecida. O Sr. Cardeal-Arcebispo, Dom Carlos, deseja convidar Paulo VI para vir e consagrar a nova igreja. Pensou até, em 1970, em fazer um empréstimo para concluir todas as naves da igreja e convidar o Papa para vir inaugurá-la e sagrá-la em 1972, como parte da celebração do sesquicentenário da independência do Brasil. Mais tarde, o próprio Papa Paulo VI manifestou o desejo de visitar o Brasil e o Santuário de Aparecida, dando até os primeiros contatos para isso.

Entretanto, a celebração do Ano Jubilar Mariano 1979/1980, o Congresso Eucarístico de Fortaleza e a conclusão de todo o conjunto do novo templo propiciaram o convite e a efetiva realização da visita do Papa ao Santuário de Aparecida. Secretos foram os caminhos e demorados os trâmites para a efetivação da visita, até 29 outubro de 1979, quando Dom Geraldo M. de Morais Penido anunciava oficialmente a visita do Papa. A influência do Santuário no cenário nacional ficou mais evidenciada pelo interesse provocado nos Meios de Comunicação Social e no Governo. A Imprensa escrita focalizou por mais de três meses a cidade de Aparecida com muitas notícias e críticas. O governo executou em tempo recorde obras como: o grande estacionamento e a esplanada junto do Santuário, que deram maior realce ao Santuário, mais espaço para pessoas e veículos.

Na madrugada daquele dia 4 o povo, apesar do frio intenso, ia-se reunindo na grande Esplanada, situada em frente da ala Sul [11]. S. Santidade desembarcou, às 9h15, no heliporto da praça das Palmeiras, defronte da ala Norte da nova Basílica e às 9h15 iniciava a missa. Naquela manhã calma e fria, de céu encoberto pela névoa, mas iluminado por uma luz diáfana, que fazia emergir do mar de névoa a silhueta da grande Basílica, uma multidão de 300 mil peregrinos rezou e cantou com o Papa. O espetáculo foi transmitido para todo o Brasil pela Rádio e TV.

Como todos os romeiros, também o Papa quis fazer uma oferta ao Santuário. Depois de consagrá-lo disse: "E agora, ao concluir esta celebração, qual flor que desejo depor aos pés da Virgem Mãe de Deus e nossa, como recordação da visita do Papa a este Santuário de Nossa Senhora Aparecida, Padroeira do Brasil, tenho a alegria de proclamar o novo templo, ora consagrado, como Basílica Menor".

E concluiu sua visita rezando:

"Nossa Senhora Aparecida,
abençoai este vosso Santuário
e os que nele trabalham,
abençoai este povo
que aqui ora e canta,
abençoai todos os vossos filhos,
abençoai o Brasil. Amém".

---

[11] A Rodovia Dutra foi praticamente bloqueada para o trânsito, tal a rigidez do esquema montado para a segurança do Papa pelo Cel. Delfino. À tarde do dia 3, o Sr. Arcebispo e o Sr. Prefeito se entenderam com Brasília para liberar o trânsito na Dutra para carros e ônibus, o que possibilitou ajuntar cerca de 300 mil peregrinos. Ainda na véspera só se viam militares nas ruas... E o povo? E os peregrinos? Se não fosse a liberação que trouxe então o povo do Vale, seria minguada sua presença.

40
PEREGRINAÇÃO DA IMAGEM PELO BRASIL

A Imagem de Nossa Senhora da Conceição Aparecida foi sempre peregrina. Entre 1717 e 1731, peregrinou junto com o pescador Filipe Pedroso, que residiu cerca de 6 anos no bairro do Ribeirão do Sá, e cerca de 9 anos no bairro da Ponte Alta. Em 1732, peregrinou novamente para o Itaguaçu, permanecendo na capelinha que Atanásio Pedroso lhe construiu. Peregrinou depois para o Morro dos Coqueiros, atual Colina do Santuário, onde foi colocada na igreja inaugurada a 26 de julho de 1745.

Durante os séculos dezoito e dezenove, entre 1745 e 1890, a Imagem era levada todos os anos para a matriz de Guaratinguetá, onde permanecia por alguns dias, e, a partir de 1872, durante o mês de maio, para as devoções marianas da paróquia[1]. A Imagem presidiu também durante alguns anos a celebração do mês de outubro naquela matriz. Entre 1889 e 1930, a Imagem não saiu mais de seu Santuário.

---

[1] Ver os números do jornal 'O Parayba', de Guaratinguetá, anos 1866 a 1873 na Hemeroteca Júlio de Mesquita do IBGE da capital de São Paulo e cópia xerox in Coletânea, op. cit.

Entre 1931 e 1965, antes da Peregrinação Nacional, a Imagem saiu somente oito vezes de seu Santuário: a 31 de maio de 1931, quando foi levada para o Rio de Janeiro; em 1932, foi levada ocultamente para São Paulo, durante a Revolução Constitucionalista, onde permaneceu no Palácio de São Luiz, residência do Sr. Arcebispo de São Paulo, de 25 de setembro até o dia 6 de outubro. O motivo foi o temor de um bombardeio na cidade de Aparecida, pois no Vale do Paraíba se desenvolveram diversas lutas e confrontos entre constitucionalistas e getulistas.

Em 1945, S. Eminência o Sr. Cardeal Motta organizou na cidade de São Paulo uma noite de vigília e de preces para alertar o povo, sobretudo o operariado, contra o movimento comunista, levando a Imagem para lá. Aquela noite de 14 de julho ficou conhecida como "Noite de Nossa Senhora". Sua permanência na Catedral e na Praça da Sé para aquela manifestação muito contribuiu para o crescimento da devoção do povo paulistano. Outra visita a São Paulo foi a realizada durante o Congresso Mariano, de 5 a 7 de setembro de 1954. Novamente a Sé Catedral de São Paulo transformou-se num verdadeiro Santuário Mariano. Não foi possível sequer calcular o número da multidão de paulistanos que desfilaram diante da querida Imagem de Nossa Senhora Aparecida.

E, finalmente, na quinta saída, a Imagem foi conduzida ao Rio de Janeiro, de 17 a 25 de julho de 1955, para presidir o Congresso Eucarístico Internacional. Fora dos atos do Congresso, a Imagem ficava exposta à devoção dos congressistas e cariocas, na igreja carmelita da Lapa, onde eram intermináveis as filas do beijamento e dos confessionários, durante o dia todo e parte da noite.

Houve ainda estas três saídas: em 1960, para a cidade de Mariana, MG; em 1962, para a inauguração de Brasília; em 1963, para São Paulo.

Em 1965, a Imagem iniciou sua peregrinação para visitar seus filhos dispersos pelo país. Como dizia Dom Macedo:

"Nossa Senhora vai retribuir a visita que seus filhos lhe fazem de todo o Brasil".

40.1. A peregrinação nacional, 1965 a 1968

A peregrinação oficial da Imagem de Nossa Senhora Aparecida, realizada por ocasião do Jubileu dos 250 anos do encontro da Imagem, celebrado em 1967, teve influência marcante para o Santuário Nacional. A primeira ideia de uma peregrinação pelas capitais dos Estados partiu dos devotos de Belo Horizonte, em 1965. O Presidente da República, Marechal Humberto Castelo Branco, e o Cel. José Geraldo de Oliveira, que esteve à frente do movimento de 31 de março de 1964 naquela cidade, também subscreveram o abaixo-assinado. Não entramos no mérito do pedido daqueles representantes da Revolução de 1964, que tomou depois rumo bem diverso daquele que o povo desejava inicialmente.

Para a realização da peregrinação oficial pelo Brasil contribuíram dois motivos, a saber: o movimento popular pedindo a peregrinação e, principalmente, a preparação para o Ano Jubilar de 1967, que levaram S. Eminência o Sr. Cardeal-Arcebispo de Aparecida, Dom Carlos Carmelo de Vasconcellos Motta, e os Bispos do Conselho Pró-Santuário Nacional[2] a propor aos senhores bispos e arcebispos a ida da Imagem para suas respectivas circunscrições eclesiásticas, com programa a ser proposto por eles. Angariar fundos para a construção do novo

---

[2] Cf. Oitava Ata da reunião do Conselho Pró-Santuário, de 25/02/1966, e Doc. nº 119, p. 48. "No ano jubilar, que está previsto para 1967, o Brasil pagará a 'Visita de Nossa Senhora Aparecida' com peregrinações organizadas de todos os quadrantes de nossa terra. A ideia foi acolhida com muito entusiasmo e alegria. Resolveu-se tratar deste assunto durante o Concílio (Vaticano II, 4ª sessão), em Roma, numa das reuniões dos Srs. Bispos na Domus Mariae."

Santuário também entrou no propósito da peregrinação. Não foi feita campanha especial explícita nesse sentido, mas todos os prelados concordaram que as somas ofertadas a Nossa Senhora, por ocasião da visita, fossem destinadas para a construção do novo templo. E foi providencial, para as obras da construção, a ajuda financeira arrecadada durante a peregrinação[3].

A peregrinação, conduzida por Dom Antônio Ferreira de Macedo, Arcebispo Coadjutor de Aparecida, foi feita em dois períodos: de 3 de maio de 1965 a 24 de dezembro de 1966, e de 29 de fevereiro a 30 de outubro de 1968. Em 1969 foram realizadas ainda diversas visitas. No primeiro período foram feitas 8; e no segundo, 7 peregrinações; voltando a Imagem para seu Santuário entre uma e outra visita. Quase todas as dioceses, arquidioceses e prelazias foram visitadas; muito poucas recusaram a visita. Entende-se essa recusa, no contexto de Igreja do tempo, quando muitos eclesiásticos, entre 1963 e 1970, eram contrários ao movimento de massa dos santuários, especialmente do Santuário de Aparecida.

Em toda a parte foi enorme o concurso do povo, mesmo nas regiões onde existiam outros santuários regionais marianos. Também no extremo Sul e no Norte, a Imagem foi aclamada com grande entusiasmo. No Sul, nas cidades onde predominam os cristãos de profissão luterana, a Imagem foi recebida por todos, inclusive pelas autoridades civis, que pertenciam àquela, e outras igrejas evangélicas históricas, que faziam questão de estar presentes e recebê-la oficialmente na cidade. Esse fato foi um bom começo para o movimento ecumênico.

Mil e trezentas localidades foram visitadas, gastando-se para isso 508 dias. O percurso das viagens ultrapassou a medida de 45 mil quilômetros, dos quais 15 mil por via aérea e cerca de 100 quilômetros por via fluvial. Receberam a visita

---

[3] De certa maneira, e até certo ponto, essas entradas de todo o Brasil supriram a evasão de recursos financeiros do cofre para a construção, pela retirada de 20% das rendas mensais por parte da CNBB, entre 1960 e 1965.

da Imagem 23 arquidioceses, 174 dioceses e 8 prelazias. Notamos que algumas arquidioceses e dioceses que não quiseram a visita na ocasião, pediram-na depois, como fez Dom Fernando Gomes, Arcebispo de Goiânia. Em 1969, a Imagem percorreu diversas cidades do Triângulo Mineiro nos limites do Estado de Goiás, sendo conduzida pelos missionários redentoristas: Pe. Orlando Gambi, Júlio J. Brustoloni e Ir. Rafael.

Dom Macedo deixou um Diário, ou cronograma dessas viagens, muito interessante[4].

Por toda a parte, por onde a Imagem passava, o povo acorria em massa, num movimento de prece e de penitência, de fé e de esperança, de louvor e de ação de graças nunca visto. Em quase todos os lugares, onde a Imagem permanecia de um dia para outro, foram realizadas vigílias de oração durante a noite. Muitos confessores estiveram apostos nessas vigílias para o atendimento das confissões. Grandes foram os frutos espirituais, dizia Dom Macedo, e maiores teriam sido se houvesse mais tempo e uma equipe maior de sacerdotes disponíveis para pregar ao povo e atender as confissões.

Durante a peregrinação foram distribuídas cerca de 1.500.000 comunhões, e, sem conta as conversões havidas, geralmente por aquelas pessoas que buscavam e encontravam uma resposta para sua fé e confiança no patrocínio de Maria, a Mãe de Deus. A jubilosa confiança que Maria Santíssima despertou no coração de seus devotos é inenarrável...

---

[4] Cf. *Diário da Peregrinação* — anotações de Dom Macedo sobre roteiro e outras coisas de interesse a respeito do assunto in APR.

Outras grandes concentrações se deram: na Praça da Sé de São Paulo, a 14/7/1945; no Aterro do Flamengo, Rio, em 1955, no Congresso Eucarístico Internacional. A partir da década de 1970 as multidões se concentram em Aparecida

41
JUBILEU DOS 250 ANOS DO ENCONTRO DA IMAGEM — 1717 a 1967[1]

Passaram-se vinte e dois anos (1945-1967) desde o término da Segunda Guerra Mundial, trazendo grandes transformações no mundo industrial e social, político e religioso. A humanidade começava uma nova era, na qual a secularização predominaria em todos os campos da sociedade. Esta saíra ferida da Guerra Mundial não só pelos tanques e bombas, que vitimaram milhões de seres humanos, mas muito mais pela tecnologia, pelo progresso e consumismo que dispensaram Deus na vida do homem. O mundo se dividiu entre Norte e Sul, entre países ricos e pobres, primeiro e terceiro mundo. Era a década de 60.

---

[1] Para dados e fatos deste Jubileu, consultar especialmente: Crônica da comunidade de Aparecida, Livro do Tombo da Arquidiocese de Aparecida e Jornal Santuário.

A partir dos sinais dos tempos, novos rumos para a vida religiosa foram apontados pelo Concílio Vaticano II. Uma nova reflexão teológica procurou encontrar um caminho de solução para o 'Terceiro Mundo', especialmente para a América Latina, onde predomina uma situação de marginalização do progresso, de pobreza, de miséria e de fome. Nascia a Teologia da Libertação que fez a Igreja refletir sobre as injustiças cometidas contra os pobres[2] e que foi um grito profético para a sociedade consumista de hoje. Essa reflexão teológica fez muito bem à Igreja, que, purificando-a de alguns exageros, assumiu-a como sua, consubstanciando-se "na opção preferencial pelos pobres" das Conferências de Medellín e Puebla.

Como reação pós-conciliar, houve contestação de certos valores da religiosidade popular, que muitos teóricos da pastoral consideravam alienante, especialmente aquela vivida nos santuários. Entre os anos de 1965 e 1970, em relação às décadas anteriores e posteriores, a presença de sacerdotes no Santuário de Aparecida caiu para bem mais de um terço[3]. Foi nessas circunstâncias, de revisão e crise, que o Santuário de Aparecida celebrou, em 1967, o Jubileu dos 250 anos do encontro da Imagem. Apesar disso, a celebração do Jubileu foi um marco de crescimento na devoção a Nossa Senhora e das romarias. Mas como todo crescimento numérico pode trazer desvantagens qualitativas, o grande movimento de peregrinos, verificado a partir de 1967, trouxe o assim chamado 'turismo religioso', apoiado e promovido pela proliferação de agências de turismo ou por chefes ou 'fazedores' de romarias, muitos deles movidos mais por interesse financeiro, sem orientar o grupo para o sentido da romaria. Esse turismo não é um mal

---

[2] Com esta tomada de posição em favor dos mais desfavorecidos, a Igreja no Brasil sofreu a discriminação das potências capitalistas, introduzindo e apoiando movimentos anticomunistas, como o do Reverendo Moon. Sofreu a mesma discriminação por parte do governo da Revolução.

[3] Cf. Livro de presença dos sacerdotes no Santuário.

em si, mas trouxe um ambiente menos sacro, que unido ao mercantilismo exagerado do comércio de Aparecida causa espécie, e até reação crítica de muita gente que visita o Santuário. Muitos sentem-se agredidos nos seus sentimentos religiosos...

O Jubileu foi celebrado com um Ano Mariano promulgado pelo primeiro Arcebispo de Aparecida, S. Emª o Sr. Cardeal Motta, em 1966, com as graças e indulgências de praxe. A primeira intenção do Sr. Cardeal-Arcebispo era celebrar um Congresso Mariano Internacional. Mas como seriam celebrados os 50 anos das Aparições em Fátima, S. Emª propôs que se pedisse à Santa Sé a decretação de um Ano Jubilar Mariano, com as graças anexas[4].

Sua abertura solene foi realizada com missa campal às 24 horas do dia 31 de dezembro de 1966, na praça da Basílica Velha, presidida pelo Cardeal-Arcebispo Dom Carlos Carmelo de V. Motta.

Os atos marcantes do Ano Mariano foram a Assembleia Geral dos Bispos, realizada em Aparecida entre os dias 6 e 10 de maio de 1967, a entrega da Rosa de Ouro pelo Cardeal Amleto Giovanni Cicognani, a 15 de agosto, e, finalmente, a grande festa do dia 12 de outubro, muitíssimo concorrida. Não resta dúvida que o ano inteiro do Jubileu se revestiu de solenidades litúrgicas e, especialmente, de concorrência de povo. Foi introduzida, no dia 31 de maio daquele ano, a procissão fluvial desde o Porto do Itaguaçu até o Santuário, que foi realizada por muitos anos seguidos[5]. Na procissão daquele ano, foi levada a Imagem milagrosa, que há 250 anos tinha sido pescada naquele local. Não faltaram palestras, pregações e encenações referentes ao evento.

---

[4] Doc. nº 119, p. 48, Ata da oitava reunião do Conselho Pró-Santuário.

[5] Atualmente, faz-se uma grande caminhada do povo até o Porto de Itaguaçu no dia 11 de outubro.

No dia 17 de setembro daquele ano foi registrado o maior movimento de peregrinos até então acontecido em Aparecida: cerca de 90 mil pessoas num só dia. A 12 de outubro, vieram 30 mil peregrinos que deram um caráter de piedade e devoção extraordinário no Santuário, pois, por não ser feriado naquela época, não se juntaram a eles os 'peregrinos turistas'. O domingo seguinte, dia 15, foi o máximo das solenidades e de povo[6]. O evento marcou o crescimento extraordinário do Santuário.

Para a apoteose de encerramento do Ano Mariano, o Diretor da Rádio Aparecida, Pe. Rubem Leme Galvão, organizou um espetáculo artístico na praça do Santuário velho, encenando o achado da Imagem e os primeiros milagres. A apresentação foi um sucesso absoluto, edificando peregrinos e aparecidenses que lotaram a praça de Nossa Senhora Aparecida.

41.1. Duas Rosas de Ouro para o Brasil

Para honrar e distinguir personalidades eminentes, homens ou mulheres, que prestaram serviços relevantes à Igreja, ou para condecorar cidades que se destacaram pela sua devoção à Causa Católica, ou ainda para realçar Santuários insignes, como centros de grande devoção, os Sumos Pontífices costumavam oferecer-lhes, como sinal de estima e particular benevolência, uma Rosa de Ouro[7].

O documento mais antigo que se tem sobre a entrega da Rosa de Ouro data do século nono e menciona a obrigação imposta pelo Papa Leão IX ao Mosteiro das Religiosas de Santa Cruz de Tulle (na Alsácia) de confeccionar e lhe enviar anualmente uma Rosa de Ouro, como reconhecimento de terem alcançado o privilégio de isenção de seu Mosteiro. Com

---

[6] Doc. nº 07, p. 296.
[7] Oliveira, Américo do Couto — *Mil anos de História da Rosa de Ouro*, OGESA, Aparecida, 1967.

aquelas rosas, o Papa fazia suas ofertas. Temos como certa a oferta da primeira Rosa de Ouro feita em 1096, época das Cruzadas, quando o Papa Urbano II a enviou ao Conde Fulcão de Angers, em reconhecimento pelos seus serviços prestados à Cristandade[8].

De início, a Rosa de Ouro era constituída por uma simples flor, encimando uma pequena haste com uma pedra preciosa encravada. A Rosa de Ouro mais rica de que se tem notícia foi a oferecida por Pio IX, em 1856, à imperatriz Dona Eugênia, esposa de Napoleão III. Tratava-se de um presente pessoal do Sumo Pontífice, que foi padrinho de batismo do príncipe herdeiro.

Entre os países favorecidos com esse mimo do Papa, citamos: Itália, Portugal, Espanha e França. O Brasil já recebeu duas Rosas de Ouro. Entre as cidades que receberam o mesmo favor enumeram-se: Veneza, Bolonha, Sena, Savona, Luca e Goa. As personalidades que a receberam foram muitas.

Leão XIII fez três concessões da Rosa de Ouro: à Dona Cristina da Espanha, em 1886, à regente Princesa Isabel, em 1888, e à rainha de Portugal, Dona Amélia, em 1892. Pio XI retomou o costume enviando-a, em 1923, à rainha Vitória da Espanha; em 1925, à rainha Isabel da Bélgica; e, em 1937, à rainha da Itália, Dona Helena. Paulo VI foi o último papa a outorgar a Rosa de Ouro, sendo contemplada a Basílica da Gruta de Belém, em Israel, os Santuários de Fátima, Guadalupe e, finalmente, o Santuário de Aparecida.

A Rosa da Princesa Isabel — A primeira foi dedicada à Princesa Isabel, no dia 24 de maio de 1888, por Sua Santidade o Papa Leão XIII, pelo seu gesto humanitário e cristão de abolir a escravatura no país com a promulgação da 'Lei Áurea' de 13 de maio de 1888. Esse nobre gesto da princesa mereceu a

---

[8] Idem, p. 14.

atenção do Sumo Pontífice que a distinguiu com este tão raro presente. O Breve de concessão refere-se ao gesto humanitário e cristão da Princesa.

A entrega da Rosa de Ouro para a Princesa Isabel aconteceu no dia 28 de setembro de 1888, no Rio de Janeiro, com grandes solenidades que se iniciaram na Capela do Palácio Imperial e se prolongaram até o dia 30 daquele mesmo mês.

Em 29 de julho de 1946, por ocasião do centenário da Princesa Isabel, esta Rosa de Ouro foi doada para a Catedral do Rio de Janeiro, por seu neto Príncipe Dom Pedro Henrique, onde pode ser vista até hoje.

A Rosa para o Santuário — No dia 15 de agosto de 1967, por ocasião do 250º aniversário do encontro da Imagem de Nossa Senhora Aparecida nas águas do rio Paraíba, Sua Santidade o Papa Paulo VI ofereceu ao Santuário Nacional de Nossa Senhora Aparecida uma Rosa de Ouro, a segunda recebida pelo Brasil. No altar da Capela Sistina foi benzida a 5 de março de 1967, quinto domingo da Quaresma, a Rosa de Ouro destinada ao Santuário de Nossa Senhora Aparecida.

Trata-se de uma verdadeira obra de arte confeccionada pelo artista Mário de Marchis: constitui-se de duas hastes longas, ramificadas, com folhas, botões e espinhos, entrecruzados, sobressaindo uma rosa de ouro. A base é uma faixa larga de prata, entrelaçada, sustentando o escudo do Santo Padre Paulo VI, com o dístico: "PAULUS VI P.M. — Apparitiopolitanae Aedi Sacrae — B. M. Virgini Imm. — D.D. III Non. Mart. MCMLXVII".

O Cardeal Amleto Giovanni Cicognani foi incumbido de entregar a Rosa de Ouro no Santuário com as seguintes recomendações de Sua Santidade o Papa Paulo VI: "Dizei a todos os brasileiros, Senhor Cardeal, que esta flor é a expressão mais espontânea do afeto que temos por esse grande povo que nasceu sob o signo da Cruz. No Santuário de Nossa Senhora Aparecida, ela dará testemunho de nossa constante oração à

Virgem Santíssima para que interceda junto de seu Filho pelo progresso espiritual e material do Brasil".

Cerca de 30 mil peregrinos vieram de todos os cantos do país naquele dia 15 de agosto para participar das solenidades de entrega da Rosa de Ouro em Aparecida. O Cardeal-Arcebispo Dom Carlos Carmelo de Vasconcellos Motta recebeu-a das mãos do Legado Pontifício, e a preciosa joia pode ser vista no próprio nicho da Imagem de N. Senhora Aparecida. E, concluindo, afirmamos que o Jubileu ou Ano Mariano de 1967 não só marcou a evolução do movimento de peregrinos, pois se tornaram frequentes, daí por diante, os domingos com cerca de 80, 90, 100, 120, 130 e até 150 mil peregrinos; mas também foi um ano de graça pela participação do povo nos sacramentos da reconciliação e da eucaristia. O confessionário tornou-se um dos lugares mais procurados e pesados da pastoral do Santuário, onde milhares e milhares de penitentes buscavam reconciliação com Deus e paz de espírito. Verificamos novamente a força da mensagem de fé e de confiança do povo em Maria de Nazaré, a Mãe de Deus, que chamamos Senhora Aparecida. A cada dia que passa, a cada domingo que a multidão celebra sua fé em Cristo no Santuário, mais e mais se manifesta a misericórdia de Deus em favor de seu povo pela intercessão de sua bendita Mãe. Daí a alegre e jubilosa esperança de salvação que ele encontra no Santuário.

Paisagem aérea do Santuário nos dias de grande concentração de romeiros a partir de 1990

42
ETAPAS DO DESENVOLVIMENTO ATUAL DO SANTUÁRIO

Depois de estudar tantas atas, crônicas e estatísticas do Santuário de Aparecida, percebo e estou convencido que a confiança do povo na valiosa intercessão de Maria de Nazaré, a Mãe de Deus, foi o fator principal de seu desenvolvimento até chegar ao que ele é hoje. Mas há outros fatores e causas que contribuíram no passado, e ainda hoje contribuem, para a extraordinária procura do Santuário por parte do povo. Entre eles, destacamos o desenvolvimento demográfico e socioeconômico, especialmente da região centro-sul; sua posição estratégica entre os dois grandes polos de progresso, Rio de Janeiro e São Paulo, os meios modernos de transporte, e, finalmente, os meios de comunicação social.

Todos esses fatores, conforme ensina a experiência, só têm pleno fruto se estiverem unidos ao trabalho eficiente e zeloso dos sacerdotes que dele cuidam. Temos uma prova recente do que afirmamos no Santuário de Nossa Senhora da Penha, na capital de São Paulo, que depois da saída dos missionários redentoristas, em 1967, voltou, como Santuário, quase que ao estado anterior de 1905, quando eles o assumiram. Como a nova direção não manteve a pastoral própria do Santuário, o povo passou a procurar outros santuários, como, por exemplo, os Santuários de São Judas Tadeu, das Almas, de Santa Edwiges e outros.

A escolha de uma equipe missionária foi muito acertada pela simples razão da envergadura do trabalho, que exigia, e ainda exige, um grupo de evangelizadores disponível, coeso e preparado, o que seria bem mais difícil conseguir com um grupo de padres seculares. Mais acertada ainda, penso eu, foi a escolha de uma comunidade de missionários populares com prática no trato com peregrinos e mentalidade religiosa bem próxima da nossa, como aconteceu com a primeira turma dos redentoristas bávaros, em 1894.

Desde seu início, em 1745, a procura do Santuário esteve sempre em crescimento, estacionando às vezes, e poucas vezes regredindo, conforme as crises financeiras, políticas ou por ocasião de epidemias. Seu desenvolvimento seguiu estes passos que já estudamos: início do culto de 1745 a 1894; projeção da devoção entre 1894 e 1900; implantação da pastoral dos missionários redentoristas de 1904 a 1929; Santuário Nacional com as festas da Coroação, Bicentenário do encontro da Imagem e do Congresso Mariano de 1929.

42.1. Etapa de renovação da pastoral — 1931 a 1953

Esse período da pastoral do Santuário de Aparecida coincide com o da renovação e inovação do método de se pregarem as Santas Missões, que, na Província Redentorista de São Paulo, deu às mesmas uma eficácia nunca dantes lograda, trazendo de volta para o seio da Igreja grande número de pessoas, especialmente os homens. Aconteceu então o período áureo das Santas Missões, entre 1930 e 1950, com missionários carismáticos que haviam trabalhado no Santuário e traziam na fronte o carisma de sua influência. A consequência imediata para o Santuário foi o crescimento das romarias, e, portanto, o aumento do movimento material e espiritual do Santuário, pela conexão Santas Missões/Santuário, que ilustramos atrás. As Santas Missões Redentoristas, envolvendo quase todas as cidades de Goiás, Rio Grande do Sul, Paraná, Sul de Minas, e, sobretudo, São Paulo, levaram a mensagem de confiança no patrocínio da Mãe de Deus em favor dos pecadores.

Fator de progressivo crescimento do Santuário Nacional, além do anúncio dessa mensagem de esperança, foi a declaração de Nossa Senhora como Padroeira do Brasil, em 1931. Tinha muita razão, Sua Eminência, o Sr. Cardeal Leme, Arcebispo do Rio de Janeiro, promotor número um da declaração e proclamação de Nossa Senhora Aparecida como Padroeira do Brasil, quando dizia: "É certo que o dia 31 de maio de 1931 significa para Aparecida o desenvolvimento grandioso das Romarias".

No Santuário, o púlpito e o confessionário continuaram a ser os instrumentos de conscientização dos peregrinos quanto à sua vocação batismal, na época, direcionada para as Associações religiosas e Ação Católica. Redentoristas mais jovens, dominando a língua e conhecendo melhor nossos costumes, e, em número suficiente no Santuário, puderam dar novo vigor ao sistema pastoral implantado nas décadas anteriores pelos velhos missionários redentoristas alemães. A catequese teve lugar privilegiado, com frutos benéficos para a vida cristã. A conversão interior foi proposta como sinal da "aproximação do Reino de Deus".

Um acontecimento importante para o Santuário de Aparecida foi a nomeação, a 21 de fevereiro de 1946, para Reitor do Santuário de Aparecida, do missionário popular Pe. Antônio Pinto de Andrade, que introduziu inovações próprias a transformar seu atendimento pastoral. A partir de 1940, com o aumento significativo do movimento e com maior número de padres disponíveis, foi possível também ampliar e aperfeiçoar as funções religiosas e, sobretudo, o plantão de atendimento aos peregrinos. Seu número já superava anualmente a casa de um milhão; as comunhões no Santuário somavam naquele ano cerca de 170 mil.

Em 1946, o Padre Andrade ampliou o período do plantão da igreja, nos horários: de manhã, após as missas, das 8h30min até às 11 horas, e, à tarde, das 14 às 17 horas, um padre ficava à disposição para dar de meia em meia hora a bênção dos objetos de piedade diante do altar, instruções e avisos oportunos aos peregrinos.

O horário da portaria continuou como antes, das sete horas até às 19 horas sem interrupção. As confissões continuaram a ser atendidas de manhã até às 9 horas, ou enquanto houvesse penitentes; e à noite, durante e depois da reza, que muitas vezes chegava até às 10 ou 11 horas da noite. Durante o dia não havia plantão de confessores.

A maior transformação, porém, aconteceu em 1948, quando o mesmo Reitor do Santuário, Padre Andrade, instituiu a "Missão Contínua de Aparecida!", isto é, criou novos horários de cerimônias e pregações para os peregrinos. Com a melhoria e facilidade dos meios de transporte, com a Rodovia Presidente Dutra, o Santuário passou a ser visitado durante todos os dias da semana por grande número de peregrinos, sobretudo da capital de S. Paulo e grandes cidades do Vale. Padre Andrade aproveitou a presença de seu antigo companheiro de Missões, Pe. Vítor Coelho de Almeida, para introduzir a Missão Contínua ou "Missãozinha dos Romeiros".

Essa se realizava às dez horas para todos os romeiros; às 10 horas por ocasião da bênção e da consagração das crianças a Nossa Senhora Aparecida; às 16 horas com a cerimônia da bênção da água para os doentes e às 18 horas a preparação para as confissões. A pregação da manhã versava sobre a vida cristã, a das 16 horas sobre as verdades eternas, e a da noite sobre os mandamentos para formação da consciência e a preparação imediata dos peregrinos para a confissão sacramental. O cronista da comunidade foi muito lacônico, mas preciso, quando, a 4 de julho de 1948, noticiava a inovação nestes termos: "Desde o aumento da afluência de romeiros (*mês de maio*), Padre Coelho prega para eles uma pequena 'Missão Contínua'. Às 10 horas com a bênção das crianças e, às 16 horas, missãozinha com a bênção da água para os doentes".

42.2. Etapa de transformação — 1954 a 1967

Essa etapa de transformação que precedeu o atual desenvolvimento do Santuário situa-se entre dois eventos de muita importância, a saber: o Primeiro Congresso Mariano de São Paulo, em 1954, e a celebração do Jubileu dos 250 anos do encontro da Imagem, em 1967. Deste último evento, já nos ocupamos em capítulo especial.

O Congresso Mariano de 1954, além de ser ponto de partida do desenvolvimento atual do Santuário Nacional, marcou também o início da construção da Nova Basílica. Para celebrar os cem anos do Dogma da Imaculada Conceição (1854-1954) e o Jubileu de Ouro da Coroação da Imagem (1904-1954), o Sr. Cardeal Motta convocou e celebrou em São Paulo, de 5 a 7 de setembro de 1954, o Primeiro Congresso Mariano, concluindo sua celebração em Aparecida, no dia 8 de setembro, com Missa Pontifical às 10 horas na Esplanada do futuro Santuário. Na ocasião foi lançada a pedra fundamental do novo santuário.

Nessa altura já estava em pleno funcionamento a rodovia asfaltada Presidente Dutra, que tornou mais fácil o acesso ao Santuário. A Empresa de Ônibus Pássaro Marrom já tinha seus ônibus modernos nos horários da sequência das horas, depois também das meias-horas, facilitando a conexão com outras linhas do interior e as interestaduais para todas as direções. A facilidade de se chegar até o Santuário e a renovação da liturgia, permitindo os horários vespertinos de missas e a mitigação do jejum eucarístico, tudo isto somado levou os missionários redentoristas a adotarem um horário muito mais amplo de celebração da eucaristia com reflexão da palavra de Deus e do atendimento das confissões.

A partir de 1955, o horário das confissões foi ampliado das 6 às 11 horas, na parte da manhã; e, à tarde, das 14 até às 17 horas, com alternância da equipe dos padres confessores. As missas passaram a ser celebradas também de hora em hora das 6 às 11 horas e, à tarde, às 16 e 19 horas, depois que se introduziram as missas vespertinas. Nota-se então que a celebração da eucaristia foi sendo multiplicada no decorrer do tempo à medida que o grande número de peregrinos o exigia. E foi uma boa medida pastoral, pois todos sabem que é muito difícil conduzir a celebração para mais de 8 mil peregrinos, mesmo dentro do Santuário novo; além de perder muito na comunicação, seu ambiente, apesar de enorme, fica congestionado.

Nessa altura do tempo e dos acontecimentos — década de 50 — o recinto da Basílica Velha, da praça e das ruas adjacentes não comportava mais o movimento de peregrinos, tornando seu atendimento precário e penoso aos missionários, especialmente aos domingos e feriados federais. Não foi sem razão, que, ao celebrar a comunidade os 70 anos da chegada dos primeiros redentoristas a Aparecia, a 28 de outubro de 1964, S. Eminência, o Sr. Cardeal Motta, em jantar íntimo na comunidade dos redentoristas dizia: "Sei que o trabalho mais penoso que os senhores têm é aqui em Aparecida, onde o trabalho é intenso, pesado e o conforto é pouco...".

Esses novos horários trouxeram consigo nova dinâmica pastoral, sobretudo com as missas em português, havendo pregação e instrução em todas elas, que começou a atingir mais ampla e profundamente os peregrinos. Praticamente não passava hora do dia em que não houvesse uma celebração, seja eucarística, seja de bênçãos e da palavra de Deus. Com isso o Santuário começou a exigir mais dos superiores da Província Redentorista de São Paulo, que tinham que colocar na pastoral do mesmo forças jovens e capazes de assumir a nova pastoral.

42.3. Bases do movimento atual — 1967 a 1972

Os grandes eventos do movimento atual do Santuário aconteceram nos anos de 1966/1968, com a peregrinação da Imagem; em 1967, com o Jubileu; e, em 1972, com o Ano Mariano que refletiram intensamente no aumento não só da devoção para com Nossa Senhora Aparecida, mas também das romarias a seu Santuário.

Vejamos algumas notas e estatísticas. A crônica de 1967 diz que o dia 17 de setembro, terceiro domingo do mês, foi talvez o maior dia da história de Aparecida, quando visitaram o Santuário cerca de 90.000 peregrinos. No Pátio da Basílica Nova estacionaram 450 ônibus especiais e outro tanto de carros particulares. O cronista diz ainda que foram atendidas, em confissão individual, cerca de 3.500 penitentes, nos 14 confessionários da Basílica Nova. Para o domingo seguinte ao da festa de 12 de outubro, que antes da decretação do feriado federal sempre foi o domingo de maior movimento, e que, em 1967, caiu no dia 17, o mesmo cronista afirma que o "movimento de romeiros foi intensíssimo; em todas as missas, a igreja (*só a Nave Norte era utilizada*) ficou superlotada, havendo 480 ônibus especiais no pátio, contados pelo Pe. Luís Inocêncio Pereira". O dia máximo de 1968 foi o dia 13, domingo seguinte à festa, quando foram contados entre ônibus e caminhões (*os tais paus-de-arara ainda utilizados*) 768. Para todo o ano de 1968, a estatística apresenta 5.594 carros, 16.127 ônibus, com média de 5 pessoas por carro e 40 por ônibus soma-se um total de 904.050 pessoas. Como este cálculo era só para os domingos e para as conduções estacionadas no pátio da Basílica Nova e imediações, não entravam os peregrinos dos dias úteis.

Em 1972, o Santuário de Aparecida comemorou o sesquicentenário da Independência do Brasil com um Ano Mariano, pensado por S. Em^a, o Sr. Cardeal Motta. A abertura foi celebrada com missa solene às 9 horas na Basílica Nova, por Dom Antônio Ferreira de Macedo, Arcebispo Coadjutor do

Cardeal Motta. Após a missa, Dom Macedo procedeu à bênção e à inauguração da passarela, construída pelo governo federal.

Dom Macedo e o Pe. Pedro Ávila Megda organizaram, para aquele Ano Mariano, as romarias de âmbito nacional, sendo a primeira a dos Vicentinos, realizada no dia 21 de maio. As outras romarias foram: Congregados Marianos e Filhas de Maria, Legião de Maria, Apostolado da Oração, Confraria do Rosário, Liga Católica, Irmãos do Santíssimo. Houve ainda a romaria anual do Rosário, que já existia desde a década de 40, as romarias oficiais de dioceses e arquidioceses e as das colônias italiana, portuguesa, polonesa, ucraína e alemã, espanhola, chinesa, japonesa e nissei, distribuídas durante o ano, conforme o programa das romarias nacionais. Os diversos movimentos de jovens e de casais tiveram seu dia especial, e as classes dos operários, motoristas, enfermeiros, jornalistas e radialistas igualmente. A maioria delas continua até hoje.

42.4. Etapa dos últimos 24 anos — 1973 a 1997

O Ano Mariano de 1972 foi o início do deslanchar do extraordinário movimento atual do Santuário, imprimindo uma característica especial com o início das Romarias Nacionais acima apontadas. O cronista teve o cuidado de anotar o número de comunhões que chegou a 1.628.140. A partir daquele ano, o número de peregrinos começou a ultrapassar a casa dos 3 milhões para chegar a cerca de 6 milhões do tempo presente. E como todas as naves da nova Basílica começaram a ser utilizadas, os peregrinos podiam ser bem recebidos para a participação da eucaristia, do sacramento da confissão e de suas devoções pessoais diante da Imagem. Para seu descanso, o tesoureiro-administrador redentorista Padre Noé Sotillo preparou todo o subsolo, onde há o conforto de cerca de 2 mil sanitários, água potável, serviço médico, farmacêutico e pediátrico e o grande refeitório.

Nosso bom calculista e matemático Padre Luís Inocêncio Pereira costuma fazer a contagem de carros e ônibus, excluídos os de carreira ou estacionados em locais distantes da Basílica Nova, entre as 10h30min e 11 horas. Ele soma a média de 5 pessoas por carro, isto é, caminhonetes, cabines duplas e kombis, e 40 por ônibus. Ele mesmo garante que o número de pessoas nos 52 domingos do ano são de 10 a 20 por cento a mais. Dentro destes critérios ele fez estas estatísticas para os domingos dos anos de 1968 a 1980:

Ano	Carros (domingos)	Ônibus (domingos)	Pessoas (ano inteiro)
1968	51.594	16.127	903.050
1969	54.279	18.464	1.009.955
1970	66.977	18.810	1.087.285
1971	76.700	19.680	1.171.060
1972	103.455	25.779	1.548.435
1973	110.780	27.831	1.667.140
1974	111.819	30.102	1.763.175
1975	118.130	33.852	1.944.730
1976	110.786	38.951	2.101.030
1977	100.112	44.591	2.208.030
1978	100.250	51.080	2.982.000
1979	104.326	53.168	3.041.000
1980	110.090	57.051	3.166.000
1981	87.948	56.871	3.164.000
1982	91.114	58.309	3.213.000
1983	79.418	50.722	2.812.000
1984	112.352	48.181	3.867.800
1985	116.824	50.422	4.930.000
1986	153.912	66.736	4.930.900

Ano	Carros (domingos)	Ônibus (domingos)	Pessoas (ano inteiro)
1987	137.480	44.240	3.950.900
1988	145.712	48.586	4.177.900
1989	151.320	64.160	4.875.100
1990	136.216	56.748	4.484.900
1991	154.624	64.097	5.254.000
1992	156.608	69.849	5.413.300
1993	165.144	82.432	6.230.500
1994	177.288	86.064	6.546.800
1995	175.304	79.412	6.399.400
1996	200.160	66.305	6.326.000
1997	228.332	68.025	6.201.000

Por estas estatísticas percebemos o grande desenvolvimento do Santuário de Aparecida a partir do Ano Mariano de 1972. Quanto à pastoral, com a facilidade da distribuição de missas e do atendimento das confissões durante o dia, acompanhadas sempre com reflexão da palavra de Deus, os missionários puderam oferecer um bom momento de evangelização aos peregrinos. Nesse período, a Capela da Penitência e a Capela (Sala) dos Milagres ficaram um mimo, oferecendo mais conforto aos peregrinos que as procuram para cumprir respectivamente seus votos e fazer sua confissão. Mas não foi apenas a Capela da Penitência que melhorou e se tornou mais confortável, a própria confissão foi colocada dentro de uma celebração litúrgica, atualizada conforme as recentes normas emanadas da Sagrada Congregação dos Sacramentos. O novo ritual do Sacramento da Penitência consta de leitura bíblica, exortação, exame de consciência, ato de contrição, preces e a confissão individual com a absolvição do penitente, ou eventualmente a absolvição comunitária. Essa melhoria foi introduzida para todos os horários de confissão pelo Reitor do Santuário, Pe. Isidro de Oliveira Santos, em 1974.

Os sacramentos da Eucaristia e da Penitência, unidos à pregação da Palavra de Deus, são os pontos cardeais da Pastoral do Santuário que os missionários redentoristas se empenharam em introduzir, e empenham-se hoje em aperfeiçoá-los cada vez mais. Não podemos deixar de mencionar o impacto causado no povo com a contínua renovação da celebração da festa anual a 12 de outubro, desde o reitorado do Pe. Isidro de Oliveira Santos, em 1975, e, especialmente a partir de 1991, no reitorado do Padre Jadir Teixeira. A celebração foi enriquecida com textos, cânticos, gestos coreográficos, preces e súplicas.

Hoje, além do atendimento pastoral, há outro fator de maior procura do Santuário: a imagem do Santuário transmitida pela TV. A TV Cultura de São Paulo iniciou a transmissão ao vivo da missa das 8 horas aos domingos, em 1986; desde 1996, a Rede Vida leva a todos os lares brasileiros a missa diária das 9 horas, de segunda a sexta-feira, e, às 16 horas, aos sábados.

E, graças ao patrocínio da Mãe de Deus, todo o conjunto da Pastoral tem produzido os melhores frutos de conversão, que encerra a mensagem principal deste Santuário: a jubilosa e alegre esperança da salvação depositada em Cristo, pela intercessão de Maria.

João Paulo II saúda a multidão, de 250 mil pessoas, na Praça da nave sul da Basílica, a 4/6/1980

QUINTA PARTE

MENSAGEM DO SANTUÁRIO

Cada santuário tem sua mensagem que atrai o povo; mensagem de alegria e de esperança que o conduz para Deus. Isto vale particularmente para o Santuário de Aparecida, onde Maria de Nazaré chama seus filhos peregrinantes e pecadores para junto de seu divino filho Jesus Cristo. Daí a jubilosa esperança de salvação que invade o coração de todos os peregrinos que procuram este Santuário.

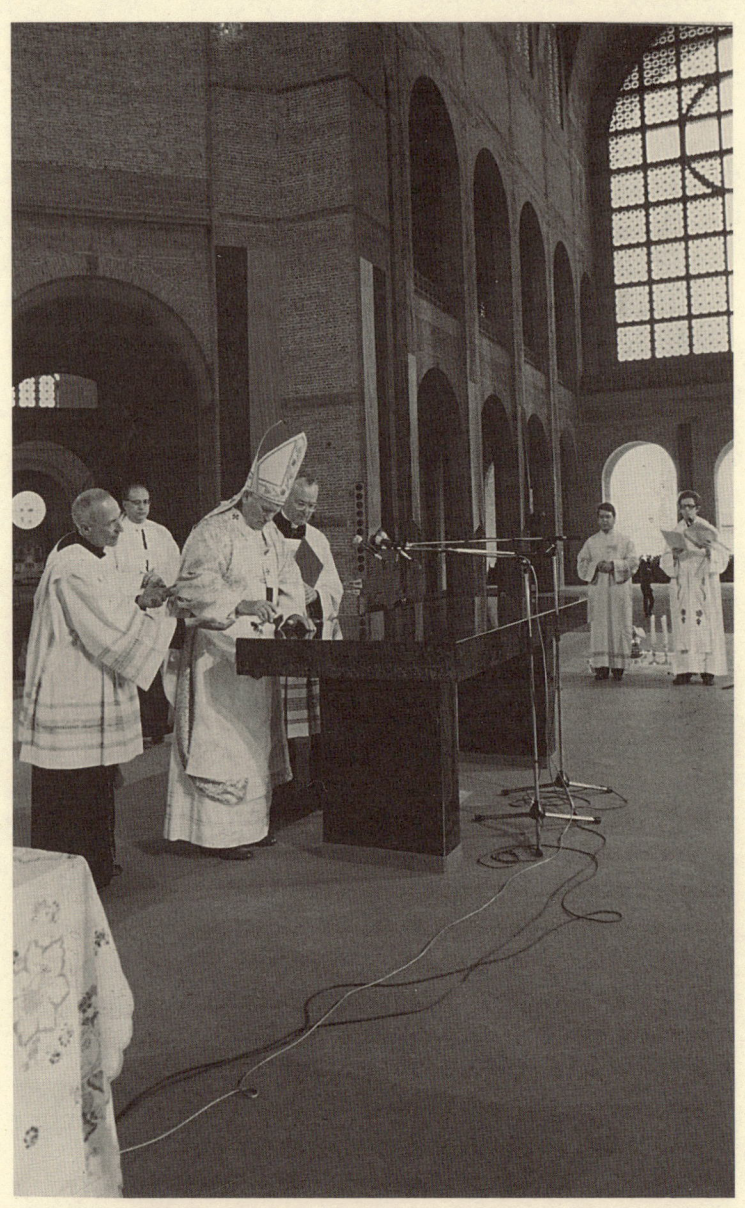

Após a homilia, João Paulo II deixa a Praça e entra no recinto da Basílica para consagrar o altar. As outras cerimônias foram realizadas, na véspera, por D. Geraldo

43
A MENSAGEM DO SANTUÁRIO

A intercessão misericordiosa de Maria em favor dos romeiros, seus devotos, manifestada neste Santuário é o dado mais rico e excelente de sua história. É a razão da grande confiança que o povo brasileiro deposita na Senhora da Conceição Aparecida. É a razão de sua intensa procura. Não se trata apenas de um fenômeno de manifestação de religiosidade popular, mas, como logo veremos nos ensinamentos de Santo Afonso, esta confiança na intercessão ou patrocínio de Maria tem fundamento teológico-bíblico na proclamação de Cristo na cruz e faz parte de sua perseverança na fé. Com razão escrevia, em 1895, o Superior da comunidade redentorista de Aparecida, Pe. Lourenço Gahr: "Sem essa devoção, o povo teria caído em total indiferença religiosa".

A intercessão de Maria aparece, como já vimos, clara e explícita na primeira Santa Missão pregada, em 1748, no povoado de Aparecida, fato que ajudou a fundamentar a vocação cristã mariana do povo brasileiro. O jornalista Augusto Emílio Zaluar fez esta constatação, em 1861: *"A protetora imagem da Senhora Aparecida, que refulge no altar-mor, parece sorrir a todos os infelizes que a invocam, e a quem jamais negou consolação e esperança".*

Essa intercessão sempre foi e continua sendo evidente neste Santuário. É a Casa de Maria, é a Casa da Mãe; por isso, nela, todos os romeiros manifestam sua confiança em Maria e, nela, vivem a jubilosa alegria dos filhos de Deus, que esperam a salvação em Cristo.

Doutrina mariana de Santo Afonso — São estes os princípios ditados por ele sobre o papel de Maria no mistério da salvação, conforme a doutrina da Igreja:

"A invocação e veneração dos santos, particularmente de Maria, Rainha dos santos, é uma prática não só lícita senão útil e santa. Pois procuramos por meio dela obter a graça divina. Esta verdade é de fé, estabelecida pelos Concílios contra os hereges que a condenam como injúria feita a Jesus Cristo, nosso único medianeiro junto de Deus Pai".

"Que seja Jesus Cristo, nosso único Mediador de justiça, a reconciliar-nos com Deus, pelos seus merecimentos, quem o nega? Não obstante isto, Deus terá prazer em conceder-nos sua graça pela intercessão dos santos e, especialmente de Maria, sua Mãe, a quem tanto deseja Jesus ver amada e venerada. Seria impiedade negar semelhante verdade. Quem ignora que a honra prestada às mães redunda em glória para os filhos?"

"Está fora de dúvida que pelos merecimentos de Jesus Cristo foi concedida a Maria a grande autoridade de ser medianeira de nossa salvação, não de justiça, mas de graça e de intercessão, como bem lhe chamou Conrado de Saxônia com o título de 'fidelíssima medianeira de nossa salvação'. Quando suplicamos à Santíssima Virgem que nos obtenha as graças, não é que desconfiemos da misericórdia divina, mas é muito antes porque desconfiamos de nossa própria indignidade. Recomendemo-nos, por isso, a Maria, para que supra sua dignidade a nossa miséria."

Em seguida, Santo Afonso declara em que sentido a intercessão de Maria é necessária. Vejamos:

"Que o recorrer, pois, à intercessão de Maria Santíssima seja coisa utilíssima e santa, só podem duvidar os que são faltos de fé. O que, porém, tenho em vista provar, é que esta intercessão é também necessária à nossa salvação. Necessidade, sim, não absoluta, mas moralmente falando como deve ser. A origem desta necessidade está na própria vontade de Deus, o qual quer que passem pelas mãos de Maria todas as graças que nos dispensa. Tal é a doutrina de São Bernardo, doutrina atualmente comum a todos os teólogos"[1].

É dele esta afirmação que resume tudo o que disse acima: "O verdadeiro devoto de Maria não se perde".

O documento Lumen Gentium — Luz dos Povos — do Concílio Vaticano II repete a mesma mensagem de Santo Afonso nestes termos: "Maria, sinal de esperança certa e consolo para o peregrinante povo de Deus".

Para que nossos leitores possam guardar mais facilmente em seus corações a Mensagem da Mãe de Deus, e para que ela produza frutos de amor e confiança, vamos sintetizar seus elementos principais, a partir de sua imagem.

Elementos da mensagem — São muitos e muito ricos, e, entre eles, destacamos estes:

— A Imaculada Conceição, A Senhora "Aparecida", é o grande sinal daquela mulher que, isenta do pecado, "apareceu" no céu como esperança da humanidade.

— Nossa Senhora Aparecida é a Mãe na qual Deus manifesta seu poder e o seu amor para com todos os brasileiros.

— A cor negra da Imagem é um convite para a fraternidade do povo brasileiro formado pela mescla de diversas raças.

— Corpo e cabeça decepada simbolizam a reintegração do ser humano pela redenção de Cristo, cujo protótipo é Maria, preservada do pecado.

---

[1] Ligório, Santo Afonso M. de — *Glórias de Maria*, Ed. Santuário, 1987, cap. V, p. 130 e ss.

— Encontrada nas águas simboliza a água do batismo pelo qual nascemos para Deus pelo Espírito Santo e formamos a Igreja de Cristo, sinal de sua presença no mundo.

— A pesca miraculosa é um apelo e um incentivo ao trabalho, trabalho esse recompensado miraculosamente, cujo fruto é compartilhado entre os pescadores.

— O milagre das velas simboliza o reacender da vida de Deus no coração do crente; transição do pecado para a vida, das trevas para a luz.

— O milagre do escravo simboliza um apelo, um estímulo para as liberdades fundamentais do homem, encarnadas no escravo que foi resgatado[2], libertado de suas algemas, para ser livre, ser filho de Deus.

— Atitude do patrão do escravo é um apelo de conversão para os grandes em favor dos pequeninos e pobres...

— Mãos postas e olhar compassivo da Imagem representam a misericordiosa intercessão de Maria, a Mãe de Deus, em favor dos que sofrem.

— Manto azul e coroa simbolizam o poder régio de Maria, penhor de bênçãos e de proteção para o povo brasileiro, de quem é Rainha, Mãe e Padroeira.

Tudo isso quer dizer que Maria, a Mãe de Deus, intercede por nós todos junto de Jesus Cristo.

O olhar compassivo da Mãe de Misericórdia, estampado na Imagem, foi o segredo que atraiu, e ainda continua a atrair, o povo brasileiro para junto do Santuário de Aparecida. Foi a graça que Filipe Pedroso sentiu ao fitar o rosto machucado e enegrecido da Imagem de Nossa Senhora da Conceição Aparecida, percebendo então, claramente, no sorriso compassivo impresso nos lábios entreabertos da Imagem, um sinal que Maria lhe queria dar de sua misericórdia. Sem dúvida era Maria

---

[2] Consta que o patrão depositou ao pé da Imagem o *valor* do escravo e o levou para casa como um homem livre.

de Nazaré, a Mãe de Jesus, que podendo e querendo ajudá-lo, despertava nele a fé e a confiança no seu patrocínio. É o sorrir compassivo de alguém que compartilha a nossa dor; daquela que, sendo Mãe e Corredentora por vontade de Deus, pode e quer nos ajudar, e faz brotar no coração dos peregrinos e devotos a "jubilosa esperança de salvação depositada em Cristo".

44
MENSAGEM DOS MISSIONÁRIOS REDENTORISTAS

Os Missionários Redentoristas, que há mais de cento e dez anos trabalham no Santuário, também têm uma mensagem a transmitir. Trata-se da mesma mensagem do Santuário com particularidades alfonsianas.

A Missão Redentorista de São Paulo, iniciada a 28 de outubro de 1894, em Aparecida, se identificou com o Santuário. Nossa Senhora Aparecida foi sua força nas Santas Missões, foi sua vida no trabalho pastoral com os peregrinos. Eles sempre procuraram transmitir ao povo grande confiança em Maria, incentivados pelo exemplo e pela doutrina de seu fundador, Santo Afonso Maria de Ligório.

Fiéis ao carisma de Santo Afonso, os Missionários Redentoristas procuraram no seu trabalho pastoral no Santuário de Aparecida anunciar ao povo de Deus a misericórdia do Santíssimo Redentor, Jesus Cristo, e apontar para Maria, a Mãe de Deus, como caminho mais fácil para se chegar até Ele e alcançá-la. Amparados por Nossa Senhora, e seguindo o exemplo de Santo Afonso, os missionários proclamaram no Santuário e nas Santas Missões a misericórdia de Jesus Cristo. A alegria e a esperança de salvação, que eles procuram despertar em seus evangelizados, são fruto da 'Copiosa Redenção', anunciada aos mais pobres e abandonados. Sua mensagem fundamenta-se, entre outros, nestes elementos:

— A imensa e infinita caridade de Deus, manifestada aos homens no mistério da Encarnação de Jesus Cristo.

— O amoroso convite da metanoia, isto é, da conversão interior da pessoa humana, proclamado por Jesus Cristo, o Missionário de Deus, que de vila em vila, de cidade em cidade, percorria a Terra de Israel anunciando a vinda do Reino de Deus.

— O imenso amor misericordioso de sua Paixão e Morte, que Jesus Cristo manifestou aos homens, prova de amor que os chama à conversão. "Jesus nos ama tanto porque Ele quer ser muito amado por nós; Ele fez tudo o que podia, até sofrer por nós, a fim de ganhar nosso amor, e nos mostrar que não havia mais nada que pudesse fazer para levar-nos a amá-lo", ensina Santo Afonso.

— Amor permanente de Jesus Cristo no Santíssimo Sacramento que os missionários redentoristas proclamam na Visita ao Santíssimo, na comunhão e celebração diária da Sagrada Eucaristia, como resposta a seu apelo de amor. É nossa retribuição de amor para com Deus.

— A alegre e esperançosa notícia — Boa-Nova — da ressurreição em Cristo, que nos liberta do pecado e fundamenta nossa esperança de libertação e a de nossos irmãos retidos na pobreza e na miséria, no desemprego e na fome, na violência e na opressão, libertação que os missionários redentoristas devem anunciar e anunciam aqui e agora, por força de seu carisma evangélico.

— O amor a Deus que se manifesta "no ser todo de Deus" e no cuidado "em dar gosto a Deus, numa palavra, na retribuição do amor".

— A oração pessoal e comunitária que é o meio indispensável para o início, progresso e aperfeiçoamento da salvação, conforme Santo Afonso. Foi ele quem ensinou "aquele que reza se salva e quem não reza se condena".

— A devoção a Maria como garantia de salvação. Os missionários redentoristas apontam para Maria de Nazaré, que, desde a Anunciação entrou, por vontade de Deus, no plano misterioso de nossa salvação. Maria é o caminho mais fácil para se chegar a Cristo. Ela pode e quer nos ajudar.

Essa é a Mensagem que os Missionários Redentoristas anunciam hoje, e anunciaram nos 100 anos já transcorridos, no Santuário de Aparecida e nas Santas Missões: "Com Ele, Jesus Cristo, é abundante a Redenção como libertação das necessidades espirituais e morais, como desenvolvimento contínuo da nova pessoa humana e de um mundo novo".

Em todo esse processo de conversão para Deus, os próprios missionários são interpelados pela fé e esperança do povo evangelizado tanto no Santuário como nas Santas Missões, para seguir mais de perto os passos de Jesus Cristo. Nós somos evangelizadores por vocação e carisma, mas somos também, e ao mesmo tempo, evangelizados pelo povo que crê e que espera dele, Jesus Cristo, sua abundante e copiosa redenção.

A equipe dos missionários redentoristas, que assumiu o trabalho pastoral em favor dos peregrinos, em 1894, e a pregação das Santas Missões, em 1897, estava consciente desta realidade. Os missionários estavam certos que a confiança do povo na Copiosa Redenção de Cristo e no patrocínio de Maria seria para todos não só um fator de salvação, mas ainda de justiça e libertação.

E concluímos nossa obra oferecendo aos verdadeiros devotos de Nossa Senhora Aparecida a mesma esperança de salvação eterna que Santo Afonso Maria de Ligório dava a todos afirmando: *"O verdadeiro devoto de Maria não se perde".*

ANEXO

DATAS E ACONTECIMENTOS RELACIONADOS
AO SANTUÁRIO NACIONAL
E À DEVOÇÃO A NOSSA SENHORA APARECIDA,
OCORRIDOS NOS ÚLTIMOS ANOS

Por Pe. José Luís Queimado, C.Ss.R.

1997
11 de outubro – Inauguração de todo o conjunto turístico do Porto Itaguaçu

Local muito apreciado por todos os romeiros devido à sua importância histórica. O Porto se situa exatamente onde a imagem de Nossa Senhora Aparecida foi encontrada, na curva do rio Paraíba do Sul; foi aberto para visitação em abril de 1926. Itaguaçu é uma palavra que vem da língua tupi e significa "pedra grande", e ali se situava o antigo Bairro das Pedras. Em 1997, o local ganhou uma revitalização para melhor acolher todos os visitantes. No mesmo local em que os três pescadores contemplaram pela primeira vez aquela imagenzinha quebrada, os romeiros também são convidados a apreciar sua beleza histórica, rezando na linda capela, fazendo um passeio de barco nas águas ou respirando o ar puro, que revela a presença de Deus. Ali, também, pode-se admirar a estátua dos três pescadores, que foi esculpida em 1970, pelo artista Chico Santeiro.

1998
30 de maio – Inauguração do Centro de Apoio aos Romeiros

Em Aparecida, os missionários Redentoristas sempre levaram muito a sério a missão de acolher bem os romeiros, pois têm profunda consciência de que *"acolher bem também é evangelizar"*. Por isso mesmo, em 1997, iniciaram-se as obras para a construção de um aglomerado de lojas e espaços para alimentação e lazer, onde os peregrinos pudessem caminhar com segurança e contar com atendimento de qualidade. Esse ambiente foi inaugurado por Fernando Henrique Cardoso, presidente do Brasil, em maio de 1998. Posteriormente, foram instalados espaços para informação turística, amplificação das áreas de alimentação e o ponto de encontro para os romeiros, que se perdem em meio à multidão.

1999
4 de julho – Início da Campanha dos Devotos

A estrutura do Santuário Nacional é magnífica e gigantesca, e os investimentos para construção e manutenção são sempre muito altos. Sentindo essas necessidades de apoio financeiro, em julho de 1999, foi criada a família da Campanha dos Devotos. Uma ideia que deu muito certo porque todos os filhos e filhas têm consciência de que se deve cuidar da Casa da Mãe. Desde então, mais de um milhão de devotos se cadastraram para auxiliar nas obras de acabamento interno e nas construções posteriores, assim como manter o Santuário vivo e esplendoroso. Em cada obra, ideia e melhoria, as "digitais" dos devotos de Aparecida, especialmente dos que fazem parte dessa família, podem ser encontradas.

2000
21 de abril – Reinauguração do Morro do Cruzeiro

O Morro do Cruzeiro é um símbolo muito querido por todos os romeiros desde há muitíssimos anos. Em 1925, puseram a primeira cruz no topo desse monte para celebrar a *Via Crucis*. Com certeza, aqueles que visitaram Aparecida antes do ano 2000 lembram-se de uma subida íngreme em um estreito caminho de chão batido, com as "capelinhas" que continham as estações da Via-Sacra, sempre tomado por uma multidão de peregrinos e vendedores ambulantes ao longo do trajeto. No ano 2000, foi inaugurado, por Dom Aloísio Lorscheider, um espaço totalmente reformulado. Ali, podem ser contempladas as obras das mãos de três artistas: as imagens nas estações da Via Sacra, assim como o grande portal com mãos orantes do artista plástico Adélio Sarro Sobrinho; as lindas paisagens, a melhoria no acesso e o calmo ambiente desenhados pelo paisagista Gustaaf Winters; e as contribuições artísticas do artista sacro Cláudio Pastro, especialmente na cruz de 25 toneladas e 20 metros de altura, feita inteiramente em aço, e que está no topo do mirante mostrando a importância da evangelização. O calvário é de onde sai nossa força para os desafios da vida, pois é ali que Nosso Redentor se entregou à morte por amor incondicional, por isso o Morro do Cruzeiro tem essa tamanha importância na vida de todos os romeiros.

2002
21 de junho – Consagração do Novo Altar Central

O altar é o centro do Santuário Nacional, pois ali o Cristo se entrega todos os dias a milhares de devotos e romeiros em sacrifício salvífico. O antigo altar central começou a ser reformulado com o assentamento do piso em granito no mês de fevereiro de 2002. Naquele mesmo ano, no dia 21 de junho, Dom Aloísio Lorscheider dava a bênção ao novo altar central da Basílica de Aparecida. Mais uma vez, todo o esforço dos missionários, dos profissionais colaboradores e dos importantíssimos devotos de Aparecida teve resultados belíssimos para a Casa da Mãe.

2003
28 de fevereiro – Início do projeto PEMSA

Esse Projeto de Educação Musical do Santuário Nacional, que tem formado grandes profissionais da música, foi sonhado e incentivado por dois grandes missionários redentoristas, Dom Darci Nicioli e Padre Ronoaldo Pelaquim. Muitas crianças carentes conseguiram firmar suas carreiras em futuros brilhantes, graças à qualidade incomparável do PEMSA. Sabendo que é um projeto do Santuário Nacional, os devotos que cuidam da Casa da Mãe podem ter certeza de que foram e são os primeiros contribuintes para que essa linda obra continue produzindo frutos. Muito também se deve à realização desse sonho ao regente do Coral do Santuário de então, Ismael Floriano; ao maestro Altair de Oliveira Lobato, que era regente da banda de música da Escola de Especialistas da Aeronáutica, em Guaratinguetá (SP), e ao maestro Júlio Ricarte, que foi o primeiro a coordenar o Projeto no início.

3 de outubro – Bênção do novo retábulo e nicho de Nossa Senhora

Dom Aloísio Lorscheider deu a bênção ao novo trono e nicho de Nossa Senhora Aparecida, substituindo o anterior, que era um baldaquino branco com uma cúpula dourada, debaixo do qual estava o trono da imagem. A obra foi realizada pelo artista sacro Cláudio Pastro. Um retábulo de 37 metros decorado com mosaicos dourados e um nicho todo especial passaram a abrigar a imagem de terracota, encontrada no Rio Paraíba, em 1717.

2004
25 de março – Dom Raymundo Damasceno Assis toma posse como arcebispo

Desde agosto de 1995, o Cardeal Dom Aloísio Lorscheider pastoreava a Arquidiocese de Aparecida. Em 2004, com a renúncia de Dom Aloísio, o bispo auxiliar de Brasília, Dom Raymundo Damasceno Assis, é nomeado para substituí-lo. Muito amigo dos Redentoristas e um verdadeiro pai e pastor para seu rebanho e para os romeiros, Dom Raimundo Damasceno viveu momentos muito importantes da história do Santuário Nacional, vindo a ser nomeado cardeal em 2010, pelo Papa Bento XVI, e a se tornar presidente da CNBB, de 2011 a 2015.

8 de setembro – Centenário da Coroação de Nossa Senhora Aparecida

Uma linda celebração para o Centenário aconteceu no Santuário Nacional, presidida pelo arcebispo emérito do Rio de Janeiro, Dom Eugênio de Araújo Sales, que representava o Papa São João Paulo II. Dom Raymundo Damasceno também estava presente e, juntamente com Dom Eugênio, coroaram mais uma vez a Rainha do Brasil. Dezenas de bispos e sacerdotes também participaram dessa Missa, e uma multidão ao redor de 50 mil pessoas, mais aquelas que acompanhavam pela Rede Vida de Televisão, em parceria com a "recém-nascida" TV Aparecida. A coroa usada na ocasião foi a vencedora do concurso do centenário de coroação, uma joia que se dirigiu ao museu, no final daquele ano. Depois disso, a coroa de ouro doada pela Princesa Isabel, em 1894, foi colocada novamente na cabeça da imagem.

2005
Colocação do gradil e do piso na área externa do Santuário

Em 2005, foi dado início a uma série de obras de acabamento no Santuário. Colocou-se o gradil em certas áreas do Santuário, para a maior proteção dos romeiros. Eles estão em forma de palmeiras para lembrar um oásis, que é a Casa da Mãe, e também evocam a imagem de coqueiro, por ter sido o Morro dos Coqueiros a primeira igreja que abrigou a imagem de Nossa Senhora. Também começaram a ser postos os pisos de granito, na área exterior do santuário, que, com os traços do artista Cláudio Pastro, lembram os movimentos das águas do Rio Paraíba e da pesca milagrosa.

19 de março – Finalização da reforma da Capela de São José

A capela, que hoje chamamos de São José, foi construída em 1978. Havia planos para dedicar esse espaço à devoção do santo Rosário. No entanto, a pedido de Dom Aloísio Lorscheider, ela foi transformada em um espaço de devoção ao Santíssimo Esposo da Virgem Maria. Assim, a Sagrada Família ficaria em evidência no Santuário Nacional de Aparecida. A capela foi totalmente reformada e recebeu obras sacras dos artistas Adélio Sarro Sobrinho e Cláudio Pastro, sendo reinaugurada, no dia 19 de março de 2005.

8 de setembro – Inauguração da TV Aparecida

Os Missionários Redentoristas, desde que chegaram da Alemanha em 1894, têm sido zelosos "proclamadores da palavra explícita". Com uma intuição muito aguçada, investiram grandemente nos meios de comunicação como auxílio para expandir o alcance da Boa Nova de Jesus. Seis anos depois de sua chegada ao Brasil, em 10 de novembro de 1900, os missionários lançaram um jornal para falar sobre as atividades no santuário e temas diversos de espiritualidade, o Jornal Santuário.

Na metade do século XX, em 8 de setembro de 1951, depois de algumas tentativas sem sucesso em anos anteriores, a Rádio Aparecida foi ao ar. Enquanto se construía o prédio da Rádio, já se sonhava também em fazer a palavra chegar ao povo por meio da televisão. Todo o Brasil estava embebido dessa curiosidade por essa nova plataforma, que fazia sua estreia exatamente no dia 18 de setembro de 1950, com a inauguração da TV Tupi em São Paulo. Esse sonho para Aparecida continuou sendo germinado por vários anos, até que, na virada do milênio, outros passos concretos foram dados para poder realizá-lo. Em 2001, comemorando-se os 50 anos da Rádio Aparecida, a direção da Fundação Nossa Senhora Aparecida (Dom Aloísio Lorscheider, Padre César Moreira, Padre Carlos Silva, Padre João Batista de Almeida e Padre Jalmir Herédia) requisitou ao governo o canal 59, em UHF, que era aprovado pela Anatel. Esse pedido foi aceito pelo governo e, em 5 de maio de 2001, o Ministro das Comunicações Pimenta da Veiga, sob a Presidência de Fernando Henrique Cardoso, assinou a concessão da TV Aparecida.

Depois de adequar o prédio da Rádio Aparecida, a TV contratou seu primeiro funcionário em 14 de novembro de 2004. E antes mesmo de ir ao ar, oficialmente, a TV Aparecida transmitiu, em parceria com a Rede Vida de Televisão, o Centenário da Coroação de Nossa Senhora Aparecida, em 7 de setembro de 2004, e a cerimônia de exéquias do então Papa João Paulo II, em 2 de abril de 2005. A primeira transmissão, uma Missa no Santuário Nacional, foi feita no dia 1 de setembro de 2005, como um teste para o lançamento oficial. No dia 8 de setembro, aconteceu a inauguração oficial da TV Aparecida, com uma grade inicial de 3 horas. Os primeiros diretores foram os missionários redentoristas Padre César Moreira, Padre Evaldo César, Padre Josafá Moraes, Padre Rudolf Croon e padre Luiz Cláudio de Macedo. A TV Aparecida cresce a cada dia e tornou-se um dos maiores canais de tv aberta do Brasil.

2006
2006-2007 – Início do revestimento da cúpula com chapas de cobre

As três cúpulas de concreto armado receberam estruturas em tubos metálicos (em concordância com os raios de curvatura), chapas de madeira autoclavadas, uma manta impermeável e, logo então, as chapas em cobre. Foram aplicadas 22,5 toneladas em chapas de cobre na cúpula central. Todo cobre, se não receber uma camada de verniz, passa naturalmente por um processo de oxidação, apresentando uma coloração esverdeada. O grande exemplo disso é a gigantesca Estátua da Liberdade, em Nova Iorque, nos Estados Unidos. A França presenteou aquele país com uma grande estátua de cobre avermelhada, em 1885. Com o tempo, ela foi desenvolvendo uma coloração esverdeada. O processo natural da oxidação das chapas de cobre na cúpula do Santuário levaria bastante tempo, por isso foi aplicado um procedimento químico, chamado de pátina, para acelerar a reação e conseguir a cor desejada, o verde. A obra estava completa no ano de 2007.

Revestimento de tijolinhos no interior do Santuário

No ano de 2006, o projeto de revestimento interno com tijolinhos iniciou-se para poder dar uniformidade e beleza a todo o conjunto do Santuário Nacional, que foi construído com os característicos tijolinhos à vista. O projeto revitalizou a coloração e a robustez das paredes internas, dando uma apresentação muito mais convidativa à concentração e à oração. As obras começaram pela nave sul até se estender por todo o interior do Santuário. Essa obra também possibilitou uma melhor estrutura para o assentamento das demais concepções do artista sacro Cláudio Pastro, nas paredes internas das naves da Basílica.

Dezembro – início da colocação de telhas azuis

Tudo azul na casa da Mãe! Com 257 mil telhas azuis, o Santuário Nacional se transformou em um pedacinho do céu. A cor azul também nos lembra o manto de nossa querida Mãe. As obras aconteceram pela necessidade de renovação e melhor acolhimento aos romeiros de Aparecida. Seguindo as concepções originais do arquiteto Benedito Calixto de Jesus Neto, o projeto foi possível apenas porque a Família Campanha dos Devotos e os demais romeiros apoiaram desde o início, em 2004. Depois de dezembro de 2006, as telhas vermelhas do Santuário se tornaram memórias, nas fotos e nas lembranças dos romeiros que por ali passaram.

7 dezembro – Inauguração do Morro do Presépio

O presépio é uma tradição lindíssima, que se iniciou pela catequese popular de São Francisco de Assis, na cidade de Greccio, na Itália, em 1223. Desde então, as famílias começaram a replicar aquela linda cena da natividade de Jesus dentro de seus lares. Santo Afonso de Ligório era um grande divulgador dessa Tradição, pois as imagens levam todos a uma profunda meditação do amor de Deus pela humanidade, na figura daquele menino frágil; a beleza da Encarnação. Sabendo que o povo brasileiro ama profundamente o presépio, desde que São José de Anchieta apresentou pela primeira vez essa devoção aqui no Brasil, o Santuário Nacional construiu essa grandiosa cena do nascimento do Salvador, de forma permanente, em um morro ao lado do Centro de Apoio aos Romeiros, tudo isso graças à Família dos Devotos. O Missionário Redentorista Padre Ronoaldo Pelaquim idealizou todo o projeto. As setenta esculturas de cimento, que foram postas no complexo do morro do presépio permanente, são de autoria do artista plástico e escultor fluminense Alexandre Lima de Morais. Encontram-se também, no alto desse morro, o marco da paz, um portal, contendo um sino de 500 quilos, e imagens que representam a cena do encontro da imagem de Aparecida e alguns primeiros milagres. O mesmo artista também esculpiu imagens em tamanho real feitas em areia, para exposições dos presépios móveis dos natais de 2010, 2011 e 2012, do lado de fora da nave sul, embaixo da tribuna Bento XVI. Essa tradição da montagem de presépios temporários, no tempo natalino, continuou em todos os anos que se seguiram.

2007
25 de abril – Cruz do nada

No ano de 2007, o centro do Santuário Nacional ganhou mais um lindíssimo presente da Família Campanha dos Devotos e de todos os romeiros que cuidam da Casa da Mãe. Ali foi instalada uma gigantesca cruz de aço, tendo as seguintes dimensões: 8 metros de altura, 25 metros de espessura e um peso de 800 quilos. Ela está sustentada por cabos de aço, que descem do centro da cúpula central e imprimem esse aspecto flutuante à cruz central. A obra artística de Cláudio Pastro tem um significado profundo. A imagem do Cristo foi gravada na cruz por meio da técnica de vazamento a *laser*, dando a impressão àquele que contempla de determinado ângulo de não existir nada no centro do altar, renovando o ensinamento de Jesus a Tomé e aos outros discípulos:

"Felizes aqueles que creram sem me ter visto". Se a cruz for contemplada do centro do corredor da Nave Sul, conseguirá preencher os traços de Jesus com os vitrais azuis e o coração vazado com os vitrais vermelhos de fundo. Dom Raymundo Damasceno Assis abençoou essa belíssima obra, no dia 25 de abril de 2007.

26 de abril – Capela do Santíssimo

Depois que a última lateral do Santuário foi concluída, a Nave Oeste, duas grandes capelas foram construídas no ano de 1978. Uma delas foi, posteriormente, dedicada a São José, e a outra recebeu a incumbência de abrigar o Santíssimo Sacramento, a presença mais importante na Basílica. Em 2006, a capela foi reformada, recebendo obras artísticas de Cláudio Pastro e Adélio Sarro Sobrinho. No dia 26 de abril de 2007, ela foi reaberta para que os peregrinos pudessem encontrar-se com Jesus Cristo Eucarístico, neste que é um dos mais calmos e aconchegantes espaços do Santuário Nacional. Ali também se encontra o grandioso painel de mosaicos, contendo os quatro evangelistas, doado por São João Paulo II, em 1981.

11 a 13 de maio – Visita do Papa Bento XVI

O Papa Bento XVI visitou o Brasil, em sua viagem apostólica e missionária, dos dias 9 a 13 de maio de 2007. Foi a Aparecida depois de diversas atividades em São Paulo, inclusive a Canonização do primeiro santo brasileiro, Santo Antônio de Sant'Anna Galvão, no dia 11 de maio. Em Aparecida, após celebrar uma Missa na esplanada Papa João Paulo II, o Papa Bento XVI abriu oficialmente a V Conferência Geral do Episcopado Latino-Americano. Ele também presenteou o Santuário com uma Rosa de Ouro, sendo assim o segundo Papa a fazer esse gesto, pois Paulo VI já havia doado uma em 1967. Para esse grande evento em Aparecida, muitos projetos de construção foram executados, tais como a construção da Tribuna Bento XVI e várias outras obras de adequação e reformas no subsolo para bem receber os romeiros. A Casa do Pão foi inaugurada alguns meses depois, no dia 9 de agosto.

27 de novembro – Inauguração da Capela da Ressurreição

O Santuário é chamado de Casa da Mãe Aparecida, mesmo assim, é Jesus Cristo que sempre esteve no centro desse espaço sagrado. A Ressurreição é a mais bela promessa que Ele nos fez: "Na casa de meu Pai há muitas moradas. Se não, eu vo-lo teria dito; vou preparar-vos um lugar. Depois de ter ido e vos ter preparado um lugar, voltarei e vos tomarei comigo; para que, onde eu estiver, vós estejais também" (Jo 14,2-3). Ele é a Ressurreição e a Vida, por isso todos os devotos do Santuário colocam sempre Jesus no centro de sua existência. Pensando nesse aspecto mais importante de nossa vida cristã, construiu-se uma lindíssima capela para se fazer memória daqueles devotos de Aparecida que já partiram. Os membros da Família dos Devotos são lembrados com muito carinho em um ambiente lindíssimo de oração, chamado Capela da Ressurreição, um memorial vivo de nossa fé. Inaugurada em novembro de 2007, ela convida os peregrinos a meditarem sobre a importância de se viver plenamente, para que um dia cheguemos à glória da Ressurreição. Ali também estão sepultados grandiosos missionários da Palavra, arcebispos de Aparecida, que ajudaram a construir a história dessa cidade: Dom Carlos Carmelo de Vasconcelos Motta, Dom Antônio Ferreira de Macedo, Dom Geraldo de Moraes Penido e Dom Aloisio Lorscheider.

2008
4 de setembro – Início da Construção da Tribuna Dom Aloísio Lorscheider

No pátio chamado das Palmeiras, aconteciam grandes eventos e encontros, desde há muito tempo. Por isso pensou-se em organizar melhor uma estrutura que fosse realmente adequada para comportar com segurança e conforto esses grandes acontecimentos do calendário. A tribuna norte inaugurada em 2008 recebeu o nome de um importante homem de fé e de coragem, Dom Aloísio Lorscheider, falecido quase um ano antes. As grandes romarias e os eventos que exigem mais logística e organização são sempre sediados nesse local.

3 de outubro – Inauguração da Tribuna Bento XVI

Outro sonho, que também se concretizou, foi a construção da tribuna na nave sul do Santuário Nacional. Apontando para a entrada do Centro de Apoio aos Romeiros, essa obra começou a ser executada com bastante competência e agilidade para poder acolher a chegada do Papa Bento XVI, em 2007. A primeira parte foi concluída e foi o espaço usado pelo Papa para celebrar uma Missa campal. Logo depois, outros acabamentos foram necessários para transformar aquele recinto em uma tribuna permanente, com capacidade para acolher eventos de portes maiores. O Santuário homenageou o Papa dando o nome de Tribuna Papa Bento XVI. Teve sua inauguração oficial, no dia 3 de outubro de 2008.

2010

15 de agosto – Inauguração da Capela do Batismo

Com belíssimas obras do artista sacro Cláudio Pastro, de uma teologia batismal profunda, a Capela do Batismo tornou-se um espaço mais do que especial no complexo do Santuário Nacional. Ali renascem dezenas de novos cristãos todos os meses, vindos de todo o Brasil. A Casa da Mãe também é o local para receber o primeiro dos Sacramentos, porta de entrada para todos os demais e presente de uma vida nova gerada no Cristo. Ela se localiza na esplanada João Paulo II, estando do lado oposto da Capela da Ressurreição, simbolizando a vida que é gerada em Cristo, no Batismo, é a mesma que vai renascer com Ele na eternidade, Ressurreição. Esse espaço foi doado pela família Sieh, muito devota de Nossa Senhora Aparecida, tendo sua inauguração acontecido no dia 15 de agosto de 2010, no dia da Assunção de Nossa Senhora aos céus. Lembremos sempre das Palavras vindas do coração do Pai Celeste no Salmo 2: "Tu és meu filho, eu hoje te gerei".

8 de setembro – lançamento do Portal A12.com

O Santuário Nacional foi se adaptando sempre para ser um local sagrado acolhedor e oferecer uma experiência única de fé para todos aqueles peregrinos que vêm visitá-lo. A Palavra ali anunciada tem sido irradiada, para além de seus muros, com a ajuda dos meios de comunicação. A Editora Santuário, a Rádio Aparecida e a TV Aparecida se tornaram grandes "microfones" para ampliar o alcance da mensagem proclamada da Casa da Mãe. Todas os meios de comunicação já possuíam um site para disponibilizar o material produzido aos internautas, sendo a plataforma de comunicação que mais crescia no século XXI. Pensando em uma melhor organização, o Santuário Nacional, em parceria com os vários meios de comunicação e com a Unidade Redentorista de São Paulo, idealizou a junção de todos os endereços virtuais em um só domínio, chamando-o de Portal A12. O "A" de Aparecida e o 12 por ser o dia da Festa da Padroeira. O endereço eletrônico A12 já existia e pertencia a um grupo na Espanha; efetuou-se a compra e o registro desse domínio no ano de 2010. O lançamento oficial aconteceu no dia 8 de setembro de 2010, sendo totalmente renovado para atender as demandas da modernidade e relançado no ano de 2013, quando o Santuário resolveu investir com mais afinco na área da internet. O Portal com milhões de acessos mensais cresce a cada dia, levando a Palavra proclamada na Casa da Mãe a incontáveis lares no Brasil e no exterior.

2011
4 a 13 de maio – Realização da 49ª Assembleia Geral da CNBB, em Aparecida

A Casa da Mãe Aparecida fica cada dia mais bonita e acolhedora. Com estruturas gigantescas de acolhida, ela se tornou também a casa de encontro do episcopado brasileiro. Por mais de 30 anos, as Assembleias Gerais dos Bispos do Brasil aconteceram no complexo para retiros dos padres Jesuítas em Itaici, um bairro de Indaiatuba, no interior de São Paulo. No entanto, dos dias 4 a 13 de maio, a 49ª Assembleia Geral da CNBB aconteceu em Aparecida, sendo a terceira vez, depois de 1954 e 1967, em que se resolveu mudar definitivamente o local das assembleias de Itaici para Aparecida.

Nessa ocasião, o cardeal Raymundo Damasceno Assis foi eleito o novo presidente do órgão, no segundo escrutínio, com 196 votos.

8 de outubro – Colocação das estátuas dos apóstolos na arcada do Santuário

A colunata do Santuário Nacional, também chamada de esplanada ou arcada, recebeu doze peças artísticas que representam os apóstolos de Jesus, incluindo Paulo. Esse trabalho artístico foi executado pelo artista plástico Alexandre Morais, o mesmo que modelou as peças em cimento do Presépio permanente do morro e as peças em areia dos presépios temporários dos natais de 2010, 2011 e 2012. As figuras dos apóstolos também foram confeccionadas em cimento e receberam uma camada de pintura em cobre. Essas imagens possuem cada uma quatro metros de altura e um peso de quatro toneladas. Dom Raymundo Damasceno abençoou essas imagens no dia 8 de outubro de 2011.

2012

11 de fevereiro – Inauguração do Centro de Eventos Padre Vítor Coelho

Em 2002, iniciava-se a empreitada de construir um local que tivesse a envergadura necessária para acolher eventos de grande porte, o que sempre aconteceu com muita frequência no Santuário Nacional. Depois de dez anos de muito trabalho e dedicação, o Centro de Eventos Padre Vítor Coelho foi inaugurado com grande alegria. Com capacidade para 8.545 pessoas, são realizados nesse local shows, Missas, encontros nacionais, grandes romarias e até mesmo eventos esportivos. Adaptado para receber pessoas com necessidades especiais, esse espaço se tornou referência em toda a região.

6 de setembro – Inauguração do Hotel Rainha do Brasil

Percebendo a necessidade de acolher ainda melhor os romeiros que vêm de todas as partes do Brasil e do mundo, o Santuário

Nacional idealizou a construção de um hotel, com uma categoria de alto padrão, como opção aos que procurassem um serviço com maior qualidade e conforto. Com capacidade para receber 1.032 hóspedes, contando com 330 apartamentos em 15 andares, o Hotel Rainha do Brasil foi aberto para o funcionamento no dia 6 de setembro de 2012. Apresentando uma proposta hoteleira de alto padrão, o turismo alavancou na cidade de Aparecida, pois a concorrência precisou adaptar-se para oferecer melhores leitos e hospedagens em geral. Com um déficit de leitos para a demanda de hóspedes que vêm a Aparecida, o Hotel foi uma grande conquista, no que se refere à obra da evangelização. "Acolher bem também é evangelizar!"

15 de dezembro – Inauguração da Cidade do Romeiro
O Magic Park foi uma atração que encantou os romeiros e turistas de Aparecida por anos a fio, mas, com seu fechamento, o Santuário Nacional investiu na reestruturação do espaço, a fim de oferecer aos peregrinos um lugar de meditação e contato com a natureza. A Cidade do Romeiro recebeu um lago esplêndido, onde nadam tranquilamente alguns cisnes, e foi projetada para ser ponto de ligação entre o Santuário Nacional e o Porto Itaguaçu. Foi inaugurada às vésperas do tempo natalino de 2012, fazendo um conjunto harmônico com o Hotel Rainha do Brasil para bem alojar e servir aos hóspedes, tornando-se, assim, um dos maiores complexos turísticos-religiosos de todo o país.

2013
24 de julho – Visita do Papa Francisco
O Papa Francisco veio ao Brasil para a Jornada Mundial da Juventude, no Rio de Janeiro (23 a 28 de julho). Depois de partir da Cidade Maravilhosa, ele passou pela Casa da Mãe Aparecida, naquele dia chuvoso de 24 de julho. Celebrou uma Missa e recebeu de presente das mãos do Cardeal Arcebispo Dom Raymundo Damasceno Assis uma imagem de Nossa Se-

nhora Aparecida, que foi esculpida em cedro por Paulo Henrique Ferreira Pinto, o Sodêm, artesão da cidade de Campanha, MG. O Papa Francisco ofertou, por sua vez, um belíssimo cálice dourado ao Santuário Nacional. Ele rezou diante da Mãe Aparecida e abençoou os romeiros presentes no Santuário e todos aqueles que acompanhavam em suas casas, pelos meios de comunicação.

2014
18 de maio – Inauguração do Monumento Nossa Senhora de Fátima

Com a presença do bispo de Leiria-Fátima, Dom Antônio Augusto dos Santos Marto, foi inaugurado o monumento dedicado a Nossa Senhora de Fátima, no Jardim Norte nas dependências do Santuário, no dia 18 de maio de 2014. Esse gesto se deveu às comemorações dos jubileus de 100 anos de Fátima e dos 300 anos de Aparecida. A imagem colocada no espaço planejado pelo artista sacro Cláudio Pastro foi trazida de Portugal para permanecer nos jardins do Santuário, lembrando que a Mãe de Deus une todos os povos da terra, filhos e filhas queridos de Deus. Esse monumento possui cinco metros e meio de altura e é uma estrutura feita em cimento e adornada com a técnica de azulejaria portuguesa. A cerimônia de entronização contou com a bênção de Dom Antônio Marto e dom Raymundo Damasceno Assis.

25 de junho – Inauguração dos Bondinhos aéreos que dão acesso ao Cruzeiro

Para se chegar ao topo do Morro do Cruzeiro, deve-se enfrentar uma caminhada muito exigente. Para pessoas com mobilidade reduzida, esse espaço lindíssimo de oração torna-se inalcançável. Pensando em oferecer uma experiência profunda de fé a absolutamente todos os romeiros, o Santuário Nacional construiu um sistema de transporte que facilita imensamente o acesso ao Morro do Cruzeiro. O projeto, que levou um ano e meio para ser construído, conta com uma estrutura de 47 teleféricos de cabines fechadas, bondinhos, fabricados na Suíça. Cada unidade tem capacidade para transportar seis pessoas. Com um trajeto de um quilômetro e cem metros de extensão e uma altura de cento e vinte metros, os bondinhos foram inaugurados no dia 25 de junho de 2014.

31 de agosto – Início dos preparativos para o Jubileu dos 300 anos
Em agosto de 2014, o Santuário Nacional começou os preparativos para celebrar o grande jubileu dos 300 anos do encontro da imagem por três simples pescadores no Rio Paraíba do Sul. Nos três anos de preparação, a imagem jubilar de Nossa Senhora Aparecida visitou os 26 estados e o Distrito Federal, sempre coletando uma porção de terra de cada capital para fazer parte da coroa jubilar. Amostra de água dos principais rios de cada estado e um recipiente maior contendo terra das capitais também foram trazidos para permanecer na exposição histórica do Santuário Nacional.

2015
2 de fevereiro – Reinauguração da Basílica Histórica
No ano de 2004, iniciou-se um ousado projeto de restauração da então chamada Matriz-Basílica (Basílica Velha). Anos de trabalho minucioso, permitiu que se recuperasse o piso, as janelas, as pinturas clássicas, os objetos de mármore, o órgão alemão de tubos, o telhado e as paredes internas e externas dessa belíssima e queridíssima igreja. O restauro foi tão precioso que devolveu àquele templo sua beleza majestática da época de sua construção em 1888, no estilo barroco. No dia 2 de fevereiro de 2015, Dom Darci Nicioli, bispo auxiliar de Aparecida, deu a bênção de inauguração à renascida Basílica Histórica, local tão caro aos romeiros e devotos de Nossa Senhora Aparecida, para onde acorrem todos os dias uma multidão que vai parti-

cipar das Santas Missas e visitar a querida imagem de Nossa Senhora Aparecida.

8 de dezembro – *Abertura solene da Porta Santa e início do Ano Santo Extraordinário do Jubileu da Misericórdia*
Os jubileus na Igreja Católica são tradicionalmente convocados a cada 25 anos, no entanto, o Papa Francisco proclamou um jubileu extraordinário para que o mundo, dilacerado pela intolerância e pelo rigorismo, pudesse refletir sobre a importância da Misericórdia. Esse jubileu foi celebrado de dezembro do ano 2015 a novembro de 2016. No dia 8 de dezembro, na Solenidade da Imaculada Conceição de Nossa Senhora, aconteceu a abertura da Porta Santa no Santuário Nacional, para marcar o início do ano santo jubilar. Essa porta, feita em bronze, foi idealizada pelo artista sacro Cláudio Pastro, e mostra os ensinamentos teológicos da Anunciação e a revelação do amor do Pai nas passagens do Bom Pastor e do Filho Pródigo.

2016
22 de março – Inauguração do Museu de Cera
No começo do ano de 2016, mais uma atração para os romeiros foi inaugurada. A empresa Rex Turismo, a pedido do Santuário Nacional, ficou responsável por apresentar 61 estátuas de cera de diversas personalidades ou personagens ligados à História do encontro da imagem e do desenvolvimento de sua devoção, na cidade de Aparecida. O Cardeal Arcebispo Dom Raymundo Damasceno Assis inaugurou o novo espaço de evangelização no dia 22 de março de 2016. Ali também os romeiros e devotos têm a possibilidade de reviver a lindíssima história da devoção à imagem de Aparecida, por meio das estátuas de cera e de uma experiência única no cinema adaptado para contá-la de forma dinâmica.

3 de setembro – Memorial dos 300 anos nos jardins do Vaticano

O artista sacro Cláudio Pastro tem suas "digitais" em diversas obras de arte lindíssimas espalhadas ao longo do Santuário Nacional, mas também dentro dos muros do Vaticano, nos belíssimos jardins daquele pequeno país. Com o auxílio da Progetto Arte Poli, uma empresa situada em Verona, na Itália, Cláudio Pastro idealizou o monumento de três metros e quarenta e dois centímetros. Esse projeto foi inaugurado no dia 3 de setembro de 2016, nos jardins do Vaticano, para celebrar os 300 anos do encontro da Imagem, assim como foi introduzida uma réplica nos jardins do próprio Santuário Nacional e na sede da CNBB em Brasília.

12 de outubro – Início do Ano Jubilar Mariano

Na Festa da Padroeira de 2016, deu-se início ao Ano Jubilar Mariano, em preparação para o grande marco histórico de 300 anos do encontro da pequena imagem de Nossa Senhora da Conceição, de terracota, em 1717, por três simples pescadores. A partir desse aparecimento nas águas, a espiritualidade de todo o povo brasileiro ganhou um presente dos céus. A Mãe Negra, a Aparecida das águas, começou a marcar a veia católica de nosso país, inserindo-se definitivamente nos lares do Brasil. Esse Ano Jubilar foi promulgado e aprovado pela 54ª Assembleia Geral da CNBB, sendo Dom Raymundo Damasceno o principal fomentador da ideia. De 12 de outubro de 2016 a 11 de outubro de 2017, muitos foram os eventos, obras, concessão de indulgência e acontecimentos para celebrar essa grandiosa festa do povo brasileiro, o Ano Jubilar Mariano dos 300 anos do encontro da imagem de Aparecida. O Papa Francisco enviou uma Rosa de Ouro, na celebração do dia 9 de outubro, vindo somar as duas outras já existentes, doadas por Papa Paulo VI e Papa Bento XVI.

12 novembro – Celebração de Promulgação do título igreja-catedral

O Santuário Nacional cresce tanto em importância para o Brasil e para o mundo que, em novembro de 2016, o Papa Francisco enviou um decreto autorizando que a Casa da Mãe Aparecida recebesse o título de Catedral Arquidiocesana de Aparecida, o qual pertencia anteriormente à igreja Santo Antônio de Guaratinguetá-SP. Essa transferência se concretizou no dia 12 de novembro de 2016, quando Dom Giovanni d'Annielo promulgou a decisão papal na celebração de uma Missa Solene presidida por Dom Raymundo Damasceno Assis. A igreja de Santo Antônio em Guaratinguetá não deixou de ter a dignidade e a reverência que sempre teve aos olhos dos fiéis que a frequentam, mesmo que não possua mais o título de Catedral Arquidiocesana.

24 de dezembro – Inauguração do Campanário

Os sinos são meios de comunicação antiquíssimos de nossa igreja e também de outros povos, culturas e religiões. Com um poder sonoro capaz de percorrer quilômetros, eles serviam para alertar sobre o perigo, marcar as horas e anunciar o nascimento, a sagração ou o falecimento de alguém. Por isso mesmo, o Santuário Nacional, por meio do trabalho incansável da Família Campanha dos Devotos, idealizou um campanário para ser testemunha da Palavra anunciada no solo mariano. Ele é composto por 13 sinos, sendo dedicados aos 12 apóstolos e a Maria; e cada um dos sinos faz memória de um dos bispos ou arcebispos ligados à história da Mãe Aparecida. O maior sino lembra a importância de Maria e de São José para a vida da Igreja. Manuel dos Sinos e Cláudio Pastro ficaram responsáveis pela execução do projeto, sendo que o artista sacro não chegou a ver a inauguração, tendo falecido em 19 de outubro de 2016. Com um sistema muito moderno, os sinos funcionam tanto da forma tradicional, pelo balanço do badalo, como também com uma prévia programação de movimentos de um martelinho interno, que permite reproduzir canções diversificadas. O campanário também é uma forma singela de agradecer e homenagear a grandiosa Família dos Devotos.

2017
21 de janeiro – Dom Orlando Brandes toma posse como arcebispo de Aparecida
Depois de servir à Arquidiocese de Aparecida por 13 anos como arcebispo, Dom Raymundo Damasceno pede a renúncia dessa belíssima missão. Com a sua saída, o Papa Francisco nomeou Dom Orlando Brandes, no dia 16 de novembro de 2016, para estar à frente da Arquidiocese de Aparecida. Dom Orlando era arcebispo de Londrina, nomeado pelo Papa Bento XVI, e tomou posse como o 5º Arcebispo de Aparecida no dia 21 de janeiro de 2017. Um bispo muito solícito, acessível ao povo e pastoralista, tem participado de grandes acontecimentos na Casa da Mãe, especialmente do Ano Jubilar Mariano e da Festa dos 300 anos do encontro da imagem de Aparecida.

1 de março – Inauguração do revestimento do Baldaquino
Em 2012, o artista sacro Cláudio Pastro iniciou um audacioso projeto de revestimento do baldaquino central (as colunas centrais do Santuário), e da cúpula central. Os quatro lados que formam o grandioso baldaquino ganharam um novo e lindíssimo visual com a aplicação de azulejos, representando os fauna e os biomas brasileiros, além de mostrar os vários estágios da vida, remetendo o romeiro aos relatos da criação no Gênesis. O altar fica no centro de toda essa obra, mostrando que a criação inteira adora o Cristo Jesus, que é entregue aos fiéis na Eucaristia. A inauguração dessa obra aconteceu dentro das festividades dos 300 anos do encontro da imagem de Aparecida, no dia 1 de março de 2017, enriquecendo ainda mais, teológica e artisticamente a Casa da Mãe.

11 de outubro – Inauguração do Revestimento da Cúpula
Passados cinco anos do início do projeto, a cúpula central do Santuário foi revelada a uma multidão que acompanhava deslumbrada esse evento inesquecível. O artista sacro Cláudio Pastro que idealizou e participou de todas as etapas do grande revestimento não estava mais presente na ocasião, pois já havia partido para a casa do Pai, no ano anterior. A noite de 11 de outubro de 2017, no encerramento do Ano Jubilar Mariano, Dom Darci Nicioli coroava Nossa Senhora e conduzia o descortinamento da obra, que estava velada há cinco anos. Uma grande multidão elevou gritos de júbilo e gratidão. Tudo isso graças à generosidade da Família Campanha dos Devotos e de todos os romeiros que amam Nossa Senhora e cuidam de sua casa. A cúpula central é grandiosa desde a sua finalização em 1970 (72 metros de altura, 34 metros de diâmetro e 109 metros de circunferência), mas se tornou ainda mais imponente ao receber, em mosaicos, a árvore da vida, rodeada de pássaros da fauna brasileira e tendo o Espírito Santo de Deus no centro de toda a obra.

2018
14 de outubro – Inauguração do Caminho do Rosário
A Capela chamada de São José já foi pensada anteriormente de ser um espaço dedicado ao santo Rosário, pois é uma devoção muito importante que não poderia ser preterida na história do Santuário Nacional. Essa oração tradicional traz à consciência os mistérios da vida de Jesus e de Maria, sendo, portanto, verdadeiramente útil à vida espiritual de todos os que vêm à Casa da Mãe. No entanto, um local mais propício foi idealizado para oferecer ao romeiro uma experiência profunda da oração do Santo Rosário. Uma longa estrada, tendo seu início na Cidade do Romeiro e seu ponto final no Porto do Itaguaçu, permite ao peregrino fazer uma caminhada contemplando a beleza do paisagismo, enriquecido com 86 mil mudas de cerca de 90

espécies de plantas, enquanto reza diante dos mistérios do Rosário, representados por 128 esculturas belíssimas dos artistas paraguaio Blas e Angela Servín. O Caminho do Rosário, com os mistérios da dor, da glória, da alegria e da luz, foi inaugurado dois dias depois da Festa da Padroeira em 2018.

2020
2020-2021 – Desolação devido a um vírus mortal
No final de 2019, um vírus mortal começa a assolar uma cidade da China, Wuhan. Rapidamente, ele se espalha pelo mundo todo, deixando um rastro de destruição em todos os cantos do mundo. A esse vírus, deu-se o nome de Covid *(Corona Virus Desease)*, que significa a doença do coronavírus. A COVID-19 infectou mais de 270 milhões no mundo todo, matando cinco milhões e trezentos mil pessoas. O Brasil sofreu duramente com essa pandemia, com 22 milhões e duzentos mil infectados e mais de 600 mil mortos. O Santuário Nacional, sendo um local de grande aglomeração de pessoas, teve de fechar completamente as portas ao público no dia 15 de agosto de 2020. Somente no sábado do dia 1 de agosto de 2020 é que reabriu com muito cuidado para o acesso de um número muito pequeno de fiéis. As Missas continuaram sendo transmitidas todos os dias e em mais horários para que os católicos não ficassem desprovidos da Palavra de Deus, nesse momento aterrador da história. Inclusive as Missas e as Celebrações da Semana Santa e do Tríduo Pascal de 2020 aconteceram sem a participação presencial da assembleia. Em setembro de 2021, depois de uma campanha de vacinação pesada, feita pelos estados brasileiros, foi possível reabrir totalmente as portas do Santuário para a visita dos peregrinos, seguindo ainda os rigorosos procedimentos de higiene e prevenções.

2021
10 de janeiro – Lançamento do novo aplicativo "Aparecida"
Certos de que a internet é o centro do mundo das comunicações no século XXI, o Santuário Nacional lançou o novo aplicativo, que permite aos fiéis estarem todos os dias na Casa da Mãe por meio de um clique. Nessa plataforma, todos podem acessar a TV Aparecida, a Rádio Aparecida, a Editora Santuário, o Portal A12, a Bíblia de Aparecida, a liturgia Deus Conosco Dia a Dia, o Santuário Nacional 24 horas ao vivo, a Família dos Devotos e muito mais. É só baixar em seu celular e começar a participar da vida em Aparecida, na Casa da Mãe.

4 de agosto – Inauguração do Hotel Rainha dos Apóstolos
Dom Orlando Brandes, arcebispo de Aparecida, inaugurou mais uma obra no complexo turístico da Cidade do Romeiro, um hotel de alta qualidade e atendimento. Seguindo o mesmo modelo de padrão hoteleiro do Rainha do Brasil, o novo hotel Rainha dos Apóstolos vem somar, com o oferecimento de maior número de leito a uma cidade que não consegue atender a demanda cada vez maior. Pensando em oferecer um serviço de qualidade, mas com um preço mais acessível, essa é uma verdadeira conquista do Santuário Nacional pela generosidade de sua família Campanha dos Devotos. E continua o moto: "Acolher bem também é evangelizar". A Cidade do Romeiro vai ficando cada vez maior para atender bem os hóspedes dos dois hotéis e a todos os romeiros de Aparecida, com atrações como a pizzaria Tutti Santi e o Trenzinho dos Devotos.

5 de dezembro – Prêmio Clara de Assis, da CNBB, à TV Aparecida
A TV Aparecida conquistou um prêmio muito significativo para sua história. A jornalista Camila Morais e o repórter cinematográfico Diego Rosa visitaram nove aldeias indígenas no Mato Grosso do Sul e Rondônia, em uma viagem de 15 dias, para produzir o documentário "Arquivo A: Desafios da Igreja

– Realidade Indígena". A reportagem mostra o quanto nossos indígenas ainda sofrem com perseguição de grileiros e madeireiros, enganos na demarcação de terras, coerção e tentativa de limpeza étnica por parte de fazendeiros da região, que agridem e envenenam as populações com agrotóxicos. A 53ª edição dos Prêmios de Comunicação da Conferência Nacional dos Bispos do Brasil (CNBB), acontecida no dia 20 de outubro de 2021, concedeu esse prêmio à TV Aparecida. O troféu Clara de Assis foi entregue à equipe de reportagem na Missa do dia 5 de dezembro.

2022
19 de março – Inauguração da fachada Norte, no projeto Jornada Bíblica
É mais do que claro que o Santuário Nacional é um espaço da proclamação da Palavra, o centro de sua existência. Anunciar o Reino de Deus, inaugurado por Cristo aqui na terra, é a missão primeira da Casa da Mãe Aparecida. A própria imagenzinha de Maria se encontra em um lugar modesto da nave sul do Santuário, pois ela mesma sabe que o centro de nossa vida é o Cristo, o altar do Sacrifício e a mesa da Palavra. Pensando em dar ainda mais evidência a essa verdade, iniciou-se a campanha Jornada Bíblica, em 2019, para que se pudesse revestir as quatro fachadas da grande basílica. Somente os arcos serão revestidos com mosaicos, representando cenas bíblicas do Gênesis, do Êxodo, do Apocalipse e da Páscoa de Jesus Cristo. Os pórticos serão revestidos de mosaicos, enquanto o corpo do edifício continuará sendo de tijolinhos à vista. A obra é dirigida pelo artista Pe. Marko Ivan Rupnik e sua equipe de mosaicistas do Centro Aletti. No dia 19 de março, aconteceu a inauguração do revestimento da fachada Norte, apresentando a beleza impecável da obra que mostra passagens do Livro do Êxodo.

BIBLIOGRAFIA

Abreu, Waldomiro Benedito de — Pindamonhangaba, Tempo & Face, 1977
Alvarenga, Dr. Manoel — O Episcopado Brasileiro, 1915
Alves, Joaquim Augusto Ferreira, Consolidação das Leis Relativas ao Juízo da Provedoria — E. Francisco Alves, 1912
Camargo, Mons. Paulo Florêncio da Silveira — A Igreja na História de São Paulo, 1953
França, Maria Cecília — Pequenos Centros Paulistas de Função Religiosa, 1975
Hermann, Lucila — Evolução da Estrutura Social de Guaratinguetá num período de trezentos anos — Revista Administrativa, 1948
Saint-Hilaire, Auguste de — Segunda viagem do Rio de Janeiro a Minas e São Paulo, 1822 — Cia. Ed. Nacional, 1932
Machado, Cônego J. Correa — Aparecida na História e na Literatura, 1975
Nigra, Dom Clemente da Silva — Os dois escultores Frei Agostinho da Piedade e Frei Agostinho de Jesus e o arquiteto Frei Macário de São João — Universidade da Bahia, 1971
Spixe Martius — Viagem pelo Brasil, 1817-1820 — Ed. Melhoramentos
Zaluar, Augusto Emílio — Peregrinação pela Província de São Paulo, 1960 a 1961 — Livraria Martins Editora, 1952

***

Constituições Primeiras do Arcebispado da Bahia, 1707
Coleção de Leis de São Paulo, 1835 a 1849
Diário da Jornada que fez o Exmo. Senhor Dom Pedro, desde o Rio de Janeiro até a Cidade de São Paulo, e desta até as Minas — Ano de 1717. Arquivo Histórico Colonial de Lisboa — RESPHAN, nº 3, 1939
Almanaque de Nossa Senhora Aparecida (Ecos Marianos) — Aparecida, 1927 a 1973
Anais da Assembleia Provincial de São Paulo, 1838 a 1898

Jornais

O Parayba, de 1863 a 1875 — Guaratinguetá
Correio Paulistano, 1857, 1884, 1925
A Província de São Paulo (O Estado de S. Paulo), 1888

Voz de Aparecida, 1889, e o Arauto, 1889 — Aparecida
Santuário de Aparecida, desde 1900
Jubileu de Ouro e Rosa de Ouro, 1971
Revistas Convergência, 1977, e Revista Eclesiástica Brasileira (REB)
Pastorais Coletivas do Episcopado Brasileiro, 1890, 1900 e 1915
Documentos dos Arquivos
Arquivo Secreto do Vaticano, Seção Nunciatura do Brasil
Cúria Metropolitana de Aparecida:
— Autos de Ereção e Bênção da Capela de Nossa Senhora da Conceição Aparecida
— Autos de Ereção e Bênção da Irmandade de Nossa Senhora da Conceição Aparecida, 1752/1756
— Livro da Instituição da Capela, original 1950, cópia do mesmo, 1894
— Livro do Tombo da Paróquia do Santuário de Guaratinguetá, 1757/1883
— Livros de Atas da Administração da Capela de Nossa SenhoraAparecida
— Livros de Receitas e Despesas
— Livro do Tombo da Paróquia de Nossa Senhora Aparecida, 1893
— I Livro do Tombo da Arquidiocese de Aparecida, 1858
— Livro de Atas da Comissão Executiva da Construção da Basílica Nacional de Nossa Sra. Aparecida, 1955 a 1977
— Livro de Atas do Conselho Nacional dos Bispos Pró-Santuário de Nossa Senhora Aparecida
Cartório do 1º Ofício da Comarca de Guaratinguetá:
— Autos Civis: Inventários e Testamentos — Processos e Alvarás
— Tomadas de contas da administração da Capela
— Autos de medição das terras do Vínculo da Capela de Nossa Senhora Aparecida
Arquivo da Província Redentorista de São Paulo (APR):
— Crônicas da Casa Redentorista de Aparecida (Doc. 01 a 09), 1894 a 1975
— Correspondência (COPRESP, Vol. I a XL), 1894 a 1980
— Coletânea de documentos e crônicas da Capela (dois volumes)
Cúria Metropolitana de São Paulo: Processos de 'genere et moribus' — Autos de Ereção e Patrimônio de Capelas — Registro de Provisão e outros
Cúria Metropolitana do Rio de Janeiro: Registro e Provisões, 1728 a 1732
Departamento do Arquivo do Estado de São Paulo: Inventários e Testamentos — Registro Régio — Recenseamento de Companhias de Ordenanças — Cartas e Informações — Documentos avulsos

ÍNDICE

— Por que o povo ama N. Senhora Aparecida?........................5
— Introdução 7
— Plano da Obra..10

Primeira Parte: **A Imagem, o culto e as romarias** 11

1 — A pequena imagem da Senhora da Conceição.....................17
    1.1 — Esculpida por um piedoso monge beneditino............19
2 — Guaratinguetá, a Vila entre as Minas e o Mar 25
    2.1 — "E passando por esta Vila o Conde de Assumar..." 29
    2.2 — Eram três os pescadores..31
3 — Sob as águas do Rio Paraíba..33
4 — Os dois documentos do achado da imagem........................38
    4.1 — O documento do I Livro do Tombo da Paróquia
          de Santo Antônio de Guaratinguetá.....................39
    4.2 — As Ânuas dos Padres Jesuítas.....................................41
5 — As narrativas do encontro da imagem 43
    5.1 — A descrição do Livro do Tombo 43
    5.2 — A narrativa das Ânuas dos Padres Jesuítas 46
6 — Início e expansão do culto à Nossa Senhora Aparecida 49
    6.1 — De mãos postas e rosto compassivo 50
    6.2 — A rápida expansão do culto..52
7 — Os primeiros milagres..57
    7.1 — Pesca milagrosa 58
    7.2 — O milagre das velas 59
    7.3 — O milagre do escravo...60
8 — Aprovação do culto sob o novo título de Aparecida............62
9 — Santa Missão revela graça especial do Santuário 67

10 — Projeção e influência do Santuário no século dezenove 72
    10.1 — Os fatores da expansão do culto e sua influência ...74
    10.2 — Visitantes ilustres e a coroa da Pincesa Isabel 79
11 — Romarias ao Santuário 83
    11.1 — Evolução dos meios de transporte..........................87
12 — Celebrações e festas, costumes e tradições......................91
    12.1 — Celebrações e festas..91
    12.2 — Usos e costumes..99
13 — Lendas e Mitos..102
14 — A imagem quebrada e sua restauração.........................107
    14.1 — Estado primitivo da Imagem................................108
    14.2 — Restauração da Imagem...................................... 111
15 — A Imagem, motivo de contradição................................115
    15.1 — A Imagem é reduzida a pedaços............................117
    15.2 — Amor e habilidade restauram a Imagem 121
    15.3 — A peregrinação da volta..125
    15.4 — Pastor da Igreja Universal chuta uma imagem 127
16 — A Sala dos Milagres, sua história................................130
    16.1 — Um altar de Gratidão..130
    16.2 — Objetos e gestos 133
    16.3 — Sentido e arte dos ex-votos 137
17 — Sala dos Milagres — uma visão humana e religiosa 140

Segunda Parte: **O povoado, as igrejas e a administração dos bens** 155

18 — Construção da igreja e do povoado 157
    18.1 — A primeira igreja construída pelo Padre Vilella 158
    18.2 — O povoado e cidade de Aparecida........................163
19 — A Irmandade de Nossa Senhora Aparecida...................170
    19.1 — A Capelania 172
20 — Administração da Capela — 1745 a 1890....................174

20.1 — Administração eclesiástica, 1745 a 1805 174
20.2 — Administração secular, 1805 a 1890 175
    20.2.1 — Mesa Protetória, 1809 a 1844 178
    20.2.2 — Mesa Administrativa, 1844 a 1890 180
21 — O Santuário mantém serviços públicos no povoado 186
22 — Construção da segunda igreja (Basílica Velha) 193
    22.1 — Torres e fachada, 1844 a 1864 193
    22.2 — Naves e Capela-mor, 1878 a 1888 196
    22.3 — A igreja de Monte Carmelo 203
23 — Construção da Basílica Nova 207
    23.1 — A promessa de Dom José Gaspar — 1939 208
    23.2 — Cardeal Motta assume o plano de Dom José 210
    23.3 — Preparativos para a construção 213
    23.4 — Início e etapas da construção 215
    23.5 — Características e dimensões do edifício 218
    23.6 — Fontes dos recursos para a construção 220
    23.7 — Os responsáveis pela construção da Nova Basílica 222
    23.8 — Utilização do recinto da Nova Basílica e do subsolo 224
24 — Administração eclesiástica do cofre e dos bens do Santuário, 1890-1997 227
    24.1 — Administração da Diocese de São Paulo, 1890 a 1908 227
    24.2 — Administração da Arquidiocese de São Paulo, 1908 a 1958 236
    24.3 — Administração da Arquidiocese de Aparecida, 1958-1997 238
    24.4 — Conselho Pró-Santuário Nacional 241
    24.5 — Tesoureiros do Santuário 244

Terceira Parte: **Pastoral do Santuário** 247

25 — Bispos e arcebispos do Santuário de Aparecida 249
    25.1 — Diocese de São Paulo — 1745 a 1908................249
    25.2 — Arquidiocese de São Paulo — 1908 a 1958.........253
    25.3 — Arquidiocese de Aparecida 255
26 — Atuação pastoral da Igreja no Santuário entre
1745 e 1890..259
    26.1 — Período 1745 a 1805 259
    26.2 — Período de 1805 a 1890............................262
27 — Decreto 119A salva o Santuário..........................268
    27.1 — O Santuário e o plano de Renovação Católica 271
    27.2 — Dois decretos e três medidas.............................273
28 — Dom Joaquim Arcoverde contrata os Missionários
Redentoristas...275
    28.1 — Primeiras impressões do povo e do Santuário 278
29 — Os Redentoristas assumem a pastoral do Santuário...........281
30 — Situação pastoral do Santuário em 1894..................285
31 — O Trabalho pastoral dos Missionários Redentoristas.........291
    31.1 — Organização pastoral e meios empregados...........292
32 — As romarias da passagem do século 299
    32.1 — Ritual da chegada e da despedida 302
33 — Primeira missão redentorista em Aparecida, 1901 305
34 — A Imagem de Nossa Senhora Aparecida nas missões
redentoristas 309
35 — Aparecida, expressão forte de religiosidade 315
    35.1 — Evangelização das multidões 317
    35.2 — Acolhimento dos afastados da Igreja 319
36 — Fundação do Jornal e da Rádio Aparecida, 1900 e 1951 321
    36.1 — Fundação do Jornal e da Rádio..........................321
    36.2 — Os Redentoristas e a assistência social 325

Quarta Parte: **Santuário Nacional** 329

37 — A festa da Coroação da Imagem 331
    37.1 — A festa da Coroação projetou o Santuário
    e o nome redentorista..336
38 — Outros eventos que marcaram o Santuário.....................339
    38.1 — Jubileu de 1917...340
    38.2 — Congresso Mariano de 1929 341
    38.3 — A proclamação de Padroeira do Brasil em 1931 ...343
39 — Títulos e festas do Santuário.....................................349
    39.1 — As festas da Padroeira 349
    39.2 — Títulos e privilégios 351
    39.3 — Papa João Paulo II em Aparecida...................353
40 — Peregrinação da Imagem pelo Brasil.............................355
    40.1 — A peregrinação nacional, 1965 a 1968 357
41 — Jubileu dos 250 anos do Encontro da Imagem —
    1717 a 1967..361
    41.1 — Duas Rosas de Ouro para o Brasil 364
42 — Etapas do desenvolvimento atual do Santuário 369
    42.1 — Etapa de renovação da pastoral — 1931 a 1953 ...370
    42.2 — Etapa de transformação — 1954 a 1967............373
    42.3 — Bases do movimento atual — 1967 a 1972 375
    42.4 — Etapa dos últimos 24 anos — 1973 a 1997..........376

Quinta Parte: **Mensagem do Santuário** 381

43 — A mensagem do Santuário 383
44 — Mensagem dos Missionários Redentoristas....................388

Anexo 391

Bibliografia 416

Este livro foi composto com as famílias tipográficas Times e Helvética
e impresso em papel Pólen Natural 70g/m² pela **Gráfica Santuário.**